EM BUSCA DE MIM

VIOLA DAVIS

EM BUSCA DE MIM

15ª edição

Tradução
Karine Ribeiro

Rio de Janeiro | 2025

TÍTULO ORIGINAL
Finding Me

COPIDESQUE
Daiane Cardoso

REVISÃO
Mariana Oliveira
Guilherme Bernardo

ADAPTAÇÃO DE CAPA
Renata Vidal

DIAGRAMAÇÃO
Abreu's System

CIP-BRASIL. CATALOGAÇÃO NA PUBLICAÇÃO
SINDICATO NACIONAL DOS EDITORES DE LIVROS, RJ

D295e
15. ed.

Davis, Viola, 1965-
Em busca de mim / Viola Davis ; tradução Karine Ribeiro. – 15. ed. – Rio de Janeiro : BestSeller, 2025.

Tradução de: Finding me
ISBN 978-65-5712-138-2

1. Davis, Viola, 1965-. 2. Atores e atrizes de cinema – Estados Unidos – Biografia. 3. Autobiografia. I. Ribeiro, Karine. II. Título.

22-77415
CDD: 791.43092
CDU: 929:791

Meri Gleice Rodrigues de Souza – Bibliotecária – CRB-7/6439

Texto revisado segundo o novo Acordo Ortográfico da Língua Portuguesa.

Aviso de gatilho: Este livro contém cenas de violência motivadas por preconceito racial, além de descrição de violência contra crianças, mulheres e animais. Devido à natureza sensível dos temas a editora escolhe sinalizar e aconselha o discernimento do leitor.

Direitos exclusivos de publicação em língua portuguesa somente para o Brasil adquiridos pela
Editora Best Seller Ltda.
Rua Argentina, 171, parte, São Cristóvão
Rio de Janeiro, RJ – 20921-380
que se reserva a propriedade literária desta tradução.

Impresso no Brasil

ISBN 978-65-5712-138-2

Seja um leitor preferencial Record.
Cadastre-se e receba informações sobre nossos
lançamentos e nossas promoções.

Atendimento e venda direta ao leitor:
sac@record.com.br

Dedico este livro ao meu marido, Julius;
à minha filha, Genesis; às minhas irmãs Dianne,
Deloris, Anita e Danielle;
à minha mãe, Mae Alice; e ao meu pai, Dan.

Penso que seres humanos devem ter fé ou procurar uma fé, do contrário nossa vida é vazia, vazia. Viver e não saber por que os grous voam, por que as crianças nascem, por que há estrelas no céu... Você precisa saber por que está vivo, ou então nada faz sentido, tudo está apenas sendo levado pelo vento.

— Anton Tchekhov

SUMÁRIO

CAPÍTULO 1

CORRENDO

"Boqueteiro filho da puta" era minha expressão preferida e, aos 8 anos, eu a usava em tom de afronta. Eu era uma pestinha desbocada e atrevida e soltava essa expressão com uma das mãos no quadril, exibindo o dedo do meio e, às vezes, mostrando a língua. Se a situação fosse particularmente complicada, chamava minha irmã mais velha, Anita, para ajudar. Ela metia medo em qualquer garoto, garota, mulher, homem e cachorro em Central Falls, Rhode Island. Anita deixava as unhas compridas para brigar melhor. Era durona, cheia de estilo, talentosa e bem… raivosa. "Vou chamar minha irmã Anita pra acabar com você", eu dizia, confiante. Mas, sendo três anos mais velha que eu, ela não estava sempre por perto para me proteger.

Enquanto Anita era lutadora, estilosa, tão amada e admirada quanto temida, eu não era nenhuma dessas coisas. Eu era a amiga para todas as horas, competitiva, porém tímida. Quando ganhava concursos de soletração, exibia minha estrelinha dourada para todo mundo ver. Era meu jeito de fazer as pessoas se lembrarem de quem diabos eu era.

Quando estava na terceira série, desafiei o garoto mais veloz da Hunt Street School, em Central Falls, para uma corrida na hora do recreio. Estávamos no ápice do inverno, e todo mundo foi assistir. Eu tinha meu grupo, composto em sua maioria por meninas, e ele tinha o dele, formado por... bem... todos os outros. Meus sapatos eram dois tamanhos menores do que o meu pé, e minhas meias estavam rasgadas bem na parte que deveria cobrir os dedos. Então tirei meus sapatos e as meias e entreguei para a minha amiga Rosie, que disse: "Arrasa com ele!"

Não arrasei com ele. Deu empate, o que para a azarona que eu era estava ótimo, mas para ele foi humilhante. Depois disso, foi a maior confusão. Toda criança na escola começou a entoar: "Revanche! Revanche!", e: "Vamos lá, Chris, não deixa essa garota te vencer!" Observei aquela multidão rindo, me encarando e sussurrando: "Você não pode deixar essa preta te vencer!"

Quando os professores ouviram a confusão e me viram de pés descalços, precisei ficar de castigo no cantinho. Envergonhada. Como se tivesse feito algo errado. Por que todo aquele julgamento? Eu sofria bullying o tempo todo. Aquilo era mais uma face do trauma que estava vivendo — minhas roupas, meu cabelo, minha fome —, com minha vida familiar sendo a pior delas. A revolta, a raiva e a competitividade sendo minhas únicas armas. Meu arsenal. E, quando digo que usava cada ferramenta daquele arsenal todos os dias, não estou exagerando.

No fim de cada dia de aula, precisávamos fazer fila na porta dos fundos e esperar até que o último sinal tocasse. A professora abria a porta e todos saíam correndo para casa. Todo mundo ficava animado porque era o fim do dia de aula. Todo mundo, menos eu. Tanto quanto possível, empurrava meus colegas, quase chegando ao início da fila à força, não me importando nem um pouco se ficavam irritados comigo, porque, quando aquele sinal tocava, eu precisava correr, precisava fugir.

Na minha sala, tinha um menino das ilhas de Cabo Verde, que fica na costa oeste da África. Ele era negro e português e tão retinto quanto eu. Mas ele não queria se misturar com afro-americanos, um pensamento que mais tarde descobri ser muito comum entre os cabo-verdianos de Central Falls. Era comum eles se autodeclararem portugueses. Eles *detestavam* que os chamassem de negros.

Então meu colega "português" e oito ou nove garotos brancos da minha turma faziam seu ritual diário de fim de aula, me perseguindo como cães perseguem a caça. Quando o sinal tocava, era um deus nos acuda, comigo correndo, literalmente, para salvar minha vida. Para a gangue de garotos, era um momento divertido e sádico. Todo dia, a mesma loucura. O mesmo trauma. Eu, em disparada como Wilma Rudolph ou Flo-Jo,* e eles logo atrás.

Enquanto me perseguiam, pegavam o que quer que encontrassem no chão para jogar em mim: pedras, tijolos, galhos de árvore, pilhas, pinhas, qualquer coisa que seus olhos malignos avistassem. Mas me perseguir e atirar projéteis contra mim não era suficiente. Seus gritos maldosos eram direcionados ao alvo de todo aquele ódio: "Sua preta feia. Você é feia pra caralho. Vá se foder!"

Mas graças a Deus eu era rápida. Precisava correr muito pela Eben Brown Lane, o caminho que eu fazia por ser um atalho para chegar em casa, uma rua idílica que parecia saída de uma cena de *A família Sol-Lá-Si-Dó*. Às vezes, os garotos se escondiam atrás de casas nessa rua, e eu precisava me esgueirar e escapar de algum jeito. Eu estava sendo caçada. Quando chegava em casa, estava um desastre ambulante, chorosa e com o nariz escorrendo… todo santo dia.

Um dia, após uma nevasca, havia tanta neve acumulada nas ruas que qualquer um podia se esconder atrás dos montes gigantes que pareciam estar por toda parte. Meus sapatos tinham buracos enormes na sola, e

---

* Wilma Rudolph (1940-1994) e Florence Griffith-Joyner (1959-1998), conhecida como Flo-Jo, foram importantes velocistas norte-americanas, ganhadoras de diversas medalhas olímpicas. [*N. da T.*]

eu não podia correr com eles porque meus pés doeriam mais do que já doíam normalmente. Por isso, eu costumava tirar os sapatos quando corria para salvar minha pele, levando-os nas mãos. Mas naquele dia, com montanhas de neve por toda parte, não pude fazer isso.

Foi então que eles me pegaram. E, quando conseguiram, seguraram meus braços para trás e me levaram até o líder, o garoto cabo-verdiano. Não vou citar nomes porque, bem... a raça dele é bem mais importante para esta história.

— Ela é feia! Crioula* de merda! — disse ele.

Meu coração estava batendo muito forte. Eu pedia a Deus em silêncio que alguém viesse me salvar.

E as outras vozes diziam ao meu redor: "O que vamos fazer com ela?", "Isso aí!", "Você, você, você é feia pra caralho!", "Você é feia! Você é feia!".

— Não entendo por que você diz isso — argumentei com o líder, o garoto "português". — Você também é negro!

Quando falei isso, todos congelaram e caíram em um silêncio mortal. Por uma fração de segundo, era como se estivéssemos em um filme, enquanto os garotos, agora silenciosos, olhavam para o menino "português", ávidos para responder a qualquer comando que ele desse.

— Você também é negro! — Dessa vez eu gritei, chamando-o pelo nome.

O grupo permaneceu em silêncio. Tão quietinhos.

Ele olhou de um garoto branco para o outro, assustado e fazendo de tudo para encontrar uma maneira de esconder a verdade que eu acabara de soltar. O tipo de verdade enraizada em um ódio de si mesmo que preferiríamos levar para o túmulo. Por fim, ele gritou, irado:

— Nunca mais me chame de negro, porra! Eu não sou negro! Sou "português"!!!

---

* As palavras *nigga* ou *nigger* em inglês, também conhecidas como *n-word* devido à recusa política de pessoas em escrevê-las ou pronunciá-las, são insultos raciais bastante ofensivos e seu uso pejorativo é altamente condenável. Nesta edição, o termo foi traduzido de modo a contextualizar o leitor brasileiro da especificidade de seus usos na comunidade afro-americana. [*N. da E.*]

E me deu um soco muito forte no braço. Então baixou o olhar, envergonhado por ser exposto. Como se eu tivesse revelado a sua verdade mais incômoda, mais dolorosa.

— Dá o fora daqui!

Eles me jogaram na neve e a chutaram em mim. Meu braço se retesou. Estava doendo. Fui andando para casa, completamente humilhada.

No dia seguinte, não queria ir à escola. Minha mãe estava lavando roupa em uma daquelas velhas máquinas de lavar manuais em que era necessário puxar as roupas por um espremedor.

— O que aconteceu com você? — perguntou ela.

— Mamãe, aqueles garotos na escola querem me matar! Eles me perseguem todo dia depois da aula.

Depois de esconder por meses, enfim contei a ela meu trauma diário.

— *Vahla* — a pronúncia sulista do meu nome —, não corre mais desses filhos da mãe. Tá me ouvindo? Quando o sinal tocar você VEM ANDANDO pra casa! Se eles mexerem com você, acabe com eles.

Com “acabar com eles” ela queria dizer “espetar”. Mas, se você já viu uma agulha de crochê, entende que minha mãe estava apenas sendo ética. Elas não são nem um pouco afiadas! Ela me deu uma e me disse para guardá-la no bolso. Era de um azul brilhante.

— Não volte aqui choramingando por causa desses garotos ou vou te dar uma surra.

Ela falava sério. Aquela era uma mulher mãe de seis filhos. Ela não tinha tempo para ir à escola todo dia e lutar nossas batalhas. Precisava muito que eu soubesse me defender. Mesmo que tivesse que me ameaçar para que eu reagisse.

No dia seguinte, foi necessário cada osso, músculo e célula do meu corpo para que eu caminhasse quando o sinal tocou. Ouvi as vozes dos garotos atrás de mim. Senti a fúria deles. O ódio. Mas andei o mais lentamente possível. Tão lenta que mal me movia. Meus dedos seguravam firme a agulha de crochê azul-brilhante no bolso. As vozes ficaram mais altas e mais próximas. Por fim, senti alguém agarrar meu braço com violência, e então uma fúria, uma determinação, uma exaustão tomaram conta de mim.

Eu sussurrei:

— Se não tirar as mãos de mim, vou acabar com você.

O garoto me olhou aterrorizado, analisando meu rosto para saber se eu falava sério. Era sério. Ele me soltou e os outros se afastaram, rindo. O ritual de perseguir a garota negra de cabelo duro de repente perdeu o encanto.

Anos depois, durante uma conversa com Will Smith no set de *Esquadrão suicida*, tive uma epifania. Ele me perguntou:

— Viola, quem é você?

— Como assim? Eu sou eu — respondi com uma confiança forjada.

Ele perguntou outra vez:

— Não, mas quem é você?

— O que quer dizer com isso?

— Olha, eu sempre vou ser o garoto de 15 anos que levou um pé na bunda da namorada. Sempre serei esse garoto. Então, quem é você?

Quem sou eu? Fiquei calada, e mais uma vez aquela memória indestrutível me atingiu. Então despejei tudo:

— Sou a garotinha que corria para casa todo dia no terceiro ano porque uns garotos me odiavam por eu... não ser bonita. Por eu ser... negra.

Will me encarou como se estivesse me vendo pela primeira vez e só assentiu. Senti um nó na garganta, as lágrimas se formando. Memórias são imortais. São imperecíveis e precisas. Têm o poder de dar alegria e perspectiva em tempos difíceis. Ou podem sufocar. Definir você de uma maneira que tem mais a ver com a percepção limitada das pessoas do que com a verdade.

Lá estava eu, uma atriz de carreira consolidada, trabalhos na Broadway, premiada e reconhecida pela reputação de conferir profissionalismo e excelência a qualquer projeto de que participava. Por Deus, até a Oprah sabia quem eu era. Mesmo assim, sentada ali conversando com Will Smith, eu ainda era aquela garotinha negra assustada do terceiro ano. E embora estivesse a muitos anos e muitos quilômetros de Central

Falls, Rhode Island, nunca tinha parado de correr. Meus pés só tinham parado de se mover.

Eu tinha toda a força física do mundo, mas não havia adquirido o domínio da coragem. *Essa* é a memória que me define. Mais do que o xixi na cama, a pobreza, a fome, o abuso sexual e a violência doméstica. É uma memória poderosa porque foi a primeira vez que meu espírito e meu coração foram aniquilados. Eu me defini pelo medo que sentia e pela fúria que recebia daqueles garotos. Eu me sentia feia. Me sentia indesejada até mesmo por Deus. Queria tanto me encaixar naquele mundo, mas em vez disso estava sendo expelida feito vômito. Quem eu era os ofendia. A memória se enraizou em mim e se espalhou por toda a minha existência. Também não ajudava o fato de estar correndo de volta para um lar onde não encontrava proteção. Um lar que parecia validar todas as coisas horríveis que aqueles garotos diziam sobre mim.

Aos 28 anos, despertei para a dura e impactante verdade de que minha jornada e tudo o que eu estava fazendo na vida tinham como objetivo curar aquela garota de 8 anos. Aquela Viola do terceiro ano que sempre terminava derrotada, caída no chão. Queria voltar e gritar para ela: "Pare de correr!"

Queria curar suas feridas, a exclusão. Isso até que um terapeuta me perguntou, alguns anos atrás:

— Por que está tentando curá-la? Acho ela bem durona. Ela sobreviveu.

Isso me atingiu como um raio. Fiquei sem palavras. *O quê? Aquela pobre garotinha "cor de chocolate" de Central Falls? Ela é uma sobrevivente?*

Ele se inclinou para a frente como se fosse me contar um grande segredo, ou resolver o maior obstáculo da minha existência:

— Você consegue abraçá-la? Consegue deixar que ela abrace VOCÊ? Consegue deixar que se empolgue com a mulher de 53 anos que vai se tornar? Pode deixar que ela dê um gritinho de empolgação por isso?

Fiquei ali de braços cruzados. De jeito nenhum! Fui *eu* que consegui. *Eu* tenho a autoridade. Olhei para o espaço vazio ao meu lado no divã e vi minha eu mais jovem com muita nitidez. Ela estava sentada ali esperando... para ser acolhida? Para ser reconhecida? Esperando que a deixassem entrar.

O terapeuta se inclinou na minha direção, me encarando, firme, decidido e persistente, e observou:

— É a de 53 anos que precisa de ajuda.

Silêncio foi tudo que consegui oferecer como resposta.

— Aquela garotinha SOBREVIVEU!!!!!! — disse ele enfaticamente.

Mantive meus braços cruzados. Rígida.

Ele se endireitou e esperou que meus braços se descruzassem. O que não aconteceu.

A parte final do caminho para me encontrar seria deixar que aquela garota de 8 anos entrasse, convidá-la para experimentar a alegria que ela tanto desejava, lhe mostrar como era se sentir viva de verdade. O objetivo é encontrar um lar para ela. Um local de paz onde o passado não limite a Viola de AGORA, onde eu me aproprie da minha história.

Nas minhas palestras, o título é sempre o mesmo: "A jornada do herói". Aprendi com o escritor Joseph Campbell que o herói é uma pessoa nascida em um mundo no qual não se encaixa. É então invocado para a aventura que reluta em aceitar. Qual é a aventura? A revolucionária transformação do *self*, seu ser interior. O objetivo é encontrar o elixir. A poção mágica que é a resposta para acessar o *self*. Então ele volta "para casa", para sua vida comum agora transformada, e compartilha sua história de sobrevivência com os outros.

É exatamente assim que descrevo minha história. Quando criança, senti que meu chamado era me tornar atriz. Não era. Era maior que isso. Era maior que meu sucesso. Maior que as expectativas do mundo. Era maior do que eu, bem maior do que qualquer coisa que imaginei um dia. Era a completa aceitação do que Deus planejou para o meu ser. Mesmo as partes que tinham rachaduras e onde o encaixe não estava certo. Era a aceitação radical da minha existência, sem desculpas e com propriedade. Naquele dia no consultório do terapeuta, vi aquela garotinha muito nitidamente. Podia ouvi-la dizer: *Você é o meu lar. Deixe-me entrar.*

Quando mesmo assim ela não recebeu um abraço, reagiu com mais intensidade.

Aquela eu mais jovem estava sentada lá dizendo: *E aí? Você não vai me deixar entrar? Já cumpri a porra da minha parte na corrida! Passei o bastão pra você! Todos aqueles boqueteiros filhos da puta! Merda! Sei que eu não me encaixava, mas, cara, eu te trouxe até* AQUI! *Dizer àqueles garotos para "beijar minha bunda negra"?!! O choro! O xixi na cama!* Eu ainda a vejo sentada, me encarando, braços caídos na lateral do corpo, com seu cabelo natural e jeans de segunda mão. Esperando...

Minha jornada era como um filme de guerra, em que no final o herói foi tão machucado e ferido, está tão traumatizado por testemunhar incontáveis mortes e atos de destruição e tão desgastado que não consegue mais voltar a ser o mesmo de antes.

Ela pode até ter visto a própria morte, mas foi ressuscitada de alguma forma. Mas, para me lançar NAQUELA jornada, precisaria estar armada com a coragem de uma leoa.

Cara, eu preferiria lutar dez rounds contra Mike Tyson a encarar algumas verdades que estavam adormecidas dentro de mim. Pelo menos eu daria trabalho para Mike. Mas essa batalha interna, esse conflito interno, eu não conseguia encarar.

Naquele dia no consultório do terapeuta, o objetivo era óbvio e repetitivo. Indivíduos que estão na jornada, cedo ou tarde, passam por um batismo de fogo. É o momento em que estão prestes a perder a vida e, milagrosa e corajosamente, encontram a resposta que dá sentido à existência deles. E esse sentido, essa resposta, os salva.

Nas palavras de Joseph Campbell em *O herói de mil faces*: "O chamado da aventura significa que o destino convocou o herói. O herói, deus ou deusa, homem ou mulher, a figura de um mito ou o sonhador num sonho, descobre e assimila seu oposto (seu próprio eu insuspeitado), quer engolindo-o, quer sendo engolido por ele."*

Ainda vejo com nitidez minha eu mais jovem daquele dia fatídico no consultório do meu terapeuta. Aquela menina se levanta, chorosa, de um monte de neve. Puta da vida, ela grita:

— Vadia!!! Eu não vou ser engolida!

* CAMPBELL, Joseph. *O herói de mil faces.* São Paulo: Cultrix/Pensamento, 1989.

CAPÍTULO 2

MEU MUNDO

Vahla... todos os teus tios e tias tavam em casa comendo, dançando, esperando você nascer.

— Mae Alice Davis

Anos atrás, quando minha mãe contou a história do meu nascimento, fiquei bem surpresa. Era uma memória feliz e saudável. "MaMama", como eu a chamo, tem a tendência de contar histórias chocantes do nada: parentes se engraçando uns com os outros; ou como ela começou a cuidar dos irmãos aos 4 anos; as traições do meu pai. Enterrada entre todas essas narrativas fabulosamente terríveis, há um conto encantador: a história do meu nascimento.

MaMama tem duas expressões que provocam muito riso e também uma sensação de conforto em mim e meus irmãos. Uma é "Ma", uma forma afetuosa de *nos* chamar — os filhos dela. A outra é "e coisa e tal". Ela sempre inclui essa expressão nas frases.

Com seu sotaque da Carolina do Sul, ela dizia:

— Vahla, quando você nasceu e coisa e tal, todos os teus tios e tias e coisa e tal, todo mundo tava lá. Eles tavam bebendo, dançando e coisa e tal, esperando por você. A Srta. Clara Johnson estava atrasada e coisa e tal, então sua avó fez o parto. Tava todo mundo feliz!

Quando ela me contou essa história pela primeira vez, deixei que um longo instante de silêncio se instalasse no final. Fiquei esperando por uma reviravolta. Fiquei esperando por uma interjeição; *algo* que tenha interferido na beleza do momento. Mas aquela virada terrível nunca veio. Era uma história de família linda e comum, centrada na minha chegada à terra dos vivos. Para o meu espanto, a história do meu nascimento não me confundiu, nem trouxe dor ou incômodo ao âmago do meu ser. Era apenas uma história de amor e vida.

Amo muito essa história e sempre peço que minha mãe a reconte. É sério, eu peço o tempo todo. E toda vez que ela conta, adiciona um detalhe maravilhoso: que comeu um sanduíche de sardinha, cebola, tomate e mostarda logo depois de dar à luz. Uma combinação nojenta, eu sei, mas ela explica: "Foi o melhor sanduíche que comi na vida."

Ela me deu o nome de Viola em homenagem à minha tia-avó por parte de pai. Nasci no dia 11 de agosto de 1965, em St. Matthews, Carolina do Sul, a quinta de seis filhos, na casa dos meus avós maternos na Plantation Singleton. E, sim, era e ainda é um sistema colonial agrícola de *plantation*.* Não uma fazenda. Dirija pela longa estrada de terra mais ou menos 650 hectares adentro e chegará à casa do latifúndio linda, enorme e branca. Dirija um pouco mais e lá estará a pequenina igreja de um cômodo só. E, caso se aventure mais um pouco, chegará aos degraus das casas dos meeiros, banheiros e chuveiros externos e um poço.

Meus avós maternos, Mozell e Henry Logan, assim como os outros meeiros, tinham uma casa de um cômodo só, com uma grande lareira.

A filha deles, MaMama, a mais velha de 18 filhos, parou de estudar no oitavo ano porque engravidou e também porque apanhava muito

* *Plantation* é um tipo de sistema agrícola de exploração, baseado na monocultura de exportação e sempre fazendo uso de grandes latifúndios e de mão de obra escravizada. Este foi um sistema econômico agrícola largamente implementado durante o processo de colonização das Américas. [*N. da E.*]

na escola. E com isso quero dizer que ela era espancada até ficar com feridas abertas e sangrar.

Minha avó e minha tia tiveram que ir à escola confrontar a professora, que também era negra, mas com a pele mais clara, e sofria com um problema muito comum chamado colorismo. Ela punia minha mãe por ser retinta, do interior, caipira e por ter "cabelo duro".

A família de MaMama não tinha privadas, chuveiros ou banheiros dentro de casa. Isso, misturado à quantidade de crianças e à pobreza terrível, significava que por vezes ela cheirava a xixi. Mais um atributo vergonhoso que motivava o medo e a raiva da professora em relação à retinta MaMama. Mais uma vez, associando a cor da pele a tudo o que é negativo e errado. A verdade é que senti um tipo diferente de tristeza por minha mãe quando descobri o que de fato motivou a decisão dela de não voltar à escola.

Mesmo assim, minha mãe seguiu com a vida. Ela se casou e teve o primeiro filho, meu irmão, John Henry, aos 15 anos. Teve minha irmã Dianne aos 18, Anita aos 19, Deloris aos 20, e eu aos 22. Anos mais tarde, aos 34, teve minha irmã Danielle.

Apenas 11 dos 18 filhos de Mozell e Henry Logan sobreviveram — MaMama, obviamente, sendo um deles. Foram vários natimortos e um bebê, do qual minha mãe fala constantemente, que morreu em um incêndio quando recém-nascido. O nome desse bebê era Deloris.

MaMama conta que, por volta dos 4 ou 5 anos, tinha a gigantesca responsabilidade de cuidar dos irmãos mais novos. Ela conta que tirava a chupeta da própria boca para colocá-la na boca do irmão, de tão criança que era. Como a maioria das crianças na época, enquanto os adultos trabalhavam na plantação, elas eram deixadas sozinhas em casa, sem a supervisão de um adulto. Com frequência eles cozinhavam, limpavam a casa e trocavam fraldas.

Ela estava brincando com fósforos um dia na lareira da cabana de madeira onde eles moravam e o tapete começou a pegar fogo. Isso assustou MaMama. Ela pensou rápido e pegou o irmãozinho, Jimmy, e correu para fora de casa. Conforme a casa era consumida pelo fogo, ela não conseguiu voltar para pegar a irmãzinha, que estava no quarto dos fundos. Quando Deloris foi encontrada, estava perfeita e lindamente intacta, mas morrera por inalar fumaça. "Ela era uma bebê linda, parecia uma boneca", contava MaMama.

Infelizmente, ela levou a culpa pela morte da bebê e foi espancada pelo pai e pela mãe. Minha mãe diz que até hoje tem problemas em um dos braços por causa disso.

MaMama sempre contava essa história. Por fim, depois de tantos anos, eu disse a ela: "Você sabe que não foi sua culpa. *Não foi* sua culpa. Estou te dando permissão para se perdoar. Seus pais estavam *errados* por te espancar. Foi um acidente. Você não deveria sequer ter sido colocada naquela posição."

Silêncio doloroso. Então ela simplesmente mudou de assunto. Sei que MaMama nunca vai se perdoar, mesmo que anos depois tenhamos constatado na certidão de óbito que MaMama não poderia ter mais de 3 anos, não 4 ou 5, quando a irmãzinha dela morreu.

Adoro olhar para a minha mãe. Absorvo cada detalhe do rosto, das mãos, da pele dela. Observo todas as cicatrizes. Algumas me lembram do abuso que ela sofreu; outras, não. O braço esquerdo machucado. A cicatriz no antebraço direito, causada pelo meu pai quando o rasgou. Cicatrizes no rosto, nas pernas... Cicatrizes. Penso na complexidade de seu coração de criança comparado à guerreira maternal e feroz, que tirava a peruca para acabar com quem se atrevesse a pensar em machucar seus bebês.

Penso na coragem dela ao lutar pela reforma da previdência social nos anos 1970. Sendo presa. Nos segurando em um dos braços e brandindo o punho com o outro, enquanto éramos jogados em viaturas. Ela discursando na Brown University: "Posso ter estudado só até o oitavo ano e estava nervosa, mas falei." Penso na mulher que sobreviveu a um terrível abuso sexual apenas para se casar com meu pai, que era extremamente agressivo, mas que depois de muitos anos se tornou um parceiro de verdade.

Tudo isso me vem à mente quando olho para um dos maiores amores da minha vida, minha mãe, e a ouço recontar as mesmas histórias.

— O médico disse que você ia ter uma cabeça enorme, uma barrigona e pernas tortas — disse minha mãe, enquanto dava garfadas no arroz e bebia sua mimosa. Estava contando uma história de quando eu tinha mais ou menos 2 anos.

— Você tava no Memorial Hospital. Era só uma bebê. Eles colocaram todos aqueles aparelhos em você e tinha toda aquela crosta e pus e coisa e tal ao redor de seus olhos e nariz. Seu pai foi lá te ver e foi a primeira vez que vi ele chorar como um bebê. Eu sabia que meu leite tava ruim. O médico disse que você não ia crescer, sabe, normal.

MaMama estava visitando minha casa em Los Angeles quando contou essa história. Era um dia de folga das gravações de *How to Get Away with Murder*, também conhecida por *Como defender um assassino*. Estávamos no quintal. Eu sabia a história de cor, mas a ouvi mesmo assim.

— Ele queria fazer um experimento com você. Disse que ia quebrar suas pernas pra ver se elas cresciam retas. Mas vi como ele me olhava. Não sou burra. Ele viu que eu era pobre e negra. Então tirei você daquele hospital. Aquele médico ficou falando: "Sra. Davis, você está cometendo um grande erro!" Mas falei que ele não ia fazer experimentos na minha bebê. Te levei pra casa da Srta. Cora, e ela fez uma sopa de feijão-de-lima, e você comeu a tigela toda e bebeu um copão de água gelada e foi isso.

A Srta. Cora era nossa parente distante e vivia em Prospect Heights, um projeto habitacional para pessoas de baixa renda em Pawtucket, Rhode Island.

— A Srta. Cora disse: "Tem nada errado com essa bebê!" E depois da sopa você abraçou a perna dela e não soltava por nada.

Eu só escutava, sempre em silêncio. Tenho a vaga memória desse momento de abraçar a perna da Srta. Cora, sentindo gratidão, mas só me lembro daquele momento.

— Sei que o médico não está vivo hoje porque isso foi quando você era bebê. Mas queria que ele te visse agora — diz ela, como sempre, com uma grande explosão de alegria, rindo, gargalhando. — Você não tem pernas tortas nem uma barrigona. Sua cabeça é grande, mas isso é o que te faz ser uma boa atriz! Vahla, prepare pra sua mãe outra dessas *momosas* ou… você sabe do que estou falando.

Não importa o que eu faça, não consigo fazê-la lembrar a palavra "mimosa", então parei de tentar, porque meio que gosto do jeito que ela fala.

Corro para preparar outra mimosa — com mais suco que champanhe —, já ansiosa e reunindo coragem para fazer uma pergunta muito arriscada. Qualquer coisa para arrancar segredos dela. A "história da cabeça grande" é uma de suas favoritas. Cresci odiando essa história. Deixo que ela a termine antes de perguntar algo mais desafiador. Uma das belezas de envelhecer é poder conhecer melhor seus pais.

— Hã… Mãe… você chegou a ter um caso? Já se apaixonou por outra pessoa? Você teve um caso com Howie?

Howie era um cara branco muito legal que morava no segundo andar do número 128 da Washington Street, um complexo de apartamentos em que moramos. Toda vez que meu pai batia na minha mãe, ela corria para o apartamento de Howie. Ele lavava as feridas dela e deixava minha mãe se esconder lá até que meu pai se acalmasse. Era a personificação do estereótipo do hippie dos anos 1970. Aquele era Howie. Ele tocava violão para nós e nos dava doces. Só doces normais, sem, digamos, "aditivos".

— Não, Vahla. Nunca fiz nada com Howie. Ele era só um cara legal. Seu pai sempre me acusou de me meter com ele.

Tenho que dizer que fiquei decepcionada. Eu estava esperando não apenas por algo indecente, mas meio que esperava que minha mãe tivesse alguma história em que explorasse sua alegria, seus desejos ou um pouquinho de felicidade, mesmo que fosse tendo um caso.

Ela tomou outro gole.

— Mas me apaixonei pelo meu ginecologista.

Me endireitei.

— AHHH! É mesmo?!

— Vahla, eu estava grávida de Danielle e, sabe, ele cuidava de mim, me ouvia. Eu estava muito sensível na época, e ele foi tão legal…

Esperei por mais detalhes, mas foi só isso. Ela se apaixonara por um homem que cuidara dela. Teimosa como um touro, inocente como uma criança e fiel mesmo quando abandonada. Louvado seja Deus pelas mimosas ou, como MaMama as chama, "momosas".

Quando jovem, pensava, talvez de maneira arrogante, que podia me sair melhor que minha mãe. Eu ia lutar com dragões. Ser mais forte e mais confiante. Não ia fugir das lembranças ruins. Eu ia ser uma "heroína", uma vencedora.

Mas você conhece aquela frase: "Me mostre um herói e te mostrarei uma tragédia." Como uma *geek* do teatro, aprendi que tragédias sempre terminam com a queda do herói. Todos que foram influenciados por ele, que se beneficiaram dele ou que confiaram nele são esmagados na queda. Heróis sempre causam a própria queda, como é o caso de Édipo. Eu não queria causar minha própria queda. Não queria seguir a vida e não ser responsável pela minha imprudência. Queria estar mais consciente do meu calcanhar de aquiles. Acreditava que *autoconsciência* era o que garantiria minhas bênçãos. Não fazia ideia da gigantesca tarefa que estava pedindo ao universo.

Em um desses episódios nos quais minha mãe revelava fatos extremamente importantes de maneira espontânea, sem aviso ou contexto, ela me contou que, embora tenha usado o nome Mary Alice Davis durante boa parte da vida, seu nome real era Mae. "M-A-E", ela sempre diz, não "M-A-Y". Cedo ela trocou o nome para Mary porque todas as garotas no interior se chamavam Mae, e ela não queria ser como todo mundo. Como isso é foda!

A mulher que me esforcei tanto para não ser foi minha musa inspiradora em *How to Get Away with Murder*. Ela só contou a mim e às minhas irmãs sobre a mudança de nome já muito tarde na vida. Eu tinha 35 anos quando descobri. Não foi uma mudança oficial, apenas informal. Quando ela me contou, certamente não foi como uma confissão, e sim uma correção. Era quase como se estivesse insultada por eu dizer o nome dela errado. Eu estava enviando dinheiro a ela via Western Union, como sempre fiz.

— Vahla! Pare de escrever Mary!! Meu nome não é Mary! É Mae. M-A-E! Você cisma em escrever meu nome errado!

Silêncio.

— MaMama, do que você está falando? Você sempre foi Mary: Mary Alice Davis.

— Vahla! Eu sempre fui Mae. Só nunca gostei desse nome. Todo mundo no interior se chama Mae.

— Eu… Eu… estou confusa.

— Minha identidade diz "Mae", então envie para "Mae Alice Davis".

Silêncio.

— Vahla?! Você ouviu o que sua mãe disse, não ouviu?

— Hãã. Sim. Ouvi, mãe.

Não questionei. Por mais confusa que eu estivesse, não queria fazer perguntas, porque ela não parecia disposta a responder. Além disso, ia me dar uma surra quando me visse de novo. Não estou brincando. Após duas gerações da escravidão, por mais dócil que ela parecesse às vezes, minha mãe tinha um gancho de direita brutal. Então nem mencionei que o nome da irmã dela era Mary, um fato interessante diante da mudança de nome dela de "Mae" para "Mary".

Por mais que eu tenha tentado esculpir MaMama na tentativa de chegar ao cerne de quem ela é, nunca consegui. Existem décadas de segredos reprimidos, traumas, sonhos e esperanças perdidas. Era mais fácil viver sob aquele véu e vestir uma máscara do que lidar com eles.

Diferentemente da minha mãe, meu pai era um homem mais simples. Dan Davis nasceu em 1936, em St. Matthews, Carolina do Sul. Pelo que sei, ele tinha duas irmãs. Não consigo me lembrar de jeito nenhum, mas ele tinha, acredito, um relacionamento ruim com o padrasto, cujo sobrenome era Duckson.

Papai diz que estudou até o quinto ano, mas, avaliando sua caligrafia ao longo dos anos, eu diria que a educação formal dele parou perto do segundo. Ele pode não ter estudado, mas não era burro. Analfabeto aos 15 anos, aprendeu a ler porque um amigo o ensinou, observando outdoors na estrada.

Aos 15, após anos de agressões, ele fugiu de casa para trabalhar como tratador de cavalos em hipódromos pelo país. Tratou de alguns dos maiores cavalos de corrida da história, e mesmo assim odiava o trabalho. Com tristeza, MaMama conta que meu pai nunca tratou do famoso puro-sangue Secretariat. Ainda temos fotos dele com os vencedores, porque o tratador quase sempre saía na foto quando um cavalo ganhava.

Quando mais jovem, eu amava ir trabalhar com meu pai. Amava estar cercada de cavalos. Até o cheiro do esterco, do feno e da comida dos cavalos me empolgava. Vê-los nos estábulos e alimentá-los com meu pai é uma lembrança feliz.

Quando os donos apareciam e diziam ao meu pai como escovar os cavalos e como alimentá-los, a atmosfera se transformava em algo muito diferente. Quando meu pai estava perto daqueles homens, era quase como se fosse um escravizado, e eles, seus senhores. Ele fazia cinco tarefas de uma vez. A enorme seringa com doses de vitaminas para os cavalos, as diferentes misturas de alimentos, as escovações e o feno. Eles não entendiam o quanto estavam exigindo dele. Eu sentia a frustração, a raiva dele. Mas que escolha meu pai tinha?

Para piorar, tratadores recebiam um salário com que mal dava para viver. Imagine tirar sua família do Sul com a esperança de uma vida melhor. Mesmo assim, tudo o que você tem, tudo o que consegue ganhar não é suficiente para mantê-los vivos e funcionais. Ele ficava visivelmente satisfeito por eu presenciar as dificuldades do trabalho dele. Acho que era uma forma de validar a realidade da situação que ele vivia.

Mas meu pai, que chamávamos de MaPapa, era mais do que o trabalho. Ele era um excelente contador de histórias. Também tocava gaita e violão muito bem. Ele amava soul, jazz e blues, principalmente B.B. King.

Como MaPapa já faleceu, nunca saberei que fantasmas o fizeram fugir de casa aos 15 anos. Por mais que o ame, sei que eles o assombraram a vida inteira. Eles se entranharam nele, transformando-se em ódio e alcoolismo. Esse ódio costumava ser extravasado no dia do pagamento.

Sempre fui introvertida e, quando criança, era muito tímida. Bem cedo me tornei uma ávida observadora do mundo ao meu redor. Eu me camuflava em quase qualquer ambiente e conseguia ver sem dizer nada. O que via em meu pai era um homem que, sozinho e solteiro, podia pegar o salário e gastar tudo com mulheres e bebida. Mas ele não era sozinho. Durante minha infância, meu pai tinha cinco filhos para alimentar (exceto minha irmã Danielle, que é quase 12 anos mais nova que eu). Cada centavo que ele ganhava era para nós. Embora trabalhasse duro, aguentando o desrespeito dos donos brancos de cavalos, não era suficiente.

Então ele se enfurecia.

Seus casos não eram segredo para ninguém. A única "outra" de que me lembro em detalhes era Patricia, uma mulher corpulenta que morava perto da Railroad Street, em Central Falls. A Railroad Street ficava nos limites da cidade, que tinha só dois quilômetros quadrados. Meu pai me levava até lá e sempre me dava um dólar ou 75 centavos em moedas de 25 para não contar a MaMama aonde íamos.

— Tudo bem, papai — dizia eu, empolgada ao aceitar o dinheiro.

Eu não tinha mais que 5 ou 6 anos.

Meu pai estava sempre bem-vestido e muitas vezes teve um carro bacana. O carro daquela época era um conversível. Não me pergunte como ele conseguia pagar aquele carro, mas considero esse período "bons anos", financeiramente falando.

Ele ia ao apartamento de Patricia, e ela atendia à porta nua, o que me traumatizou profundamente. Eu ficava petrificada. Ela não fazia qualquer tentativa de esconder nem seu traseiro nu, nem as más intenções com meu pai. Em vez disso, corria para os braços dele, beijando-o e dando risadinhas.

— Ah, Dan! É a sua bebê?

Eu queria dizer: *Vaca, eu sou a bebê da MaMama! Não sua!* Eu a odiava.

Meu pai apenas dizia:

— Vá lá pra baixo e espere seu pai.

Patricia então fechava a porta na minha cara, rindo.

Eu odiava ir lá para baixo. Eles queriam que eu brincasse com uma garotinha da minha idade. Ela tinha os melhores brinquedos, mas nunca queria brincar comigo. Não queria que eu tocasse em seus brinquedos, e a mãe dela aparecia e me enxotava dali. Eu acabava sentada sozinha, querendo minha mãe mais do que nunca.

Depois de muito tempo, meu pai aparecia e repetia:

— Não conte à sua mãe onde estivemos.

E assim que chegávamos em casa, minha mãe perguntava:

— Aonde vocês foram?

— Papai me deu 75 centavos pra não contar — dizia eu sem pensar.

Meu pai revirava os olhos, e a confusão estava armada.

O caso com Patricia terminou quando MaMama descobriu que ele estava no bar da cidade com ela. MaMama nos disse que já voltava. Ela saiu do apartamento, foi até lá e deu um tapão em Patricia, que caiu do banquinho em que estava sentada. Meu pai ficou lívido e deu um tapa na minha mãe.

Ironicamente, Patricia escreveu uma carta para a minha mãe expondo o "canalha imprestável" que meu pai era. Minha mãe guardou a carta debaixo do colchão por muito tempo e, às vezes, a pegava para ler. Isso sempre a deixava deprimida.

Minhas irmãs e eu também a líamos. Nas minhas fantasias, sempre a imaginei pensando no que diabos fazer com aquela informação. Desejava que MaMama pudesse ter adquirido meios para imaginar uma vida livre daquele tipo de dor. Uma que rejeitasse tudo que a família ensinara a ela sobre casamento e nunca desistir, nunca deixar seu homem mesmo que ele a traísse e aguentar todo tipo de abuso. Imaginei que, se tivesse o vocabulário e os recursos, ela simplesmente diria: "Me ajude!", "Me guie!". Mas, mesmo adulta e com filhos, ela ainda era aquela garotinha negra de 15 anos do interior da Carolina do Sul que engravidou e se casou antes que tivesse idade para dirigir.

Minha irmã mais velha, Dianne, conta a história de uma briga dos meus pais fora de casa. Meu pai gritava:

— Mae Alice! Você quer que eu fique ou vá embora? Diga! Você quer que eu fique ou vá?

Minha irmã estava enviando mensagens telepáticas: *Por favor, diga a ele para ir embora! Diga a ele para ir, mamãe!*

Mas minha mãe só gritou:

— Quero que você fique!

Era uma escolha que traria enormes consequências. O abuso provoca tantas lembranças traumáticas que se misturam com atitudes difíceis de se livrar. Pode ser algo que tenha acontecido quarenta anos antes, mas permanece vivo, no presente.

Como eu disse, Mae Alice tem um coração leal. Seu coração se apega e não pede nada em troca. Ela mostra as garras apenas quando aqueles que ama precisam de proteção ou para defender quem sente que lhe pertence. Minha mãe nunca ergue os punhos para defender... a si mesma. Existe uma linha muito tênue entre predadores e abusadores e minha mãe. Ela se autossacrifica à custa da própria alegria.

Uma noite, meu pai chegou em casa do bar e caiu na porta de entrada. Minha mãe gritou:

— Já pra cama, todos vocês!

Ela o ajudou a ir até a cama. Ele tinha levado uma facada nas costas, na parte inferior, lado esquerdo. Fui espiar. Minha mãe tirou a camisa dele e usou um pano com água oxigenada para limpar o sangue. Era um ferimento profundo, com a pele pendurada.

Meu pai ficou gemendo e dizendo:

— Mae Alice, não chame a ambulância. Não chame, Mae Alice.

Por fim, minha mãe ficou perto da cama chorando. Lembro-me de entrar e ficar ao lado dela. Ela me abraçou e disse:

— Não posso fazer nada. Não posso fazer nada!

Só ficamos ali e eu me lembro de esperar que ele morresse. Imaginei como nossa vida seria sem ele. Imaginei uma vida sem ataques de ódio embriagados e as constantes agressões que minha mãe sofria. Secretamente, senti como nossa vida seria muito melhor. No dia seguinte, ele estava melhor. A morte não viria até 2006 e, cara, minhas orações seriam diferentes dessa vez. Cada último suspiro que ele dava, eu suspirava junto com ele.

Vindo de St. Matthews, Carolina do Sul, uma área influenciada pela cultura Gullah das Sea Islands, meu pai, assim como minha mãe, cresceu acreditando em *haints*,* espíritos malignos e fantasmas.

Meu pai fez os *haints* estarem presentes na nossa vida. Não podíamos varrer seus pés que ele ficava lívido, dizendo que aquilo significava que iria preso. Disse que já tinha sido preso por esfaquear um cara que puxou sua camisa acima da cabeça. Não podíamos passar por uma lápide sem fazer o sinal da cruz — o movimento do sinal da cruz "católico" —, ou a pessoa morta não descansaria em paz. Teríamos que cuspir no dedo, enfiá-lo na terra e passar pela lápide de novo. Não podíamos nos olhar no espelho no escuro por muito tempo, ou nos transformaríamos em monstros. Se acordássemos meio tontos pela manhã, ainda sem nos mexer ou falar, meu pai entrava correndo no quarto e perguntava: "O que foi? O que foi?" Antes que pudéssemos responder, ele dizia: "A bruxa está solta. São os *haints*. Eu, eu, eu peguei."

Ele pegava um papel ou um pano, jogava uma pitada de sal e pimenta e o sacudia sobre nós para se livrar da bruxa. É óbvio que, já que estávamos totalmente despertos e começando a nos mexer, aquilo era prova de que papai havia espantado os *haints*. Com ar vitorioso, ele procurava saber mais:

— O que aconteceu? Você teve um mau pensamento sobre uma pessoa mais velha que viu?

Deloris ou eu mencionávamos o velho cabeludo que morava no fim da rua, e que achávamos parecido com um monstro. O Sr. Miacca, para ser exata.

---

* *Haint* é um tipo de fantasma ou espírito maligno para os Gullah (ou Geechee), descendentes de africanos escravizados que vivem na região da costa sudeste dos Estados Unidos. No inglês vernáculo afro-americano, historicamente o termo se refere a "fantasma" e, dentro da prática religiosa hudu (ou hodu), *haint* é uma criatura que persegue sua vítima até causar sua morte por exaustão. [*N. da E.*]

O Sr. Miacca era um personagem fictício em uma lenda popular de Joseph Jacobs (compilada em seu *Contos de fadas ingleses*) que comia garotinhos no jantar. Toda vez que esse homem passava por nós, sussurrávamos para nossa irmãzinha, Danielle: "Danielle! Lá vem ele. O Sr. Miacca!"

Isso a fazia ter calafrios, e ela parava imediatamente o que quer que estivesse fazendo de errado.

— Chega. Chega! — dizia papai, de novo passando o papel com sal e pimenta sobre nós. — Parem de mexer com aquele homem! Estão ouvindo? Parem até de pensar coisas ruins sobre ele!

Por causa do papai, o mito dos *haints* fazia parte de nossa vida. *Haints*, que também são mencionados em *O sol é para todos*, eram o equivalente às Fúrias sobre as quais mais tarde aprendi no teatro grego. As Fúrias são deusas nas tragédias gregas que vêm do submundo para se vingar de uma pessoa que fez algo errado. O propósito das Fúrias era fazer a pessoa pagar pelos erros, mesmo se parte deles fosse uma maldição geracional. Os rituais de *haints* do papai nos lembravam de nos responsabilizarmos. Eles faziam pontes que nos ajudavam a lidar com a vida. Eram um guia interessante, do qual nunca duvidei até a adolescência. Confiei 100% nos *haints* até não fazerem mais sentido. Conforme me afastava dos meus pais, buscava minha individualidade, deixando de lado o que me ensinaram.

Meu pai e minha mãe estavam fugindo de memórias ruins. Ambos tinham sonhos e esperanças desconhecidos. Nenhum contava com as ferramentas para lidar com o mundo e encontrar paz ou alegria. Mamãe trabalhou esporadicamente em fábricas e era uma apostadora compulsiva.

Meu pai era alcoólatra e desaparecia por meses quando éramos muito pequenos. Ele sempre voltava, mas, quando eu tinha 5 anos, me lembro de ele ficar longe por um longo período. Só mais tarde me dei conta de que ele estava entorpecido, o que sem dúvida é uma solução compreensível para lidar com este mundo problemático. Então, ele voltava de sabe-se lá onde e espancava MaMama. Atacava em vez de ser atacado.

Ele foi distante para nós durante a maior parte da minha infância. Eu não sabia como me aproximar. Meu pai foi o primeiro homem que me amou. Ele me buscava na escola durante o almoço quando fazíamos a refeição fora da escola. Me levava para restaurantes familiares para comer salsicha, cachorro-quente com carne moída, cebola e sal de aipo. Ele inseria uma moeda de 25 centavos na máquina do cavalo mecânico e me deixava montar, um sorriso de orelha a orelha, antes de me levar de volta para a escola. Ele me amava. Disso eu tenho certeza. Mas o amor e os fantasmas que o assombravam lutavam por espaço dentro dele, e às vezes os fantasmas venciam.

Uma das muitas memórias que definem meu pai é a de quando eu tinha 14 anos. Morávamos no número 4 da Park Street, uma casa de dois andares para duas famílias. O andar de cima não tinha eletricidade nem aquecimento, mas pelo menos era uma casa de dois andares e tínhamos a casa toda para nós. Minha irmãzinha, Danielle, tinha mais ou menos um ano e meio. Eu daria a vida por ela. Ela era o bem mais precioso que tínhamos.

Bem, meus pais estavam brigando. Nunca soube o motivo. Na maior parte do tempo, as brigas começavam porque meu pai queria extravasar. Eles estavam gritando um com o outro e meu pai pegou um copo. Agarrei Danielle com um braço e coloquei o outro entre meus pais, tentando fazê-los parar. Minhas outras irmãs não estavam em casa. Minha irmã mais velha, Dianne, tinha me deixado um aviso em tom sério: "Se eles começarem a brigar, tente pará-los." Até então, nunca havíamos tentado fazer isso por medo de que a situação piorasse, porque ia piorar. Com meu braço entre eles, eu disse gentilmente:

— Papai, por favor, pare.

Não funcionou.

— Me diz que eu não vou partir sua cabeça, Mae Alice! Me diz!

Então ele quebrou o copo na lateral da cabeça da minha mãe, e vi o vidro cortar a parte superior do rosto dela, perto do olho, e o sangue jorrar. Muito sangue. Não consegui mais. Não consegui ficar assistindo sem fazer nada, enquanto ele erguia a mão para atingi-la de novo.

Então eu gritei:

— Pare! Pare com isso agora, papai! Me dá o copo! Me dá!

Vi minha mão tremer descontroladamente. Meu coração estava disparado. O medo me dominava.

Meu pai ficou encarando minha mãe, querendo atingi-la de novo. Ele não olhou para mim. Continuou segurando o copo, o olhar fixo em minha mãe. Seus olhos estavam injetados, querendo muito atingi-la de novo.

Eu gritei outra vez:

— Me dá!

Era como se, quanto mais alto eu gritasse, mais meu medo seria liberado. E ele finalmente me deu o copo e se afastou. Escondi o copo e senti como se tivesse levado uma surra ou corrido cinquenta quilômetros.

Tive que enfrentar meu pai, a figura de autoridade. A pessoa que deveria tirar o copo de MIM, que deveria ME ensinar o certo e o errado. A figura mais assustadora da minha vida e o primeiro homem que todos nós amamos. Assustador? Sem saber, eu tinha sido marcada, influenciada pelo comportamento deles e por tudo o que eram. Por mais que desejasse que minha vida fosse melhor, as únicas ferramentas que eu recebera para lidar com o mundo foram aquelas dadas por eles. Pela maneira como falavam. Pela maneira como brigavam. Pela forma como minha mãe fazia concessões. Como eles amavam e quem amavam me moldou. Se eu não escapasse daquilo tudo, a exaustão e o esgotamento seriam tudo o que eu sentiria depois de cada luta da minha vida, até mesmo as menores?

Aquela briga marcou o começo da minha mudança. Pensando na noite em que enfrentei meu pai e limpei o sangue da minha mãe, eu sabia que minha vida seria uma luta. E percebi: eu tinha forças para lutar.

CAPÍTULO 3

CENTRAL FALLS

Central Falls! Central Falls! Valente, corajoso e ousado!
Vida longa ao nosso nome e vida longa à nossa glória e
que por muito tempo nosso legado seja contado.

— LEMA DA CENTRAL FALLS HIGH SCHOOL

Dois meses depois do meu nascimento, meus pais se mudaram para Central Falls, levando consigo as três filhas mais jovens, Anita, Delores e eu, e deixando os dois filhos mais velhos, Dianne e John, com os pais da minha mãe. Dianne e John foram criados por meus avós por anos, até que minha mãe não aguentou mais ouvir histórias sobre eles apanhando na escola. Meus pais então os levaram para viver conosco em Central Falls.

Central Falls, em Rhode Island, era uma cidade de dois quilômetros quadrados conhecida apenas por ser uma das mais populosas por metro quadrado dos Estados Unidos. Central Falls também tinha uma grande quantidade de bares e igrejas. Em 1985, a cidade foi eleita a capital da cocaína porque um dos maiores esquemas de drogas de todos os tempos aconteceu em suas ruas.

A história encantadora, a história idílica, é que um dia a cidade foi chamada de Chocolândia por causa da quantidade de fábricas de chocolate que abrigava. A primeira vista, Central Falls parecia bucólica. Havia inúmeros parques, mas nosso parquinho era o Jenks Park, por causa da Cogswell Tower, local onde observadores pertencentes aos povos originários norte-americanos testemunharam a chegada do capitão Michael Pierce. Esse episódio foi um acontecimento essencial na guerra do rei Phillip, uma batalha armada que ocorreu entre 1675 e 1678 entre os povos originários norte-americanos e colonos da Nova Inglaterra.

Nós nos mudamos para lá porque dois dos maiores hipódromos do país ficavam em Rhode Island. Havia o Lincoln Downs, em Lincoln, e o Hipódromo Narragansett, em Narragansett, que era carinhosamente chamado de Gansett.

Lojas de família ladeavam as ruas de Central Falls. O restaurante Sarah's tinha grandes e fascinantes bancos de madeira de encostos altos nas cabines. Serviam arroz-doce caseiro, bolinhos de milho fritos em montes de manteiga e os melhores hambúrgueres da cidade. A Sociedade de São Vicente de Paulo (que faz um trabalho similar ao do Exército de Salvação), localizada na Washington Street, vendia roupas, sapatos, brinquedos, bugigangas e móveis usados. Era nosso lugar preferido para comprar sobras acessíveis.

Do outro lado da rua da Sociedade de São Vicente de Paulo ficava a Gabe's ou, como chamávamos, Antar's. Temos inúmeras boas memórias daquela loja, mas algumas complicadas também. Boas porque Gabe Antar, o dono, era sírio e era muito gentil com nossa família. Era uma mercearia maravilhosa, cheia de tudo o que alguém pudesse precisar. Quando estávamos passando por tempos muito difíceis, ele nos deixava comprar fiado para que não nos faltasse o que comer. Mas era complicado, porque por vezes meus pais pediam dinheiro emprestado a Gabe.

Gabe tinha um caderno que ficava embaixo da caixa registradora e nele havia um registro das várias famílias da vizinhança que lhe deviam. Algumas das minhas memórias mais constrangedoras são de ir à loja com um pedaço de papel, no qual minha mãe anotara de quanto dinheiro precisava. Às vezes, o constrangimento era tanto que minha irmã Deloris e eu rasgávamos o papel e nos recusávamos a ir falar com ele. Em vez disso, dizíamos à minha mãe que Gabe negara o empréstimo. E, às vezes, quando pedíamos, ele jogava o dinheiro em nós, frustrado porque meus pais não haviam pagado os débitos anteriores. Aquele homem gentil ficava tomado de fúria e gritava: "Caiam fora daqui!" Pegávamos o dinheiro do chão, humilhadas, e saíamos completamente arrasadas.

No entanto, quando estávamos com muita fome, a Gabe's era a loja mais fácil de roubar comida. Muito mais tarde na vida, descobri que Gabe perdera o filho no Vietnã. Isso provavelmente explicava a frustração e a tristeza nos olhos dele. Também deve ter sido o motivo de sua gentileza conosco quando crianças e a razão pela qual nos ajudava ao testemunhar nossa precariedade. Nossa relação com ele era preenchida de amor e admiração misturada à vergonha de ter que se agarrar tão desesperadamente à sua bondade, a qual muitas vezes nos salvava. Quando você está lutando para sobreviver, a moralidade vai para o espaço.

Nós éramos pobres "de marré deci". Isso é ainda mais pobre do que pobre. Ouvi alguns amigos dizerem: "Nós também éramos pobres, mas só me dei conta disso depois de mais velho." Nós éramos pobres e *sabíamos* disso. Não havia como negar. Estava refletido no prédio em que morávamos, onde comprávamos roupas e móveis — na loja da Sociedade de São Vicente de Paulo —, no vale-refeição que nunca era suficiente para nos alimentar e no cheque que recebíamos da previdência social. Éramos pobres "de marré deci". Quase nunca tínhamos acesso a um telefone. Com frequência não tínhamos água quente nem gás. Precisávamos usar um fogão elétrico de mesa, o que aumentava a conta de energia. O encanamento era de má qualidade, então as privadas não davam descarga. Na verdade, não me lembro de ter privadas funcionando no nosso apartamento. Fiquei muito habilidosa em encher um balde e despejá-lo na privada para dar descarga. E como nosso gás era cortado constantemente pela falta de pagamento, não tomávamos banho ou só nos limpávamos com água fria. E mesmo nos limpar era difícil, porque por vezes não tínhamos toalha, sabonete, xampu... Eu com certeza não sabia a diferença entre uma toalha de rosto e uma de banho.

Um dos nossos primeiros apartamentos ficava no número 128 da Washington Street. Em tom de agouro, eu e minhas irmãs nos referíamos a ele como "128". O 128 era para nós o mesmo que inferno! Quando nos mudamos, era um apartamento normal. Eu tinha 5 anos na época. No térreo, ficava um alfaiate. E havia uma varandinha agradável no terceiro andar, onde morávamos. O prédio era antigo, provavelmente construído nos anos 1920 ou 1930, mas fora mantido em boas condições. Então o alfaiate fechou a loja, e o prédio ficou condenado muito rapidamente.

O ateliê do alfaiate foi fechado com tábuas. Sem manutenção, as instalações elétricas se tornaram perigosamente instáveis. Houve vários incêndios, e o prédio logo ficou infestado de ratos. Na verdade, os ratos eram um problema tão grave que chegaram a comer o rosto das minhas bonecas. Eu nunca, *nunca*, entrava na cozinha. Os ratos também haviam tomado conta dos armários e da bancada. Era comum parte do reboco de gesso cair das paredes, revelando as tábuas de madeira que mantinham tudo em pé.

Tínhamos que ir à lavanderia lavar roupas. Mas a combinação de falta de dinheiro, cinco filhos e um clima congelante significava que na maior parte do tempo a roupa suja ficava sem lavar por semanas. Isso, junto com o xixi na cama, deixava a casa com um cheiro horrível. Os armários e os espaços embaixo das camas estavam cheios de sapatos, poeira e itens variados. Tínhamos até medo de limpar, porque talvez os ratos estivessem se esgueirando em meio à bagunça. No primeiro dia do mês chegava o vale-refeição e fazíamos uma enorme compra de mantimentos no supermercado Big G. Mas em menos de duas semanas a comida acabava.

Pouco depois de nos mudarmos, lembro que o prefeito Bessette entrou no apartamento e fez um grande discurso na nossa sala de estar, dizendo que estava nos dando aquele lugar para morar. Não precisaríamos pagar aluguel. Mas isso foi porque o prédio estava condenado. Dentro de um ano, a prefeitura planejava derrubá-lo para construir uma escola. O prefeito Bessette enviou um funcionário para fazer um buraco em uma das paredes que dava no apartamento ao lado, criando uma passagem improvisada. O apartamento ao lado nunca teve aquecimento ou eletricidade. Nunca. Mesmo nos curtos períodos em que o nosso teve aquecimento e eletricidade, o do lado nunca teve. Mas aquele espaço se tornou nosso. Nós o utilizamos como quartos, passando extensões elétricas pelo apartamento que tinha energia.

Meses depois, fui até a casa do prefeito Bessette para cantar canções de Natal. Era do outro lado da cidade, na parte onde moravam os ricos, ou as pessoas que tinham um pouco mais de dinheiro. A casa dele tinha um pé-direito de 12 metros, lareira, uma escadaria enorme e a árvore de Natal era a maior que eu já vira na vida. O aquecimento da casa soprou em nosso rosto; nós, que estávamos tremendo no frio congelante.

O apelido "128" também poderia ser código para "a masmorra" entre mim e minhas irmãs, embora também tenhamos algumas boas memórias daquele período. Minha irmã mais velha, Dianne, tinha ficado na Carolina do Sul com meus avós. Ela estava crescendo em escolas segregadas onde a educação era abaixo do padrão, e estudantes retintos costumavam ser espancados com varas até sangrar apenas por terem "se recusado" a nascer com a pele clara.

Dois anos depois de nos mudarmos para Central Falls, meus pais enfim disseram: "Precisamos criar nossos filhos", e economizaram dinheiro para que minha irmã Dianne e John fossem morar com a gente. Dianne tinha 9 anos quando entrou na Broadstreet School, a mesma escola onde eu fazia o jardim de infância. A escola ia do jardim de infância até o sexto ano. MaMama foi até lá com Dianne para matriculá-la no quarto ano.

Depois de fazer um teste, as habilidades de leitura e matemática dela foram classificadas como tão abaixo do padrão que ela sequer poderia entrar no quarto ano. O Sr. Fortin, professor daquele ano, que sempre usava um bom terno, óculos de armação preta e cabelo lambido para trás, disse que a escola matricularia Dianne no terceiro ano.

Dianne se lembra de dizer ao Sr. Fortin:

— Se você estudar comigo todo dia depois da escola, prometo que mostrarei que posso ficar no quarto ano.

E o Sr. Fortin respondeu:

— Tudo bem, vou te ensinar.

E manteve a promessa. Todo dia depois da aula, Dianne ficava na escola, e ele se sentava lá com ela.

Dianne nos disse:

— Como sou a mais velha, vou ensinar tudo o que aprender quando chegar em casa, assim vocês estarão adiantados.

Compramos uma carteira escolar de segunda mão na Sociedade de São Vicente de Paulo. A cadeira era presa à mesa e tinha pequenos feixes na pintura. Na verdade, eles a tinham comprado para mim. Eu me sentava nela enquanto Dianne nos ensinava o que aprendera na escola. Eu acabei me tornando uma aluna desagradável na escola porque ficava entediada. Eu dizia:

— Já sei fazer isso. Minha irmã Dianne já me ensinou a tabuada de multiplicação. — Entediada, eu queria conversar, queria brincar. — Já aprendi a escrever com letra cursiva. Minha irmã Dianne me ensinou.

Dianne tinha outro dom. Ela era uma contadora de histórias incrível, como nosso pai, e podia transportar qualquer um a outra realidade apenas com o poder das palavras. Nós nos sentávamos e batíamos palmas: "Dianne, conte uma história. Conte uma história." Ela ficava diante de nós e nos cativava. Muitas das histórias dela eram anedotas sobre a vida no Sul, sobre como era lá. Outras eram fábulas que ela inventava, similares àquelas contadas no Sul, fábulas sobre *haints*, bruxas e folclore antigo. Nós acreditávamos em tudo.

A história que ela mais nos contava era:

— Uma noite, ouvimos algo no bosque atrás da casa da minha avó — começava Dianne. Nós estávamos todos sentados no chão da cozinha no apartamento do número 128. Ela sempre ficava de pé. — Eu podia ouvir a coisa entre as árvores. Fui até lá pra ver o que era porque todo mundo estava com medo. Estava tão escuro que não dava pra gente ver as mãos na frente do rosto. Nem sei o que estava no bosque.

Essa parte sempre me assustava.

— Ouvi uma batida e olhei para cima, para baixo e vi gotas de sangue por toda a parte! Fui mais adiante e vi o tio Arnold. — Tio Arnold era nosso tio mais próximo. — As pernas dele estavam lá longe! Os braços estavam mais longe ainda. O corpo dele estava partido ao meio e a cabeça nem estava presa ao pescoço. Fiquei em choque! Comecei a gritar e então coloquei a mão na cintura, olhei pra cabeça dele e disse: "Arnold! Ponha a cabeça no lugar!"

Quando ouvíamos a piada, morríamos de rir. Eu sempre gritava:

— De novo, Dianne! Conte de novo!

Quando conheci Dianne, foi numa rara ocasião em que tínhamos água quente. Eu devia ter uns 5 anos. Dianne tinha 9 quando entrou em nossa vida em Central Falls. Lembro-me perfeitamente dela: usava um bom casaco, tinha dinheiro e cheirava bem. Eu estava tomando banho e, dizem, enrolando para me vestir, quando ouvi Dianne dizer:

— Cadê minha irmãzinha?

Ela entrou no banheiro. Olhei para ela e ela olhou para mim. Foi amor instantâneo. No meu cérebro infantil, parte do amor surgiu porque Dianne se ofereceu para comprar doces para mim na loja do Gabe. Mas hoje, já adulta, reconheço que havia algo mais importante que me fazia amá-la.

Dianne olhou ao redor do apartamento bagunçado.

— Viola, você não quer viver assim quando for mais velha, quer? — perguntou baixinho. Ela não queria que minha mãe ouvisse.

— Não, Dianne.

— Você precisa ter uma ideia muito nítida do que vai fazer se não quiser ser pobre pelo resto da vida. Precisa decidir o que quer ser. E então tem que trabalhar muito — sussurrou.

Lembro-me de pensar: *Eu só quero doce.* Não consegui entender a parte abstrata do que ela disse. Era muito nova. Mas algo que eu ainda não tinha as palavras para expressar, mas conseguia sentir, mudou dentro de mim. “O que eu quero ser?” A primeira semente fora plantada.

Havia um jeito de escapar?

Conquistar algo, me tornar “alguém”, virou meu propósito de vida. Senti que as conquistas poderiam limpar a parte ruim. Limparia a pobreza. Limparia o fato de que me sentia inferior, como membro da única família negra de Central Falls. Eu poderia renascer como uma pessoa bem-sucedida. Queria conquistar mais do que minha mãe conquistara.

Desde os 5 anos, por causa de Dianne, recriar, reinventar e redefinir se tornou minha missão, embora eu não pudesse ter articulado isso naquela época. Ela simplesmente era minha aliada sobrenatural. Muito mais tarde, depois da faculdade, da Juilliard, dos palcos da Broadway; depois de ser indicada a prêmios — Emmy, Oscar, Tony —, enfim pude colocar em palavras o que foi aquele grande momento, incentivado por minha irmã naquele dia. Foi o catalisador ou o agente que provocou uma pergunta maior: “Eu não sou alguém AGORA?” O que eu precisava fazer para ser digna? Aquele momento, aquela revelação, foi o verdadeiro começo do meu chamado para a aventura.

CAPÍTULO 4

128

Quem tem um "porquê" para viver pode aguentar qualquer "como".

— Friedrich Nietzsche

Quando eu tinha 6 anos, minhas três irmãs mais velhas, meu irmão — embora ele raramente estivesse por perto — e eu amávamos ir à escola. Era o nosso paraíso. Ficava bem ao lado de casa e gostávamos muito de lá, principalmente Dianne. Ela amava a escola. Nunca queria faltar.

Estávamos no auge do inverno e não tínhamos aquecimento. Depois, a eletricidade foi cortada. E por fim não tínhamos mais telefone. A coisa continuava piorando. Quando você não tem aquecimento, gás, água quente... o clima fica abaixo de zero. Totalmente gelado. Os canos acabavam congelando, e ficávamos sem água corrente. Nem podíamos dar descarga na privada. Para piorar as coisas, todos nós fazíamos xixi na cama com muita frequência. Nunca faltávamos à escola, mas certo dia ficamos em casa. Lembro-me de passar o dia inteiro na sala de estar no clima abaixo de zero, todos juntinhos, mijados, congelando, observando minha mãe.

Ela estava perdida. Simplesmente perdida. Não sabia o que fazer. Sem água corrente. Canos congelados. Sem aquecimento. Sem telefone. Nós todos juntinhos, tremendo, e de alguma forma, por volta do meio-dia, Dianne se levantou e anunciou:

— Vou pra escola.

Ela cuspiu na mão. Tirou as remelas do olho e perguntou:

— Como eu estou?

MaMama disse:

— Você está bem, Ma. — Usando o termo sulista. — Você está linda, Ma.

— Ok. Tudo bem, vou pra escola.

E foi.

O resto de nós ainda estava tremendo quando MaMama disse, por fim:

— Vamos tentar conseguir o auxílio de aquecimento.

Vestimos todas as peças de roupa que encontramos. Mesmo em épocas melhores, nunca tínhamos sapatos ou roupas do tamanho certo. Muitas vezes, sequer conseguíamos encontrar meias. Quase nunca tínhamos roupas novas. De vez em quando, íamos a Zayre's — uma loja de roupas que mais tarde se tornaria a J.C. Penney — comprar parcelado.

Geralmente íamos à Sociedade de São Vicente de Paulo. Amávamos ir lá porque era uma aventura remexer nas coisas usadas por outras pessoas. Tudo parecia ter uma história: livros, brinquedos velhos, patins, tênis, até casacos de pele e móveis.

Naquele dia congelante, vestimos tudo o que tínhamos e saímos no frio. Os escritórios da assistência de aquecimento ficavam no centro de Pawtucket, e precisaríamos atravessar a cidade para chegar lá. Minha mãe, Deloris, Anita e eu caminhamos naquele dia gelado, abaixo de zero. Eu ainda era a mais nova naquela época e chorava por qualquer coisa — era uma bebê chorona. Quando começamos a andar, me desmanchei em lágrimas. Quando passamos pela escola no caminho, a diretora, Sra. Prosser, nos viu. Era uma mulher incrível, alta e magra, com cabelo ruivo brilhante. Ela sempre me parecia tão elegante e era ao mesmo tempo poderosa e gentil. Ela se preocupava comigo.

Quando a Sra. Prosser me chamava em sua sala, eu pensava: *Meu Deus. O que foi que eu fiz?* Porque eu era uma tremenda encrenqueira. Mesmo quando não tinha feito nada de errado, eu já esperava pela bomba. Mas por vezes ela me chamava na sua sala e me dava um monte de sacolas com coisas que tinham pertencido à filha dela, roupas muito bonitas e bolsinhas. Eu as usava na escola e ficava no pátio durante o recreio, posando com as roupas que ela me dera como se dissesse: *Olhem pra mim!* Era como se eu estivesse exigindo ou implorando por atenção, atenção positiva, sem querer que as pessoas tocassem nas minhas roupas perfeitamente escolhidas.

A Sra. Prosser sabia da nossa situação. Quando nos viu, gritou da janela:

— Sra. Davis, Sra. Davis!

Mama parou. Estávamos juntinhos, tremendo, quando a diretora foi ao nosso encontro. Ela estava tão desesperada para nos alcançar que sequer tinha vestido um casaco.

— Sra. Davis, seus filhos não vieram para a escola hoje. O que está acontecendo?

— Não temos aquecimento nem eletricidade. Não temos nada. E os canos congelaram. Não tem água corrente. Eles não podem nem tomar banho. Não podemos fazer nada.

— Ah, Sra. Davis, eu sinto muito. Sinto muito mesmo. — Os olhos dela se encheram de lágrimas quando nos olhou e tocou meu rosto. — Sinto muito mesmo. Gostaria de poder fazer alguma coisa para ajudar.

— Vamos ao centro de Pawtucket ver se consigo que alguém nos ajude a pagar as contas.

— Bem, fale conosco se houver algo que possamos fazer. Sinto muito mesmo. Eu só queria saber por que seus filhos não vieram para a escola.

Essa época da minha vida foi permeada pela vergonha. A sensação que você tem quando está com pânico de palco ou passa por uma humilhação pública, aquela era a vergonha da época no 128. A vergonha nos eviscera por completo, destrói qualquer sentimento de orgulho que alguém possa ter.

Uma vez, na aula, eu precisava muito ir ao banheiro e levantei a mão, mas o professor não me deu atenção. Não consegui segurar, então acabei fazendo xixi ali mesmo. Começou a pingar no chão e inundou minha cadeira. Minha professora pegou um par de calças secas para mim da enfermaria, colocou minhas roupas molhadas em um saco de papel e me mandou para casa. Mas a parte mais humilhante foi retornar no dia seguinte e encontrar minha cadeira num canto no fundo da sala de aula com a mesma poça enorme de urina. Ficou lá até secar lentamente. E por quê? O xixi de uma menina de 6 anos era nojento demais até para o zelador da escola limpar.

Eu era constrangida com frequência, e o 128 apenas aumentava a sensação de humilhação. Nosso prédio pegou fogo várias vezes. Da primeira vez, eu estava no primeiro ano. Todas as crianças da escola espiaram pela janela da sala, vendo o caminhão vermelho dos bombeiros na frente do prédio ao lado da escola. Vimos enquanto os bombeiros pegavam a mangueira e jogavam jatos de água no prédio, a fumaça ondulando.

Ouvi uma orquestra de vozes:

"Ai, meu Deus!"

"Um incêndio!"

"Quem mora lá?"

"É a casa da Viola."

A professora, Srta. Picard, me encarou:

— Viola, aquela é a sua casa?

Eu estava na sala de aula com meus colegas do primeiro ano, que já me olhavam diferente por eu ser negra, e agora viam minha casa em chamas.

— É, sim — respondi, observando os bombeiros correndo para dentro do prédio com mangueiras.

Eu não sabia se era o nosso apartamento que pegara fogo. Era uma metáfora perfeita para a devastação que eu sentia no meu coração. Porque a fonte da minha mais profunda vergonha era agora a fonte de um terrível entretenimento para aquelas pessoas que me excluíam desde o dia que tinham me conhecido.

Quando cheguei em casa naquele dia, o apartamento estava uma completa bagunça. *Era mesmo* o nosso apartamento que pegara fogo. O dano do incêndio fora grande, mas o dano da água fora ainda maior. A mesma água que os bombeiros jogaram na nossa casa para salvá-la também a destruiu. O chão de linóleo empenou, inchou e ondulou. Olhando para o que restou do nosso apartamento, pensei que nem mesmo os bombeiros tiveram respeito pelo lugar que chamávamos de lar. Eu sabia que ele era uma merda. Mas era a *minha* merda. Era a minha casa.

Muitos dos incêndios que ocorriam na nossa casa não causavam danos. Eu era acordada no meio da noite, conduzida por uma escadaria escura e esfumaçada, e ficava de pé por um tempão, sonolenta, com meu cabelo enrolado em uma touca. O foco do incêndio era encontrado e a ordem restaurada, então subíamos e voltávamos para a cama.

E havia momentos em que Millie, nossa vizinha, batia na porta.

— Dan! Dan! Tire seus filhos de casa! Está pegando fogo!

Millie era negra e tinha uma filha chamada Kim e um filho, Reggie, que estivera no Vietnã. Kim logo se tornou amiga da família. Ela e minha irmã Anita eram especialmente próximas, até que em algum momento se afastaram. Millie era uma dessas mulheres negras de pele clara que fumam, são duronas e mandam todo mundo à merda. Ela também era a arauta da vizinhança.

— Dan! Tire seus filhos daí! A porra dessa casa está pegando fogo! Você não pode descer pelas escadas, tem muita fumaça!

Meu pai gritou e nos acordou. Uma fumaça preta estava subindo escada acima, e estávamos no terceiro andar.

— Vão para a saída de incêndio!

Meu pai nos empurrou para a varanda e começamos a descer às pressas.

Todos tínhamos experiência em descer escadas de incêndio. Tínhamos experiência com escaladas e descidas em geral. Descíamos escadas de incêndio quando ficávamos trancados para fora de casa. Pulávamos cercas para pegar maçãs, pêssegos e peras do jardim dos vizinhos sem pedir permissão. Mas descer escadas com pressa quando se está convencido de que vai morrer é outra história.

Bem, os caminhões estavam lá e os bombeiros já tinham pegado as mangueiras, pessoas ladeavam a rua, observando e arfando. Minha família desceu a escada de incêndio, um atrás do outro, como Os Incríveis. Apenas um membro solitário da família foi deixado no último degrau: eu.

Fiquei lá, me acabando de chorar.

— Mama!

Meus pais e meus irmãos gritavam:

— Viola! Pula! Só pula!

Minha mãe estava em pânico. Ela começou a gritar histericamente:

— Meu amor! Pule para a mamãe!

Eu me agachei com os braços estendidos, tentando alcançá-la porque estava com muito medo de pular, era muito alto. Imaginei as chamas atrás de mim, prontas para me engolir a qualquer minuto, como Dumbo quando teve que pular fora daquela plataforma, mas eu não tinha as orelhas grandes para me ajudar a voar. Mas, tão certo quanto o fato de que sou negra, vi minha mãe voar.

Ela deu mais ou menos cinco grandes passos para trás, correu e pulou no momento certo, como se fosse Michael Jordan, agarrou meu braço e me puxou para baixo. Caímos juntas no chão de concreto. Ela gritou de dor! Meu pai a ajudou a se levantar e nós simplesmente nos abraçamos, bem apertado. Minhas irmãs bateram na minha cabeça.

— Sua burra. Você devia ter pulado! Não era tão alto assim. MaMama quase se machucou.

Eu só observei minha mãe mancar e vi minhas irmãs e meu irmão parecendo completamente chocados, perdidos, esperando que os bombeiros nos limpassem para voltarmos para aquele inferno. Era só um teto sobre nossa cabeça. Não chegava nem perto de um lar.

A verdade é que ninguém liga. Nenhuma daquelas pessoas que observava o incêndio percebeu o meu pequeno "show do Dumbo", e não havia chamas. Ficamos no 128 por mais dois anos. E, sim, o lugar continuou sem quaisquer medidas de proteção contra incêndios. Mas acredito que ninguém se importa com as condições nas quais os indesejados vivem. Você é invisível, um fator culposo que permite que os mais favorecidos não sejam responsabilizados pelo sofrimento do outro.

No 128, os incêndios apenas se tornavam mais frequentes. Os ratos se multiplicavam. A escadaria do primeiro andar tinha buracos que levavam diretamente ao porão. Uma família de oito crianças sequestradas e duas tutoras se mudou para o segundo andar, e brigas sangrentas, cicatrizes e pontos cirúrgicos viraram parte do nosso dia a dia.

Mesmo assim, no meio da tempestade de merda da minha vida, havia uma pequeníssima luz. Um guia. Um sussurro. Uma voz.

Aquela pergunta da minha Dianne: "O que você quer ser?"

CAPÍTULO 5

CAMPO MINADO

Seu juiz, esses meninos têm mexido com os meus filhos há um tempão! Eu tive que fazer alguma coisa.

— Mae Alice Davis

O número 128 continuou a se deteriorar. As pessoas seguiam se mudando para aquele lugar. Apenas nos nossos últimos meses fomos os únicos naquela armadilha mortal. Mas, naquela época, os Thompson haviam chegado.

Sabe, quando você é muito pobre, vive em uma realidade alternativa. Não é que tenhamos problemas diferentes do resto das pessoas, mas não temos os recursos para disfarçá-los. Fomos despojados de protocolos sociais. Há um consenso de que todo mundo está tentando sobreviver, e quem é que vai tentar impedir isso? Os Thompson eram um perfeito exemplo.

Eles eram uma família de oito filhos, a maioria meninas. As mães ou tutoras eram duas mulheres que chamávamos de sapos. Por quê? Elas usavam óculos que faziam os olhos saltarem para fora e ambas tinham prognatismo. Elas tinham os dentes inferiores enormes, passando do lábio inferior. Também eram muito malvadas. Sempre gritavam com as crianças e as espancavam. Como sempre, ninguém se importava. Meu pai batia na gente e espancava minha mãe, então era a mesma coisa para nós. Mas as crianças, mais ou menos da nossa idade ou mais velhas, eram especialmente violentas. Os meninos causavam incêndios no porão. As meninas, em grupo, esperavam alguma de nós na saída da escola para nos aterrorizar. Todos frequentávamos escolas diferentes na época, então chegávamos em casa sozinhos.

Se eu os visse no quintal, simplesmente me escondia até que entrassem. As Mulheres Sapo carregavam um cinto por aí e os conduziam para dentro feito animais. Ouvíamos os gritos deles vindos lá de dentro.

Um dia, saindo da escola, os dois garotos me viram a metros de distância. Eles cochicharam e apontaram. Subiram na bicicleta e começaram a pedalar rápido na minha direção, e eu corri. Eles me alcançaram num piscar de olhos. Eu tinha 7 anos e estava com tanto medo que não conseguia falar. Corri e gritei! Sabia que eles tentariam me atropelar.

Quando chegaram bem perto e estava óbvio que eu não ia escapar, gritei de novo. Eles tinham me encurralado. Entrei em desespero. Agarrei a roda da frente de uma das bicicletas e comecei a gritar! Ergui a bicicleta do chão e puxei, tentando com toda a minha força derrubar aquele filho da mãe da bicicleta!

— Para! Para! — gritavam ele e o irmão.

— Me deixe em paz ou vou te matar, porra — gritei descontrolada.

Eles enfim deram meia-volta e me deixaram em paz, planejando a próxima travessura torturante. E haveria muitas. Um dia minha irmã Anita jogou um tijolo em um carro e fingiu que estava babando para se livrar das cinco garotas. Anita literalmente agiu como louca — uma técnica que meu pai lhe ensinou. Deloris apanhou algumas vezes delas.

Um dia minha mãe se cansou daquela situação. Quatro das garotas dos Thompson estavam bloqueando o caminho de Deloris para entrar no prédio. Por fim, elas bateram nela e minha irmã correu escada acima. Minha mãe entrou em uma realidade paralela. Em outras palavras, ela perdeu a razão. Desceu a escada correndo até a porta do prédio. Corri atrás dela. Eu amava presenciar qualquer tipo de briga fora do nosso apartamento. Era melhor do que qualquer programa de televisão em horário nobre.

Minha mãe ergueu o punho:

— Vocês precisam parar de mexer com os meus filhos! Entenderam? Se continuarem eu vou acabar com vocês!

Fiquei chocada. Depois de botar essa banca, ela voltou lá para cima. Eu as olhei como se dissesse: *Minha mãe já avisou!*

Bem, enquanto minha mãe se virava para subir, Lisa, a mais malvada das meninas, disse:

— Sua vadia preta careca.

A melhor comparação que posso fazer sobre o que aconteceu a seguir é daquela rocha indo atrás de Indiana Jones em *Os caçadores da arca perdida*. Se ele não corresse, com certeza ia ser espatifado. Bem, minha mãe era a rocha. Ela pulou do lance de escadas em que estava e disse:

— Do que você me chamou?

Mas não era uma pergunta que necessitava de resposta, porque ela começou a bater tanto em Lisa que o corpo inteiro da garota saiu do chão enquanto ela caía na entrada do nosso prédio. As irmãs de Lisa ficaram estáticas. Minha mãe não parou por aí. Enquanto Lisa estava caída, ela apontou o dedo para a menina e terminou seu "esculacho" histórico.

— Nunca mais me xingue assim! Senão eu acabo com você de novo! Está entendendo? E deixe meus filhos em paz!

Ela se virou e subiu os últimos degraus até o nosso apartamento xingando sem parar.

— Vamos, Vahla!

Eu estava impressionada. Olhei para trás e vi Lisa chorando caída no chão.

— Isso aí! Minha mãe acabou com a sua raça!

E foi então que o caos se instaurou.

As Mulheres Sapo conheciam seus direitos e decidiram prestar queixa. Ficamos aterrorizados. Tínhamos certeza de que minha mãe seria presa.

Insultos foram trocados. Houve muitos barracos, muitos xingamentos e dedo na cara. A parte mais estranha disso é que a Família Sapo desaparecia por semanas, meses até, e, de repente, eles apareciam de carro e ficavam por um tempo até desaparecer de novo. E uma das mulheres sempre tinha um maço de dinheiro no bolso do avental.

Nessa época meu pai andava pra lá e pra cá fumando um cigarro atrás do outro.

— Você tá ferrada, Mae Alice. Caramba! O juiz pode te mandar pra cadeia ou te fazer pagar uma indenização.

Minha mãe simplesmente dizia:

— Vou dizer a verdade.

Ela ainda estava soltando fogo pelas ventas. Ainda estava com raiva.

Chegou o dia em que minha mãe compareceu ao tribunal. Meu pai foi com ela. É engraçado que havia momentos entre todas aquelas brigas, agressões terríveis e alcoolismo em que eles eram uma frente unida, um time. Mas na presença da autoridade, meu pai se mostrou acuado e minha mãe cresceu.

Meu pai a preparou.

— Mae Alice! Seja lá o que o juiz falar, escute. Não diga nada. Não retruque. Não faça nada. Já passei por isso, Mae Alice. Eu sei do que estou falando — sussurrou, nervoso.

— Dan! Eu sei falar!

— Mas, Mae Alice, você tem que dizer: "Sim, Meritíssimo; não, Meritíssimo." Tô te falando.

Ele deveria ter insistido no conselho. Porque, aparentemente, quando o juiz os chamou, minha mãe desatou a falar.

— Seu juiz! Essas crianças filhas da puta têm mexido com os meus filhos! Toda vez que meus filhos voltam da escola, elas ficam lá fora bloqueando o caminho, batendo neles, tentando espancar eles! Eu cansei! E, sim, eu acabei com ela porque ela me chamou de vadia preta careca! E, sim, eu chamo as tais das "mães" de Mulheres Sapo porque é o que elas são. Elas ficam instigando os filhos a fazerem isso.

Meu pai ficou pegando no braço dela, dizendo baixinho:

— Mae Alice! Você não pode falar isso.

— Dan, para de pegar no meu braço! Tô falando com o homem! Tô contando a ele a verdade sobre esses filhos da mãe.

O juiz a interrompeu:

— Mas, Sra. Davis. Sra. Davis! A senhora não pode bater nos filhos de outra pessoa. É ilegal.

— Seu juiz, estou te dizendo, eu cansei! Tem algo errado com esse povo. Tive que proteger meus filhos!

Meu pai ficou tentando fazê-la ficar quieta e ao mesmo tempo demonstrar a frustração dele.

— Mae Alice, senta! Fica quieta, Mae Alice!

— Dan! Para de tentar me calar! Tô tentando contar ao homem qual é a situação.

E, por mais improvável que pareça, o juiz entendeu. MaMama era e sempre foi encantadora, mesmo fora de controle. Ele a liberou. E pelas próximas semanas, golpes épicos foram trocados entre as famílias. Da nossa varanda no terceiro andar, nós os víamos do outro lado da rua, em um estacionamento.

As Mulheres Sapo gritavam:

— Faz de novo e você vai ver!

— Não vou ver nada. Vou é acabar com eles de novo se me chamarem de vadia preta careca! — gritava minha mãe, rindo. — Eu acabei com ela.

— Não toque nos meus filhos — respondiam as Mulheres Sapo.

Elas gritavam sem parar, trocando ofensas. O ressentimento cresceu e ficamos com ainda mais medo de ser encurraladas lá fora. Porém, outra coisa aconteceu. Enquanto os adultos gritavam, nós, as crianças, todas nós, ficamos quietas. Era como se disséssemos que aquilo já tinha passado dos limites. Eles sabiam que tinham exagerado, e só queríamos que aquilo parasse. Mas a causticidade estava esmagando nossos sentimentos renovados de querer, ouso dizer, criar laços? Ser amigos?

O catalisador da amizade viria dias depois. Estávamos no quintal jogando softball. De repente, os filhos das Thompson saíram e Lisa pegou o taco. Ela começou a fazer círculos no quintal. Os outros estavam atrás dela, incentivando silenciosamente. Deloris correu lá para cima e chamou meus pais. Só que meu pai desceu. Aquele que coloca ordem na casa. O cachorrão. Aquele que não pode ser nomeado. Lorde Voldemort. O Comandante. Não havia como pará-lo e não havia aviso. Ele saiu como um furacão categoria 5.

Ele agarrou o taco de baseball.

— Parem com essa merda agora! Vocês querem mexer comigo, filhos da puta?

Ele começou a ameaçá-los com o taco, batendo na lateral da casa, no chão, no ar. Acho que até as Sapos saíram.

— Venham, suas Mulheres Sapo filhas da puta! Mexam comigo e com meus filhos mais uma vez e vou acabar com todos vocês, filhos da puta! Tão ouvindo?

Então meu pai largou o taco e entrou em casa.

Tudo ficou em silêncio. Ninguém se mexeu. Meu pai, quando se irritava, era um homem de palavra. Ele mantinha vários "brinquedos" ao lado da cama durante nossa infância. Um forcado, um facão, um machado. E usava cada um deles. Ele perseguiu Porky com o forcado; Porky era um dos amigos dele, que tinha mais ou menos um metro e meio de altura, se vestia como Elvis e tinha um carro sem o banco de trás, só com um monte de espuma despedaçada. Ele foi até lá em casa exigindo dinheiro por ter consertado o carro do meu pai, que em vez disso mostrou o forcado para ele. Nunca vi um homem sair correndo tão aterrorizado. Meu pai o perseguiu a pé, e Porky estava de carro. Meu pai voltou para casa, ferveu uma panela de água e se sentou à janela, esperando que o homem voltasse. E quanto ao facão e ao machado? Bem, esses acontecimentos surgiriam muito mais tarde.

O confronto do meu pai com os Thompson e o taco foi eficaz. Depois disso, acredite ou não, nós nos tornamos amigos, bons amigos. Havia sorrisos, proteção, risadas. Estávamos todos só descobrindo como amar e nos conectar. Estávamos presos na armadilha do ciclo da violência.

Apanhar o tempo todo faz você começar a sentir que está errado. Não que você fez algo errado, mas sim que *é* errado. Faz você ficar com muita raiva do seu agressor, aquele de quem você tem medo demais para enfrentar, então confronta o alvo mais fácil. Com esses, você pode. Até que seu coração se cansa. Ninguém havia, até aquela altura, falado com a gente, perguntado para nós quais eram nossos sonhos, como estávamos nos sentindo. Dependia de nós descobrir.

Existe um abandono emocional que vem com a pobreza e com o fato de ser negro. O peso do trauma geracional e da luta por necessidades básicas não deixa espaço para mais nada. Você apenas acredita que não passa de lixo.

Muitos anos mais tarde, minha mãe viu Lisa, a mais malvada dos malvados, e ela se desculpou. Lisa disse: "Sra. Davis, sinto muito por meu comportamento naquela época, mas eu só estava com saudade da minha mãe. Elas tinham me tirado dela. Elas pegaram todos nós e fraudavam os benefícios governamentais. É por isso que tínhamos duas casas. Todas aquelas garotas não eram minhas irmãs, e os garotos não eram meus irmãos. Além disso, aquelas mulheres estavam abusando de nós, física e sexualmente. Elas até acusaram a senhora de queimar o braço de John. A gente sabia que era mentira. Sinto muito, Sra. Davis."

Então vieram James, Bobby e Frank. Eles eram meus melhores amigos e vizinhos. Tinham pais que os chamavam para as refeições na hora do almoço e do jantar. O pai deles, Tommy, até construiu um pequeno espaço para eles brincarem atrás da casa. Eram garotos desordeiros, mas gentis, engraçados e eu sentia, bem, que tinha algum poder sobre eles. Eles me ouviam. Eu tinha 9 ou 10 anos na época, mas era a vidente sábia que levava informações dos meus irmãos e irmãs mais velhos.

Tommy era um homem de pavio curto. A mãe dos meninos tinha paralisia cerebral e o pai abusava dela constantemente. A princípio eu não sabia, porque estava ocupada demais admirando o fato de eles terem comida e hora para jantar, além de um apartamento bom. Além disso, eu já estava ocupada demais tentando amenizar os desvios de caráter das pessoas em geral. Havia apenas um entendimento básico de que eles (e as outras pessoas) eram melhores do que eu. Eles eram vítimas de condições miseráveis e precisavam de amor e cura. Eu, por outro lado, havia nascido má.

Todo mundo sabia que Tommy abusava da esposa. A pior parte é que minhas irmãs e eu o víamos sair do apartamento por volta das nove da noite para ficar com a vizinha ao lado, Rhonda. Víamos porque sempre demorávamos mais alguns minutos para voltar para casa e começamos a xeretar como Sherlock Holmes. Todas queríamos ser detetives e, *voilà*, descobrimos o segredo mais bem guardado de todos.

Tommy e Rhonda se sentavam na escadaria que levava ao apartamento dela, davam as mãos e se beijavam. Nós observávamos, escondidos, e então numa hora oportuna pulávamos e gritávamos: “Traidor!” Isso o irritava muito. Tommy nos perseguia.

Nós também tínhamos o melhor animal de estimação do mundo naquela época, nosso cachorro Coley. Era um *collie*. Meu pai o pegou no hipódromo. Era um cachorro treinado, muito inteligente e nos amava muito. Era tão leal que minha mãe o levou à prefeitura com ela um dia. Ela terminou o que tinha para fazer, mas saiu pela porta dos fundos em vez da porta da frente, por onde entrara. Ficou chamando Coley e se perguntando onde ele estava. Coley desaparecera. Ela ficou em pânico, então procuramos pela cidade toda. Nós o encontramos horas depois na porta da frente da prefeitura, por onde minha mãe entrara. Ele estava uivando e ainda esperava por ela.

Um dia, tive a incrível ideia de irmos ver o fantasma de uma garota que morrera na Cogswell Tower. A torre ficava no Jenks Park, nosso parque favorito depois que o Washington Street Park fechava. Durante o verão, participávamos de competições recreativas. À noite, a Cogswell Tower era muito sinistra. Parecia uma torre de terror. Ouvi uma história bem estranha sobre uma garota que cometera suicídio ali. Ela havia se transformado em um espírito atormentado cujo único propósito era perambular pela torre sinistramente.

Contei a história a Bobby, James e Frank. Como sempre, tive a atenção deles, que se mostraram tão fascinados quanto eu. Naquela noite, falei que os ajudaria a sair escondidos do apartamento e iríamos ao parque. Bem, assim que anoiteceu, perto de oito e meia da noite, mais ou menos, fui até o apartamento no primeiro andar e bati na janela do quarto deles. Devagar, ajudei todos a sair. Estávamos animados, mas assustados e abatidos.

— Vamos ver um fantasma! Mas assim que a virmos, temos que correr — instruí minha equipe.

Começamos a caminhar para o parque. James, o mais novo, estava completamente exausto e dava para ver que tudo o que eles queriam era voltar para casa. Aquilo era demais para a gente.

— Bobby! James! Frank! — gritou uma voz ribombante atrás de nós.

Puta merda! Era o pai deles. Ele vinha correndo com um cinto na mão e logo estava batendo nos meninos.

— Que diabos vocês pensam que estão fazendo? Voltem pra casa! O que você está fazendo com meus filhos? — O último grito dele foi para mim.

— Eles quiseram vir — falei.

— Você não pode mais brincar com eles! Arrume outros amigos.

Eles foram embora, os garotos gemendo e chorando. Eu me senti uma merda e com um pouco de inveja pelo pai deles ter vindo correndo, segurando um cinto para encontrá-los. Ninguém veio correndo me procurar.

No dia seguinte, Tommy, lívido, foi até meu pai e contou a ele o que tinha acontecido. Ele ficou com raiva.

— Ela é uma má influência para os meus filhos! Não quero ela perto deles! — gritava.

Meu pai ficou dizendo que era um engano, mas Tommy começou a direcionar a raiva ao meu pai por não me controlar. Tommy estava a centímetros dele. Percebi que aqueles homens tinham problemas similares para lidar com a raiva. Por fim, meu pai o agarrou pelo pescoço.

— Seu branco filho da puta! Nunca mais venha dizer na minha cara que meus filhos são má influência. Sei o que você faz com a sua esposa, e seus filhos são tão ruins quanto você!

Meu pai estava enforcando Tommy. Então o empurrou e mandou que ele nunca mais aparecesse em nossa casa. Tommy se afastou, arfando, aterrorizado e humilhado.

No dia seguinte, Coley ficou muito doente. Ele parou de comer e beber água. Tinha espuma em volta da boca e pus nos olhos. Nossos amigos, os Weigner, moravam mais adiante em nossa rua, e o pai deles era o que se chamava de "Homem da Carrocinha". Trabalhava em um abrigo de animais. Ele foi à nossa casa e constatou que Coley ingerira veneno de rato. Não havia nada que pudéssemos fazer além de sacrificá-lo. Ele estava com muita dor e fora de si.

Da última vez que o vimos, todos nos despedimos. Coley estava na cozinha, balançando o rabo. Ele nos amava muito. Abracei minha mãe descontroladamente. Estávamos arrasados. A perda de um animal de estimação é difícil, mas é especialmente duro quando eles servem ao propósito maior de preencher uma lacuna de lealdade e amor. Tommy havia envenenado o cachorro. Ou pelo menos era disso que meu pai suspeitava. Ele disse que havia visto Tommy no quintal.

Central Falls era o meu lar, mas também um campo minado. Era uma cidadezinha onde estávamos sempre tentando desviar de pequenas e grandes explosões que podiam nos abater, enquanto fazíamos o possível para ocupar um espaço e ser alguém. Era uma zona de guerra emocional, tornada ainda pior por causa da zona de guerra domiciliar. Eu não sabia o que eram limites. Estava sempre fazendo coisas ruins para ser notada, exercendo qualquer expressão de poder e autoridade que tivesse para me sentir viva. Queria arrancar qualquer alegria e risos que conseguisse das pessoas. Mas o pior era que no meu íntimo havia um demônio, enquanto outra parte de mim lutava contra meu "eu vivo". O demônio sussurrava: "Você não é boa." Mas a outra parte, a lutadora, a sobrevivente, gritava de volta um sonoro: "Basta!"

CAPÍTULO 6

MEU PROPÓSITO

Foi como se a mão de alguém tivesse se estendido em direção à minha, e eu enfim vi a saída.

Nossa televisão no 128 estava com defeito, mas havia *outra* que funcionava em cima da primeira, que dependia de uma antena enrolada em alumínio para sintonizar os canais. Conectada a uma extensão de uma das poucas tomadas que funcionavam, a TV ficava no apartamento ao lado. Um dia, enquanto assistia à TV, um novo mundo se abriu diante dos meus olhos. Uma mulher igualzinha à MaMama apareceu na tela naquela noite, e algo *mágico* aconteceu.

De repente, eu a vi. Era a Srta. Cicely Tyson em *The Autobiography of Miss Jane Pittman*. Ela tinha um pescoço longo e era linda, de pele retinta, brilhante de suor, maçãs do rosto pronunciadas, lábios carnudos e um cabelo afro curto bem cortado.

Foi como se meu coração parasse de bater por um momento. A culpa, a dor, o medo, a confusão, todos aqueles sentimentos negativos que eu tinha a respeito da minha vida e da minha situação foram expelidos por uma porta novinha em folha. Foi como se a mão de alguém tivesse se estendido em direção à minha, e enfim vi a saída. A beleza daquele momento foi que minhas irmãs também viram uma saída.

Presenciei o verdadeiro poder do talento artístico. Naquele momento, encontrei meu propósito. Como a Srta. Tyson havia conseguido, de forma sobrenatural, se transformar de 18 a 110 anos, eu queria ser sobrenatural. Eu queria que minha vida tivesse um significado, e era aquele. Eu enfim tinha encontrado.

Não muito tempo depois, fiz minha primeira performance: uma esquete com minhas irmãs em um concurso no Jenks Park, patrocinado pelo Departamento de Parques e Jardins de Central Falls. Era algo importante. A cidade estava fervendo. Todas as crianças brancas que frequentavam a Escola de Dança de Theresa Landry e faziam sapateado, aulas de acrobacia e afins — algumas das quais nos chamavam de crioulos, crioulos, crioulos o tempo todo e sem pestanejar — eram as favoritas para ganhar o concurso. Mas qualquer pessoa em Central Falls podia criar uma esquete, e quem ganhasse receberia um perfil no jornal e um prêmio. Minhas irmãs e eu decidimos que *nós* íamos ganhar a porcaria do concurso.

Dianne, sendo a aluna estudiosa e competitiva que era e irmã mais velha, tomou a frente e disse: "Estudei isso. Precisamos de um produtor. Precisamos de um diretor. Precisamos de um roteirista. Precisamos de atores. E precisamos de um orçamento para o figurino."

Dianne se tornou a produtora. Eu era a roteirista/atriz, e Anita também era atriz. Deloris foi um pouco de tudo e assumiu o papel de diretora, atriz e coprodutora.

Decidimos criar nossa própria esquete original, chamada *The Life Saver Show*, baseada no programa *Let's Make a Deal*, de Monty Hall. MaMama era viciada em programas de variedades de jogos. No nosso programa, os participantes compartilhavam suas histórias sobre como salvaram a vida de outra pessoa. Quem tivesse a melhor história ganhava o concurso. Deloris interpretou uma apresentadora estilo Monty Hall. Eu fiz o papel de Garota *Aah-Êêê* — baseada no personagem de Ted Lange do programa de TV *That's My Mama*. Dianne era Fred Sanford de *Sanford and Son*. Anita era a tia Esther do mesmo programa. Escrevemos a esquete em duas semanas e meia, e começamos cedo.

Tínhamos um orçamento de dois dólares e cinquenta para o figurino, que conseguimos juntando moedinhas de troco, e as coisas que não tínhamos dinheiro para comprar pegamos do armário dos meus pais. Eles disseram: "Vocês podem pegar qualquer coisa no guarda-roupa e usar." Pegamos o casaco de pele que minha mãe comprou na Sociedade de São Vicente de Paulo, uma bolsa de palha, chapéu e peruca. Pegamos um terno do meu pai, que Deloris e Dianne usaram, embora estivesse bem largo. O resto compramos na Sociedade de São Vicente de Paulo com os dois dólares e cinquenta.

Nossos ensaios eram *intensos*. Lidamos com a esquete como se fosse uma peça de Shakespeare. Se uma fala não funcionava, Dianne parava o ensaio e dizia: "Não está funcionando." Então, eu ia até o armário, focava e voltava com algo melhor. Para contextualizar, esse armário era cheio de lixo e ratos, mas o enfrentei para reescrever meu texto.

Enfim, chegou o dia. Tínhamos ensaiado bastante. Passei por um momento de medo de palco gigantesco. Gigantesco. Eu mal conseguia me apresentar só para as minhas irmãs. Minha garganta fechava. Meu estômago revirava. Eu... paralisava. Mas minhas irmãs me ameaçaram: ou eu me apresentava, ou ia ver só. Era importante a esse ponto. Parecia que toda Central Falls estava reunida no Jenks Park naquele dia. Repórteres e fotógrafos do *Pawtucket Times* estavam lá. Crianças e pais estavam sentados na grama e na enorme pedra bem no meio do parque. Alguns espectadores até levaram cadeiras dobráveis.

Quando enfim começou, e o grupo de crianças que eram as favoritas para ganhar se apresentou, *todo* o parque gritou em polvorosa. Quando eles terminaram a apresentação, houve aplausos estrondosos, dando a entender que o público tinha encontrado o grupo vencedor. Eu me lembro das minhas irmãs e eu nos olhando, dando confiança uma à outra.

E então todos se sentaram e Dianne disse:

— Tudo bem, vocês sabem que temos que fazer como praticamos. Está na hora.

Cantamos nossa musiquinha: "Vamos ganhar! Vamos ganhar!"

Dianne me olhou e percebeu meu medo.

— Não vamos paralisar hoje, Viola. Certo?

Assenti com relutância. Meu estômago revirava desesperadamente, mas desesperado também era o desejo de não destruir o que tínhamos criado.

Quando nos apresentaram, houve palmas, mas nada comparado aos aplausos do grupo anterior. O grupo estava perto do palco com os braços cruzados. Fomos a última apresentação do dia. Começamos cantando nossa própria interpretação do jingle do *Tonight Show.* Deloris veio primeiro e disse:

— Sejam todos bem-vindos ao *The Life Saver Show*. Sou seu apresentador, Monty Hall. E estou aqui para dizer que temos um programa em que todos são convidados a compartilhar as histórias de quando salvaram vidas. Temos o prêmio máximo de um milhão de dólares para cada um de vocês. Espere um pouco. Espere um pouco.

Houve uma interrupção.

A interrupção era eu. Chegando como a Garota *Aah-Êêê* e fazendo minha imitação de Ted Lange, o fofoqueiro do bairro, da melhor maneira que pude:

— *Aah-Êêê*. Entendi. Entendi. Estou aqui para contar. — Então a minha versão de 9 anos disse: — Fred Sanford está vindo ao programa. Ele está vindo ao programa. E ele, e ele vai estragar as coisas. Você tem que ficar de olho nele.

Dianne, como Fred Sanford, veio e compartilhou a história de que salvara um monte de vidas quando viu um grupo de pessoas cair de uma ponte e pulou na água para resgatá-las. Anita, como tia Esther, apareceu, e Fred disse:

— Tia Esther, eu devia enfiar seu rosto na massa e fazer biscoitos de gorila.*

E ele e tia Esther começaram a brigar, do jeito que faziam no programa de TV.

Fred enfim terminou sua história dizendo:

— Pulei na água para salvar a tia Esther.

Tia Esther, interpretada por Anita, estava tão emocionada que disse:

— Você pulou pra me salvar, Fred?

E ele respondeu:

— Não, pulei para salvar os peixes porque você é muito feia.

Eles começaram a brigar ainda mais, e Fred arrancou a peruca da tia Esther, revelando a careca dela embaixo. A esquete terminou com aplausos de pé. A nostalgia é poderosa. A memória de vencer. Os aplausos. A aceitação é minha maior lembrança. Mas minha falta de amor-próprio e minha completa incapacidade de me abrir para qualquer um sobre meu principal medo — "Um dia, meu pai vai espancar minha mãe até a morte" — não podiam ser verbalizadas. A adoração é tão poderosa quanto aquela cortina em *O Mágico de Oz*. Escondia uma mentira que me oferecia um refúgio temporário. Vencer era isso... uma proteção instantânea e uma cortina de fumaça para esconder o fato de que eu sentia medo o tempo todo. Me sentia sempre como uma "forasteira".

Ganhamos! Conseguimos o primeiro lugar, e nunca esquecerei a expressão no rosto das garotas escolhidas da Escola de Dança Theresa Landry quando nos viram fazer nossa dancinha de comemoração.

— Ganhamos. Ganhamos.

---

* Esta frase faz referência a um diálogo da série *Sanford and Son*, que nunca foi exibida no Brasil. [*N. da R.*]

Ganhamos apenas um vale-compras, talvez para o McDonald's ou algum lugar do tipo, junto com um kit de softball. Um daqueles kits de plástico com a bola e um taco duro, de plástico vermelho. Não estávamos interessadas no kit de softball. Só queríamos ganhar. Queríamos ser alguém. Queríamos ser ALGUÉM.

CAPÍTULO 7

A IRMANDADE

Uma família feliz não é nada além de um paraíso antecipado.

— George Bernard Shaw

Minhas irmãs se tornaram meu exército. Estávamos todas em uma guerra, lutando por propósito. Cada uma de nós era um soldado lutando por nosso valor. Estávamos juntas naquilo; precisávamos umas das outras. Nenhuma de nós conseguia lutar sozinha. Sei que eu não tinha força para isso. Estávamos travando uma guerra com inimigos visíveis e invisíveis. Mesmo assim, nosso comprometimento era com o todo. Criamos uma cultura de "juntas ou nada". Às vezes, nos separávamos e algumas de nós ficavam no campo de batalha, intactas, mas com alguma coisa faltando. Quando crianças, porém, estávamos juntas naquela missão: Dianne; a mais velha; Anita, um ano mais nova; Deloris, dois anos mais nova; e eu, três anos mais nova. Queríamos uma saída e nossos laços de irmandade nos ajudaram a trilhar um caminho. Dianne era o cérebro. Anita os músculos. Deloris a cabeça. E eu? Eu era aquela que podia colocar todo o time para baixo ou para cima milagrosamente no último minuto.

Fomos transformadas pela Srta. Tyson. Depois, ganhar aquele concurso com a nossa esquete mudou nossa vida porque o exército de irmãs se tornou uma materialização de como venceríamos a guerra.

O taco do kit de softball, o taco vermelho que ganhamos, se tornou um pegador de ratos, uma ferramenta em nosso arsenal.

Os ratos sempre saíam do nada. Você podia estar sentado vendo TV, assistindo ao seu programa preferido, e de repente um rato pulava no sofá. Ou saía de um buraco na parede e em um segundo estava debaixo do sofá.

Quando víamos um deles, dizíamos a Anita: "Vi um rato!" Quando ela o via, pegava o prêmio que ganhamos, o taco vermelho. Ficávamos atrás dela, agarrando-a. Dianne dizia: "Foi para debaixo… foi para debaixo dali. Pega ele. Pega ele. Pega ele."

Ficávamos quietinhas, esperando que o rato parasse de se mexer. Víamos o rabo, embaixo do sofá. Anita esperava. Ela, que a propósito se tornou uma estrela do softball, batia no tempo perfeito. *Bam!* Chegava a arrancar o rabo do bicho. Mas não o matava. Só arrancava o rabo.

O taco que ganhamos se mostrou útil mais uma vez um dia em que MaMama estava dormindo à tarde, de boca aberta, em um fim de semana. Sem medo de nosso gato preto, Boots, o maior rato que já tínhamos visto estava na fronha do travesseiro de MaMama, aos poucos se aproximando dela.

Contamos a Anita:

— Tem um rato. Ele está prestes a matar a MaMama… Vai morder o pescoço dela!

Anita pegou o taco e, de novo, estávamos atrás dela, nos segurando nela, enquanto o rato sorrateiramente se aproximava da boca aberta de MaMama. Por que não gritamos "MaMama! Acorde!" para fazer o rato pular da cama e correr? Não sei. Boots pulou no travesseiro, miou com agressividade e o rato disparou para dentro do armário e se escondeu entre o monte de roupas.

Mamãe acordou assustada.

— O rato está em algum lugar no meio das roupas! — gritamos. Estava entre os casacos ou escondido nos vestidos? Tentávamos descobrir, espiando atrás de Anita para ver o rabo, já balançando o taco vermelho.

— Acho que está bem ali — disse MaMama.

— Pega ele, Anita, porque está em algum lugar no meio daquelas roupas — dissemos.

Anita mirou perfeitamente. Ela fez o movimento no tempo correto, da mesma forma que faria mais tarde jogando softball. E com toda a força que conseguiu, desceu o taco vermelho e esmagou o rato como se fosse uma panqueca.

A incrível memória da vitória naquele concurso — minha estreia na atuação, que me iniciou na jornada para me tornar atriz — é acompanhada por lembranças daquele taco vermelho de plástico e sua utilidade como matador de ratos. Ratos são uma parte significativa da lembrança daquela vitória. Até hoje, morro de medo deles.

Nossos anos de juventude tiveram algumas boas memórias. Felicidade para mim era o Dia dos Namorados. Meu pai sabia como celebrar o Dia dos Namorados e outras datas comemorativas. Ele comprava muito chocolate, acredite ou não; para a Páscoa, ele trazia ovos de chocolate e nos dava cartões. No Natal, principalmente quando éramos mais jovens, por volta de 11 ou 12 anos, não havia muitos presentes. Mas mesmo assim, tínhamos uma árvore de Natal, e meu pai era o bêbado alegre tocando violão.

Eu tinha 7 ou 8 anos quando meu pai comprou uma mesa de sinuca pra gente. Era uma mesa grande. Ele a comprou porque gostava de jogar no bar. Eu amava jogar. Depois de um tempo a mesa quebrou, e não compramos outra. Mas às vezes íamos ao bar — na época em que pais podiam levar crianças a bares —, jogávamos dardos e sinuca e comíamos salgadinhos bebendo Sprite.

Essas memórias felizes logo seriam seguidas por traumas — a raiva do meu pai em seus ataques quando estava alcoolizado, violência, pobreza, fome e exclusão. Na minha mente de criança, eu era o problema. Eu me recolhia ao banheiro, apoiava algo contra a porta para que ninguém entrasse e me sentava por muito tempo olhando para os meus dedos e mãos, tentando apagar tudo aquilo da mente. Queria poder sair do meu corpo. Sair dali.

Uma vez, quando tinha mais ou menos 9 anos, consegui. Eu saí; isto é, saí do meu corpo, por assim dizer. Flutuei até o teto, olhei para baixo, para mim, vi meu cabelo, minhas pernas e meu rosto. Então me encarei, diretamente para dentro de mim. Nossa! Eu amei aquilo. Era um poder secreto e mágico, mas não me vi como mágica ou poderosa. Só me senti livre. Era a minha forma de desaparecer. Era a minha onda. Eu nem sempre conseguia controlar a sensação de estar fora do corpo, mas quando conseguia, era algo muito além de fantástico. O poder de sair do meu corpo, de deixar de ser Viola por um tempo, foi uma imagem que esteve comigo por décadas.

Mas nunca gostei de como terminava. Essas experiências fora do corpo sempre pareciam terminar de forma abrupta. Eu caía de uma vez — como nos filmes, quando alguém tinha poderes telecinéticos e erguia um objeto, mas não conseguia mais se concentrar, então a coisa caía. Eu estava fora do meu corpo e, de repente, de volta nele. Tentava compartimentalizar, me desviar daquelas emoções pesadas, até não conseguir mais. O poder era temporário.

Mesmo hoje, Deloris e eu sonhamos com o 128. O prédio criou um pano de fundo para as conexões de irmandade. O 128 foi como um útero para a nossa irmandade. À noite, nós, as irmãs, nos encolhíamos no beliche de cima para nos aquecer, horrorizadas com os sons dos roedores comendo pombos no telhado, comendo nossos brinquedos, guinchando, quando sentíamos o peso do corpo deles enquanto pulavam em nossa cama, procurando o que comer. Enrolávamos lençóis no pescoço para nos proteger de mordidas.

Ir ao banheiro à noite no meio disso não era uma opção. Ligar as luzes e observá-los sair correndo não era uma opção, porque não havia luz na parte do apartamento onde dormíamos. O banheiro ficava distante, do outro lado do apartamento, e poderia muito bem ser do outro lado do mundo. Se não tivéssemos ido antes de deitar, fazer aquela jornada no meio da noite não era uma opção. Então fazíamos xixi na cama.

Dormíamos para esquecer nossos problemas. Quando meu pai estava bêbado ou havia alguma briga, minha irmã Deloris e eu desaparecíamos no quarto e nos tornávamos "Jaja" e "Jagi", matronas ricas e brancas de Beverly Hills, com joias enormes e chihuahuas pequeninos. Brincávamos assim por horas.

— Caramba, Jaja — dizia Jagi. — Comprei esta casa fabulosa e meu marido me deu este lindo anel de diamantes.

Brincávamos, com tantos detalhes que se tornou algo transcendente

Brincávamos enquanto ao fundo minha mãe apanhava e gritava de dor. Mas acreditávamos que estávamos naquele mundo até Deloris quebrar o feitiço dizendo:

— Você não é Jaja. Você é pobre. Recebe auxílio do governo. Você não tem diamantes.

Brigávamos e o faz de conta acabava — até acontecer outra confusão na família. Era nossa válvula de escape. Nos transformávamos em pessoas que pensávamos ser "melhores". Pessoas que existiam em um mundo com o qual apenas sonhávamos; mulheres que não éramos. Brincávamos por diversão e por desespero. Jaja e Jagi eram nossa proteção de faz de conta.

A maior parte das minhas memórias mais alegres são do meu relacionamento com minhas irmãs. Sonhamos juntas com muita determinação. Começamos uma banda chamada Hot Shots. Queríamos ser os Jackson 5. Nunca chegamos a escrever uma canção nem tocamos instrumentos. Não tínhamos dinheiro para fazer aulas de música. Mas o que nos faltava em habilidade compensávamos com garra e imaginação. Deloris ficava na bateria. Dianne era a cantora principal. Eu tocava tamborim, e Anita, violão. Podíamos fingir e escapar para a nossa imaginação.

Éramos fascinadas por fogos de artifício. Um dia, compramos bombinhas. Ter o dinheiro para comprá-las foi um grande feito. Compramos em uma das lojas da esquina. Por motivos dos quais não me lembro, decidimos acender uma bombinha na cozinha do 128 e jogá-la pela janela. Fiquei responsável por segurar a bombinha. Paralisei, ou, como dizem, "amarelei"

Minhas irmãs gritaram para que eu jogasse, mas não consegui me mexer. A bombinha explodiu na minha mão! Ela ficou totalmente dormente! Imagine um desenho do Looney Tunes em que eu perco minha audição e fumaça sai do meu nariz e das minhas orelhas. Como o Coyote, fiquei de pé com a bombinha explodida na mão. Minha boca escancarada. Vi os lábios das minhas irmãs dizendo as palavras, mas não consegui ouvir: "Viola, você está bem?"; "Sua burra! Te falei para jogar." Então comecei a chorar. *Estou surda! Ai, meu Deus!*

Minha audição voltou.

Minhas irmãs e eu seguimos explorando nosso mundo. Continuamos a descobri-lo sozinhas na ausência dos nossos pais. Eles tentavam simplesmente nos manter vivas da única maneira que sabiam. Controlavam o que podiam e introduziam esforço, alegria e esperança em pequenas doses. Por exemplo, recebíamos roupas novas pelo menos uma vez por ano, na Páscoa. Apesar das camas mijadas, de quase nunca ter roupas limpas, dos ratos pulando na nossa cama à noite, da mobília quebrada, da insegurança alimentar, do encanamento ruim, da falta de telefone, todos recebíamos uma roupa novinha. A potência e o poder da tradição são coisas profundas.

Minha mãe usava pentes quentes no cabelo — um ferro para enrolar e um pente para alisar que eram aquecidos no fogão. Com pomada Blue Magic, ela alisava e fazia cachos nos nossos cabelos para a Páscoa. Na minha opinião, era um ritual sádico. Ela batia na gente e gritava — "Sossega o facho ou vou te queimar" — se nos encolhêssemos. Quando aquele pente quente atingia uma mecha de cabelo oleosa, que chiava e caía na orelha ou no rosto, era impossível não se encolher. Às vezes, ela se distraía com a conversa e deixava o pente e o ferro no fogo por tempo demais. Esses ferros superquentes esturricavam nosso cabelo. "*Sossega* o facho!"

No fim, ficávamos tão adoráveis em nossos vestidos longos e sapatos novos, mas, caramba, como parecíamos ensebadas. Mas não ligávamos! Nós amávamos. Nossos pais nos davam doce, algum dinheiro, e ficávamos no pátio esperando alguém passar para ver como estávamos engraçadinhas. Por fim, Dianne veio com a ideia de ir à igreja. Ela disse que era o que faziam no sul. As únicas igrejas em Central Falls eram católicas. Reunimos coragem para ir, já que a maioria das pessoas que conhecíamos na cidade eram católicas.

Fomos à Holy Trinity Church e nos sentamos no fundo. Desde o momento em que pisamos na igreja, todos os olhares se voltaram para nós. Pensei que todos estavam hipnotizados pela nossa fofura. Fingimos saber ou tentamos aprender a letra das músicas e as diferentes respostas. Então, incentivadas por Dianne, fomos à Comunhão.

— É só dizer "amém" quando ele colocar o pão na sua boca.

Fiquei animada com a possibilidade de receber um pedacinho de pão. Quando chegou a hora de pegar o corpo de Cristo, o padre se inclinou e sussurrou:

— Você é católica?

Dianne, com a mão ainda aberta, pronta, balançou a cabeça e respondeu, sincera:

— Não.

Ele fez um gesto para que saíssemos. Então percebi por que nos encararam tanto.

Depois disso, pegamos nosso dinheiro da Páscoa e fomos ao cinema Leroy Theatre para assistir a uma sessão dupla e comer cachorro-quente ou M&M's de embalagens grandes. Setenta e cinco centavos para uma sessão dupla e trinta e cinco centavos por uma embalagem grande de M&M's.

O outro feriado era Halloween. Nós éramos as primeiras na rua atrás de doces ou travessuras, e as últimas a voltar para casa. O objetivo era conseguir o máximo de doces possível. Enchíamos uma sacola e saíamos com outra. Nunca tínhamos fantasias, então colocávamos a maquiagem da minha mãe no nariz, na testa, nas bochechas e pronto. Não havia dinheiro para mais nada.

Em um ano, decidimos sair antes que escurecesse. Corremos para fora com nossas fronhas e sacolas de papel. Foi a melhor ideia porque éramos as únicas crianças lá fora. Não vimos mais ninguém! Absolutamente ninguém. Íamos conseguir os melhores doces por sermos os primeiros. Batemos na primeira porta. Eram pais com três filhos.

— Doces ou travessuras! — gritamos.

O homem pareceu totalmente assustado e desatou a rir.

— O Halloween é amanhã! Vocês vieram cedo demais!

A esposa e os filhos dele foram até a porta e começaram a rir de nós descontroladamente. Fugimos correndo e não paramos até chegar em casa.

Algumas batalhas nós ganhamos: sobrevivemos juntas e emergimos com risadas e alguma perspectiva; e outras brutais, como abuso sexual, nós perdemos.

Naquela época, abuso sexual não tinha nome. Os abusadores eram chamados de "velhos safados" e as vítimas eram chamadas de "fáceis" ou "piranhas". Era algo coberto de silêncio, trauma invisível e vergonha. É difícil entender como era comum. O que nos tornava passivas era nossa falta de supervisão e de conhecimento. Eram tempos diferentes.

O abuso ia de velhos aleatórios na rua dizendo para nós, em especial para mim, porque era a mais nova, como éramos adoráveis. Até que ouvi: "Te dou 25 centavos se você me der um beijo." Eu queria o dinheiro. Aceitei, dei ao homem de bengala um beijo na bochecha. Ele continuou ali. Me encarando. Esperando algo mais. Eu olhei ao redor desconfiada até que algo me disse para correr.

Uma vez, uma festa de aniversário na casa de um amigo estava lotada de pessoas bêbadas. A casa tinha uma varanda nos fundos que levava para o telhado da garagem. Era um ótimo espaço para brincar quando criança, e foi o que fizemos naquele dia. Um dos homens da festa fingia correr atrás de nós entre um drinque e outro. E nós corríamos, rindo.

Ele nos perseguia até quase nos encurralar, mas todas as crianças conseguiam escapar, desviar ao redor dele. Exceto eu. Fiquei paralisada e ele me agarrou.

Todas as crianças estavam apontando, rindo por eu ter sido pega. Ele me agarrou e disse: "Você é tão engraçadinha e bonita..."

E então começou a erguer minha saia, puxou de lado a minha calcinha para expor minhas nádegas, e começou a massagear fazendo sons sexuais. As crianças gritaram assustadas e correram. Eu me encolhi, dei socos até ele me soltar e corri. As outras crianças me provocaram: "Rá! Rá! Você foi pega! Aquilo foi horrível!" Fiquei completamente arrasada. Para piorar tudo e tornar as coisas ainda mais confusas, *eu* estava sendo humilhada, e não o homem que me apalpou na frente de todo mundo. Eu só tinha 8 anos, mas me senti suja, devastada. Ainda mais traiçoeiramente doloroso foi que eu fiquei envergonhada por me sentir assim, não só pelo que aconteceu. Pense nisso por um momento: estava envergonhada de mim mesma por me sentir violada por um agressor pervertido e adulto. Eu estava sozinha na festa. Sozinha. Abandonada para me virar e navegar por conta própria as águas infestadas de tubarões.

Éramos deixadas com garotos mais velhos, vizinhos que ficavam "de babá" e abriam o cinto da calça enquanto brincavam de cavalinho conosco. Minhas três irmãs e eu (Danielle ainda não tinha nascido) por vezes éramos deixadas sem supervisão com meu irmão em nosso apartamento — a curiosidade sexual passava dos limites. Ele corria atrás de nós. Perdíamos. E por fim outro comportamento inapropriado com um efeito profundo ocorria. Compartimentalizei grande parte disso na época. Guardei em um lugar em minha psique que parecia seguramente escondido. Ao esconder, podia fingir que nada tinha acontecido. Mas aconteceu!

De novo, mais segredos. Camadas sobre camadas de segredos sombrios. Trauma, merda, mijo e argamassa misturados com memórias que foram filtradas, editadas pelo bem da minha sobrevivência e emaranhadas com segredos geracionais. Enterrada em algum lugar embaixo de todo aquele lixo, eu vivo — o meu eu que luta para respirar, que quer tanto se sentir vivo.

Mas essa é a *jornada*! A única arma que tenho para superar tudo é o perdão. É desistir de toda a esperança de um passado diferente.

Minha mãe tem hoje 78 anos, e a memória dela aos poucos está começando a falhar. Enquanto a observo agora, tento desesperadamente me agarrar a cada restinho de tempo que ainda temos juntas. Estou tentando tirar todos os segredos e barreiras do caminho, quaisquer barreiras que possam existir entre nós.

Um dia, tomando chá verde e comendo torrada, nos sentamos e conversamos sobre memórias e a minha infância em Central Falls. Conforme falávamos, um nó no meu estômago cresceu e se mostrou. Era aquele sentimento familiar que tenho antes de fazer algo arriscado ou que me deixa desconfortável, como quando estou em um ambiente social onde sinto que não me encaixo. Mas daquela vez segui em frente assim mesmo. Fui fundo. Canalizei minha raiva, minha mágoa e contei a ela sobre a dolorosa lembrança. "Deloris, Anita, Dianne e eu fomos abusadas sexualmente", contei a ela enquanto dizia o nome do meu irmão no mesmo fôlego. "Ele nos perseguia no apartamento. Era agressivo. Tínhamos medo. Éramos tão novas, mãe! Houve penetração com Anita e Dianne. Deloris e eu fomos tocadas."

Silêncio. Ela não se mexeu. É irônico que ela estivesse sentada na minha linda cozinha de mármore e porcelana, com a geladeira chique e pé-direito alto, e isso não significava porra nenhuma comparado à grandeza da verdade do que estava acontecendo. O sucesso não é nada comparado à cura. Não apenas a verdade do abuso, mas a decisão de amar, de perdoar… a reação que eu sabia que seria… silêncio.

Silêncio.

Silêncio pesado. O silêncio que se tornou choque, mágoa, culpa, reconhecimento do próprio abuso sofrido por ela. O desespero silencioso de tentar negociar a complexidade de ser mãe. O único sinal de que algo mudara nela foi sua torrada intocada.

Houve outros tipos de incidentes que experimentamos enquanto irmandade.

Tentávamos fazer balas de caramelo no fogão enquanto meus pais estavam fora, talvez no bar local, embora minha mãe não bebesse, ou talvez minha mãe estivesse no bingo e meu pai no trabalho. Bala de caramelo era uma tradição do interior que Dianne nos ensinou. Coloca-se uma quantidade absurda de banha em uma panela e açúcar suficiente para deixar todas as crianças de uma escola diabéticas, e deixa-se a mistura em fogo alto. Caramelizando.

Então, apaga-se o fogo para que aquilo esfrie, endureça e vire uma bala. Testávamos tudo relativo a comida. Estávamos sempre, sempre com fome. Nesse dia, deixamos a banha no fogo por tempo demais e ela espirrou por todo o rosto de Anita. Ela gritou! Nós gritamos! Dianne pegou um pano de prato e se limpou. Uma camada de pele saiu junto. Ela agarrou o casaco e saiu correndo para buscar minha mãe. Acabou na emergência, com enormes bolhas no rosto.

Havia também a nossa silenciosa competição sobre quem molhava mais a cama e quem pararia primeiro.

Meu irmão, fingindo ser Bruce Lee, atirou uma faca de açougueiro em Anita. Milagrosamente, não atingiu nenhum órgão dela, mas cravou bem na perna.

Outra vez meus pais começaram uma briga enquanto minha mãe estava arrumando o cabelo de Dianne. Meu pai ficou tão bravo e fora de controle que jogou um copo na minha mãe, que acabou atingindo Dianne na cabeça, causando um ferimento. Sangue espirrou.

Quando lembro as coisas que vi, me impressiono com o que o corpo humano consegue aguentar.

Não há páginas suficientes para mencionar as brigas, ser constantemente acordada no meio da noite ou voltar para casa depois da escola para encontrar meu pai enfurecido e rezar para que ele não perdesse o controle e matasse minha mãe. Às vezes, a cabeça ou o braço dela tinha cortes. O rosto dela inchado, o lábio cortado. Eu sempre ficava com medo quando ele pegava qualquer objeto, como um pedaço de madeira, porque batia nela com a maior força que conseguia e continuava batendo. Às vezes a noite toda. Tantas vezes vimos uma trilha de gotas de sangue levando até o nosso apartamento, e já sabíamos o que estava acontecendo. Eram caos, violência, raiva e pobreza misturados à vergonha.

Uma noite, meu pai chegou em casa muito bêbado. Ele ficou dizendo:

— Mae Alice, estou morrendo. Não vou passar de hoje! Acorde as crianças!

Minha mãe, chorando, acordou todos nós. Estávamos exaustos e nos sentamos no quarto deles tentando não adormecer. Meu pai estava no chão, bêbado e vomitando um líquido transparente. Minha mãe segurava a cabeça dele, aos prantos.

— Crianças! Seu papai está morrendo — gemia ele. — Não vou estar aqui por muito mais tempo. Quero me despedir de vocês.

Comecei a chorar. Eu era a "bebê chorona". Minhas irmãs estavam imóveis. Meu pai foi se despedindo de cada uma.

— Deloris, você é inteligente. Você vai se sair bem, mas precisa parar de roubar as coisas das suas irmãs e vender na escola. Não pense que não sei o que está fazendo.

Deloris chorou um pouco.

— Dianne, tome conta das suas irmãs. Vahla, você é o meu bebê. Você sabe que o papai te ama, mas precisa parar de mijar na cama e deixar a casa toda fedida! Nita, não sei que diabos fazer com você. Você mija na cama, rouba, briga com os outros… AAAAhhhh!

Ele convulsionou, vomitou e ficou gelado. Meu pai parou de se mexer.

Eu gritei:

— Papai! Não! Não morra, papai!

E então ele despertou.

— Eu amo vocês.

Minha mãe olhou para nós e disse:

— Voltem para a cama.

Havia brigas o tempo todo. Depois de cada uma delas havia uma realidade que se assomava. *Como vamos superar agora?* A única esperança era que essas brigas fossem pequenos traumas, não um grande trauma. No início dos anos 1970, minha irmã Anita ficou cara a cara com um grande trauma.

Começou como um dia de verão normal e tranquilo, e minha família e nossos vizinhos, os Owens, estavam sentados na varanda conversando. Isso aconteceu no 128. Os Owens moravam no apartamento que acabaria sendo ocupado por nós quando eles se mudassem. Eles eram uma família grande como a nossa. Éramos muito próximos e brincávamos juntos o tempo todo. Enquanto os adultos aproveitavam a paz da varanda, nós, crianças, estávamos correndo dentro de casa, vez ou outra colocando a cabeça para fora. Enquanto nos divertíamos sem nenhuma preocupação, a Sra. Owens e minha mãe disseram de repente:

— Olha o monstro! Meu Deus! O que ele está fazendo?

É lógico que corremos lá fora para ver.

— Olha! Ele correu para o quintal — exclamamos animados, totalmente ignorantes sobre onde aquela jornada aparentemente inocente nos levaria.

Enquanto corríamos para ver o monstro no quintal, nossos pais gritaram atrás de nós:

— Não cheguem perto desse homem!

Nós o vimos: um homem sem sapatos no meio do quintal, usando jeans rasgados na perna e uma camisa abotoada de qualquer jeito. Ele estava de pé, se balançando para a frente e para trás, para a frente e para trás, gemendo. Os olhos dele não nos identificaram mesmo olhando em nossa direção. Nossos pais não estavam brincando. Se ele não era um monstro, certamente faria esse papel até que algum de verdade aparecesse.

Gritamos para ele:

— Olhe pra gente! Iuuuh-huuu! Olhe, monstro! Estamos aqui!

Sentíamos pavor, mas em nossa cabeça estávamos disfarçando perfeitamente com nossas provocações. De repente, um gato de rua que tínhamos adotado não oficialmente foi andando na direção do homem.

Nós gritamos:

— Gato! — Ainda não tínhamos dado um nome ao danado. — Gato! Saia de perto dele!

Gritamos muito alto, esperando assustar o gato para que ele fugisse. Com certeza não tínhamos coragem de correr para perto do monstro e pegar o gato. Então continuamos gritando para o gato e para o homem não pegar nosso quase animal de estimação.

De repente, a entidade balançante que mais parecia um vilão de filme de terror pegou o gato pelo pescoço. Gritamos mais alto. Se ele estava nos ouvindo, não sabíamos, porque não respondeu. Em vez disso, ele olhou para o gato, acariciou-o quase com ternura, e então com toda a calma quebrou o pescoço do bichano.

O sangue escorreu da boca do felino morto. Sua cabeça ficou pendurada, embora parecesse que ainda tentava resistir. O homem segurou o gato ensanguentado no ar, deixou o sangue dele pingar em seu rosto e lambeu. Ele jogou o corpo do gato no chão e espalhou o sangue no rosto, como se fosse uma pintura ritualística de guerra.

Ficamos paralisados. Sem acreditar no que víamos. Traumatizados.

De repente, como se um interruptor fosse acionado, o homem se deu conta da presença de seus caçadores infantis, grunhiu e voou em nossa direção. Corremos para dentro do prédio como animais sendo caçados, agarrando uns aos outros, tropeçando, chorando. Chegamos às escadas. Quando olhamos ao redor, sem fôlego, aos prantos, nos demos conta de que Anita não estava ali.

Chamamos a polícia. Meu pai correu pela cidade procurando por ela. Nós chorávamos. Enquanto isso, sem que soubéssemos, Anita estava em apuros. Mais tarde, ela nos contou que enquanto nós, irmãs e amigos, corremos para o apartamento, ela correu em outra direção. E logo o monstro a viu e começou a caçada. Anita nos mostrou como correu, se escondendo atrás de árvores, atrás da enorme rocha no Jenks Park.

Ela tentou ficar quieta e não denunciar sua posição, mas o homem a rastreava como se estivesse numa guerra. E onde ela se escondia servia apenas como um abrigo temporário, até que ele a visse e retomasse a caçada.

Enquanto minha irmã literalmente corria para salvar a própria pele, não fazíamos ideia de onde ela estava. A polícia foi até nossa casa, mas eles também não a encontraram. Então a vimos correndo pela Washington Street, saindo do Jenks Park. Anita estava sem fôlego, chorando desesperada. Ela entrou no mercado do outro lado da rua, o "monstro" ensanguentado em seu encalço.

O açougueiro do mercado colombiano saiu com um facão e gritou:

— Pare!

Miraculosamente, aquele quase Jason de *Sexta-feira 13* parou. Paralisado. Mancando. Ele baixou a cabeça como se alguém tivesse tirado sua bateria.

Assistimos enquanto os policiais colocavam uma camisa de força nele, o amarravam em uma maca e o empurravam para dentro de uma van de paredes acolchoadas. Mais tarde, descobrimos que ele tinha acabado de voltar do Vietnã, onde passara meses na floresta comendo todo tipo de roedor... e gatos. O estresse pós-traumático dele era tão devastador que a esposa o expulsara de casa naquele dia.

Anita sempre foi a força da nossa família. A sobrevivente. A lutadora. Mas mesmo alguns dos mais poderosos guerreiros têm feridas que os marcam. Esse incidente ameaçava transformar Anita em uma sombra de si mesma. O sangue da minha mãe no chão e o sangue das almas devastadas que encontrávamos pelas ruas precisavam de montes de bálsamo. E nós não tínhamos o conhecimento ou as ferramentas para lidar com aquilo. Simplesmente... não tínhamos.

ela tentou ficar quieta e não denunciar sua posição, mas o homem a rastreava como se estivesse numa igreja. E onde ela se escondia servia apenas como um abrigo temporário, até que ele a visse e retornasse à escada.

Lançando-o [illegible] para salvar a própria pele, não fazíamos ideia de onde ela estava. A polícia foi até nossa casa, mas eles também não a encontraram. [illegible] correndo pela Washington Street, saindo do Jenks Park. Anita estava sem fôlego, tomada de desespero. Ela entrou no mercado do outro lado da rua [illegible] em seu [illegible].

O açougueiro do mercado colombiano saiu com [illegible]:

— Para!

Miraculosamente, [illegible] quase [illegible] Manchado. Ele baixou a cabeça como se alguém tivesse tirado sua bateria.

A assistimos enquanto os policiais colocavam uma camisa de força nele e o amarravam em uma maca e o empurravam para dentro de uma van de paredes acolchoadas. Mais tarde, descobrimos que ele tinha acabado de voltar do Vietnã, onde passara meses na [illegible] todo tipo de crueldade, e [illegible] pós-traumático dele em um devastador que a esposa o expulsara de casa naquele dia.

Anita sempre foi a força da nossa família. A sobrevivente. A batalhadora. Mas mesmo alguns dos mais poderosos guerreiros têm [illegible] que os marcam. Esse incidente começou a transformar Anita em uma sombra de si mesma. O sangue do homem [illegible] no chão e [illegible] de saladas que carregávamos [illegible] precisavam de montes de bálsamo. E nós não tínhamos conhecimento ou as ferramentas para lidar com aquilo. Simplesmente... não lidamos.

CAPÍTULO 8

VERGONHA SILENCIOSA E SECRETA

A invisibilidade do combo formado pela negritude e pela pobreza é algo brutal.

A escola era a nossa salvação. Lidávamos com tudo nos destacando academicamente. Amávamos aprender e não queríamos acabar na mesma situação que nossos pais, sem saber como conseguiríamos a próxima refeição.

A escola também era o nosso paraíso. Ficávamos até tarde participando de atividades esportivas, musicais, teatrais e de reforço. Minhas irmãs e eu nos tornamos pessoas que superavam as expectativas, mesmo em áreas que não nos interessavam.

Deloris e Dianne chegaram à Sociedade de Honra de Rhode Island e à Sociedade de Honra Nacional. Elas abriram o caminho para mim. Mas, na escola, eu estava sempre com sono, com fome e com vergonha. Chegava às oito da manhã e às oito e meia já estava pegando no sono. Por muitos anos, tive problemas para dormir à noite; nunca dormia a noite toda. No máximo, dormia por curtos intervalos, já cansada, porque era no meio da madrugada que muitas das brigas dos meus pais aconteciam.

Tinha sorte se conseguisse dormir duas horas direto. Éramos acordados por um grito, um berro. A única esperança, a única bênção, era a briga não durar muito. Mas às vezes os conflitos persistiam a noite inteira ou noites seguidas, por dias. Se durasse a noite toda, não dormíamos. Imagine seu pai espancando sua mãe com um pedaço de madeira, batendo com força nas costas dela, os pedidos de ajuda, os gritos de raiva e fúria. Aquele trauma me mantinha acordada à noite e me fazia adormecer durante as aulas.

Além disso, fiz xixi na cama até os 14 anos. Geralmente ia para a escola com aquele cheiro. Não ter água quente em casa certamente não ajudava. Experimente tomar banho com água gelada e, excepcionalmente, com algum sabão, no auge do inverno. Tínhamos que escolher entre comprar sabão para as roupas, sabonete ou detergente. Muitas vezes substituíamos um pelo outro de acordo com nossas necessidades. Arrastar trouxas de roupa suja por dois ou três quilômetros em temperaturas congelantes, com gelo e neve, não era fácil. E ter o dinheiro para a lavanderia era um luxo.

Então, geralmente, na noite anterior, lavávamos nossas roupas à mão com água fria e sabão e as pendurávamos para secar. Pendurávamos roupas molhadas sobre portas e cadeiras porque o varal estaria exposto à neve, chuva e/ou ar frio congelante (que petrificaria nossas roupas). No dia seguinte, elas raramente estavam secas, mas não tínhamos escolha. Vestíamos as roupas ainda molhadas e elas secavam durante o dia. Eu fedia a urina.

Minha irmã Deloris e eu frequentávamos a Cowden Street School, quando eu estava no quarto ano e ela no quinto. Deloris amava a escola. Ela era a aluna que ia para casa animada se tivesse uma prova nos próximos dias. Também era uma leitora voraz. Antes de entrar no sexto ano, já estava lendo livros como *O morro dos ventos uivantes* e as obras de Agatha Christie. E, diferentemente de mim, nunca se metia em confusão na escola, afinal, era muito respeitosa com os professores.

Um dia, Deloris chegou em casa animada com uma prova de ciências. Por uma semana, só falou nisso. Naquela época, ela queria ser arqueóloga. No dia da grande prova, algo diferente estava acontecendo comigo na aula. Minha professora, que eu amava, estava me encarando. Quando eu chegava perto dela para fazer alguma pergunta, ela se afastava. Então a vi conversando com o professor da sala ao lado. Apenas uma porta separava as salas, e eles conversavam na soleira. Naquele dia, eles sussurravam e olhavam para mim.

Por fim, quando nos sentamos em círculo para ler, corri para me sentar ao lado da professora, e ela se afastou com uma expressão incomodada. Gesticulou para mim e sussurrou no meu ouvido: "Precisa dizer à sua mãe para pegar água e sabão e dar um banho em você! Seu cheiro está horrível!" Ela então me enxotou como se eu tivesse acabado de vomitar em cima dela. Fiquei sem reação.

Alguns minutos depois, fui chamada na enfermaria. Quando entrei, vi Deloris. A enfermeira ainda não tinha chegado. Deloris estava sentada diante da mesa, em choque. Obviamente tinha sido chamada pelo mesmo motivo. "Deloris! Ai, meu Deus, você acredita...", sussurrei. Mas não cheguei a terminar a frase, porque ela me mandou calar a boca e abaixou a cabeça de novo.

A enfermeira veio e nos deu um sermão sobre as reclamações dos professores a respeito da nossa higiene. Ela perguntou como tomávamos banho. Não respondemos. Tínhamos experiência na arte de guardar segredos e nunca, nunca contávamos a ninguém o que se passava em nossa casa. Nunca! Ela então falou para nunca usarmos a mesma roupa íntima duas vezes seguidas; nos ensinou o jeito certo de tomar banho; como usar o sabão e quais áreas precisávamos lavar primeiro. Depois fomos para casa.

Muitas décadas mais tarde, mencionei esse dia para Deloris, e ela me contou suas lembranças. Disse que tinha feito a prova de ciências e tirado dez. Estava muito animada e levou a prova de volta para a mesa. Ela vinha sofrendo bullying de uma garota implacável chamada Maxine.

Maxine olhou para a prova da minha irmã, foi até a professora e disse: "Professora, a Deloris colou." Sem hesitar a professora chamou Deloris à mesa, pegou a prova e colocou um grande zero vermelho. Deloris ficou arrasada! Mas disse que essa professora não gostava dela por sempre tirar dez. Foi a mesma que me disse, anos depois, no segundo ano, que durante o período de escravização pessoas negras não sabiam ler nem escrever.

Eu disse a Deloris que sentia muito pelo que acontecera e por não termos ajudado. Ela respondeu: "Tudo bem, Viola. Foi naquele dia que decidi ser professora. Aquilo me arrasou de tal forma que não queria que outra criança passasse pelo que passei."

Deloris é uma professora brilhante há 35 anos. É engraçado que, mesmo com as reclamações sobre a higiene, ninguém nunca nos perguntou sobre nosso ambiente em casa. Ninguém perguntou se estávamos bem ou se havia algo errado. Ninguém falava com a gente. Havia uma falta de interesse intencional em nós, garotinhas negras. Algumas pessoas soltavam o que chamavam de afirmações edificantes: "Trabalhe duro"; "Vá para a escola e tire boas notas"; "Seja incrível"; "Comporte-se e fique longe de confusão". Havia uma expectativa de perfeccionismo, mas sem considerar nosso bem-estar emocional. O que isso provocou em mim foi confusão. Como alcanço o topo da montanha, se não tenho nem os equipamentos para chegar lá? As crianças são constantemente pressionadas para incentivar seu desempenho e, quando se é uma criança pobre, vítima de traumas, ninguém dá a você as ferramentas para se sair "melhor", para "construir sua vida".

É engraçado que eu amava tanto minha professora do quarto ano e queria muito que ela me amasse com a mesma intensidade. Por mais traumatizante que tenha sido ouvir que eu cheirava mal, sentir vergonha foi pior. Foi tão esmagador que fui para casa e fiz tudo o que a enfermeira disse. Lavei minhas roupas íntimas, minhas roupas, esfreguei minhas "partes íntimas" e embaixo dos braços. Senti orgulho por voltar limpa à escola no dia seguinte. Sentei na sala de aula com um sorriso largo e esperei que a mudança fosse notada. Mas... não foi. Nenhum dos professores que tinham reclamado nos notou depois disso. É esperado que você seja limpo, não é algo a ser celebrado. A invisibilidade do combo formado pela negritude e pela pobreza é algo brutal. Junte a isso estar com fome a droga do tempo todo e a combinação é explosiva.

Se você está com fome, não consegue se concentrar — não tem energia. O almoço da escola era nossa refeição balanceada e garantida do dia. O vale-refeição que minha família recebia no primeiro dia de cada mês bancava uma ida ao supermercado. Mas a comida logo acabava. Quando isso acontecia, minhas irmãs e eu caçávamos as famílias de amigos e entrávamos nas latas de lixo, revirando-as em busca de alimento. Eu fazia amizade com crianças cujas mães cozinhavam três refeições por dia e ia à casa delas quando possível. Uma vez, uma amiga foi à nossa casa e, quando abriu a geladeira e viu que não tinha nada, perguntou: "Vocês estão se mudando?"

Eu furtava comida. Tinha 9 anos na última vez que roubei comida de uma loja. Nesse dia, fui pega enfiando um brownie na parte da frente da calça, mas não cheguei a sair da loja com ele, porque a dona gritou para mim, me olhando como se eu não fosse nada: "Saia! Saia e não volte mais aqui!"

A vergonha me forçou a parar.

A experiência de ir para a cama com fome é algo que minhas irmãs e eu nunca vamos esquecer.

Eu fazia besteira o tempo todo. Escondia meus sentimentos — minha raiva ou dor — ou perdia a cabeça e entrava em brigas. Ia para a detenção todo dia. Respondia aos professores. Uma vez, empurrei uma professora. Eu queria atenção. Não sabia que a agitação que sentia dentro de mim era, na verdade, uma imensa ansiedade. Sentia que não me encaixava. Era um tornado de complexidade e emoções. A verdadeira eu estava presa lá dentro, como o demônio dentro de Regan em *O exorcista*. Quando Regan está amarrada à cama e fica se debatendo, com o corpo tomado de chagas por conta daquele demônio poderoso, a secretária da mãe entra correndo no quarto, e nitidamente as palavras "ME AJUDE" se formam na barriga dela. A doce, gentil, autêntica e precoce Regan lutando por liberdade ainda está viva. Bem... era assim que eu me sentia. Presa e possuída por forças externas bem mais poderosas que eu.

Ninguém queria beber água no *bubbla'* depois de mim. *Bubbla'* ou *bubbler* era o termo em Rhode Island para se referir a bebedouro. Meus colegas de classe sempre esperavam o momento em que a professora não estivesse olhando e sussurravam: "Eca! Eu não vou beber depois dessa preta. Você é suja." Isso me irritava e eu me fechava. Um dia, tentei rasgar o lindo vestido amarelo de Maria, uma garota portuguesa que usava a palavra *crioula* com impunidade. A professora me repreendeu. Tentei explicar, mas ela disse que não havia explicação aceitável. Eu amava essa professora, a quem certa vez me ofereci para limpar o quadro depois da aula. Ela era jovem e bonita. Senti que gostava de mim. Isso, infelizmente, era uma ilusão que eu havia criado para sobreviver.

Naquele dia, assistimos a um filme sobre a história norte-americana no projetor de slides. Havia uma cena sobre escravização com fotos de pessoas negras em senzalas no Sul do país. Todos riram quando as fotos apareceram e a narração disse: "Pessoas negras ou escravizadas eram iletradas naquela época. Isso significa que não sabiam ler nem escrever."

As crianças riram e sussurraram:

— Vocês, pretos, não sabem fazer nada.

Fiquei depois da aula para fazer uma pergunta à professora. Apesar de ser "baderneira", apesar de tê-la empurrado uma vez por acidente, por mais aterrorizada que eu estivesse enquanto esperava que todos fossem embora, em silêncio, limpei todo o quadro. Ela me agradeceu e, quando eu estava indo embora, reuni coragem para perguntar:

— Professora, não é verdade, né? Isso de que as pessoas negras não sabiam ler nem escrever. Elas sabiam, não é?

Ela balançou a cabeça tristemente e respondeu:

— Não. Sinto muito, querida. Elas não sabiam.

Fui embora de cabeça baixa. Ela nunca explicou para mim ou para a classe que durante a escravização era ilegal ensinar os escravizados a ler e a escrever. Era uma forma de mantê-los subjugados.

Eu procurava por algo ou alguém para me definir. Para despertar em mim amor-próprio e aceitação. Para me mostrar como viver. Para me mostrar que não havia nada de errado comigo.

Agarrei-me ao que eu tinha, a tudo o que eu tinha, num esforço coletivo com minhas irmãs mais velhas. Isso me manteve sã. Nós éramos um bando de meninas lutando, abrindo com as próprias mãos nosso caminho para fora da invisibilidade da pobreza e de um mundo onde não nos encaixávamos. O mundo era nosso inimigo. Éramos sobreviventes. Isso até que outro membro do grupo chegou. E ela precisava de uma proteção que nós não tínhamos as armas para oferecer.

CAPÍTULO 9

A MUSA

Conheçam a irmãzinha de vocês!

— Mae Alice Davis

Quando eu tinha 11 anos, outra menina foi adicionada à nossa família: Danielle. Não tínhamos telefone, então quando minha mãe foi para o hospital em trabalho de parto na noite anterior ao nascimento, eles disseram que ligariam para os bombeiros assim que o bebê nascesse. Na manhã seguinte, meu pai nos fez acordar cedo e limpar a casa todinha. Era a forma dele de contribuir e lidar com o nervosismo. Nós varremos, limpamos. Por fim, um jovem veio correndo colina acima, sem fôlego e com um pedaço de papel que dizia: "Parabéns! Um bebê de 3,170 kg nasceu esta manhã."

Ficamos muito animados. Gritamos e pulamos pra lá e pra cá. Foi um momento de alegria pura e desenfreada que ficou marcado na minha memória. Meu pai falou para nos vestirmos e começarmos a longa caminhada até o hospital. Levamos horas porque não tínhamos dinheiro para o ônibus. Mas, minha nossa, estávamos tomados pela emoção. Andamos em uma única fileira, às vezes na lateral da estrada; em outras, na calçada. Enfim, chegamos ao hospital depois de uma caminhada de duas horas, entramos no quarto e vimos minha mãe. Ela estava deitada com um cobertor em volta do bebê. Lembro as exatas palavras dela: "Conheçam a irmãzinha de vocês!" Ela tirou o cobertor e revelou a bebê mais linda. Negra e com um cabelão crespo. Choramos, derretidos de amor.

Antes disso, eu era a bebê da família, mas agora tinha o papel de irmã mais velha. Um tipo de transformação começou a ocorrer. Na época, eu não tinha palavras para descrever a mudança de amar alguém mais do que a mim mesma, de enxergar além de mim. Não é possível colocar em palavras a nossa proximidade. Fazíamos absolutamente tudo juntas. Nunca queria deixá-la. Nunca. Foi como se a vida tivesse sido injetada em nossa vida. Eu trocava fraldas, a colocava para dormir, cuidava dela, dava remédio quando ela adoecia. E a abraçava forte quando nossos pais brigavam. Ela era o nosso filhote e a aceitamos na alcateia.

Eu tinha 11 anos e já menstruava havia um ano, mas não era nem de longe madura. Tinha um temperamento terrível. Mas em casa não demonstrava. Tinha muito medo do meu pai. Já na escola, eu ficava descontrolada. Sempre respondona. Meus professores viviam procurando maneiras de me manter quieta. Recebia advertências rosa e brancas. As rosa eram as piores. Receber três delas significava suspensão. Eu tinha três brancas e duas rosa. Falsificava a assinatura do meu pai ou pedia para a minha irmã fazer isso. Ainda bem que não tínhamos telefone, ou teria sido o meu fim.

Estava inquieta. Era uma garota esquisita, raivosa, magoada e traumatizada. Não conseguia explicar o que sentia, e ninguém perguntava. Achava que ninguém se importava. Estava saturada de vergonha. Havia tantas coisas que não tínhamos, ou que não podíamos fazer, tanta raiva e violência que ameaçavam o amor... Estava tentando ser melhor. Tentei me concentrar em não fazer xixi na cama. Houve dias em que acordei seca, mas outros em que, mesmo indo ao banheiro antes de dormir, acordei encharcada até o pescoço.

Minha irmãzinha era uma cura nesse momento. Não para o xixi na cama, mas era a alegria diária, porque me amava. Ela via minha essência.

Um dia, quando estávamos chegando em casa da escola, Deloris e eu vimos gotas enormes de sangue na calçada. Deloris sussurrou baixinho: "Ai, meu Deus." Chegamos aos degraus da frente e vimos mais sangue e a janela na frente da porta quebrada. Entramos. Anita e Dianne estavam em choque. Dianne segurava Danielle, cuja camisa estava embebida em sangue. Quase gritei, mas Dianne disse:

— Ela está dormindo. MaPapa está procurando a mamãe. Disse que vai matar ela. Ele abriu a cabeça dela, e eu peguei Danielle para ir embora, e o papai agarrou ela pelas costas. Nós paramos eles…

O sangue em Danielle era da minha mãe.

Ficamos aterrorizadas. Por fim, meu pai voltou. Puto. Na noite anterior, tinha tentado impedi-lo de bater em MaMama. Ele ainda estava com raiva de mim.

— Levantem a bunda daí e me ajudem a procurar a sua mãe. Assim que a gente encontrar, vou matar ela.

Deloris e eu fomos ajudar a procurar. Ele ficou gritando para que eu andasse mais rápido. Por fim, viramos à direita, e ele nos disse para ir para a esquerda. Deloris estava olhando para um lado. Eu estava olhando para o outro. Ouvi Deloris gritar:

— Viola, ai, meu Deus, olha.

Olhei para a esquerda e lá estava minha mãe, na farmácia Rexall, com o rosto totalmente ensanguentado. Os olhos dela estavam tão inchados que mal se abriam. Usava uma camisa de gola alta e calças sujas. Estava perto do freezer com os sorvetes, gesticulando para que a gente entrasse. Deloris correu para chamar o meu pai. Pessoas começaram a se juntar ao redor, e ouvi a sirene da ambulância.

Minha mãe chorava.

— Vahla, seu pai vai me matar. Eu não aguentava mais.

A balconista da loja, que era casada com nosso professor de ciências, estava guiando os paramédicos e ficou me perguntando:

— O que aconteceu com ela? O que aconteceu com a sua mãe?

Eu não conseguia falar. Olhei para a minha mãe, para que ela me dissesse o que falar. O que eu deveria dizer? Expor nosso segredo? Os paramédicos tentaram levar minha mãe para a sala dos fundos. Ela parecia um animal ou uma criança assustada. Não queria ir para lá sozinha e, com os braços esticados, gritou:

— Vahla! Venha comigo! Não me deixe sozinha.

Fiquei ali, sem conseguir me mexer. Tudo o que vi foram os paramédicos dizendo baixinho: *O que aconteceu com ela?*

Saí da farmácia. Pessoas que eu conhecia da escola estavam no meio da multidão reunida lá fora.

— Viola! Aquela é a sua mãe? O que aconteceu?

Eu não consegui dizer a elas que minha mãe era mais do que estavam vendo. O sentimento de pena e o julgamento estavam estampados no rosto delas. Eu queria gritar: *Esta é a minha mãe!!! Minha* MÃE*!!! Ela está com medo... mas ela é uma sobrevivente!!! Ela é alguém! Eu* AMO *a minha mãe!* Mas nada saía da minha boca. Congelei sob o peso traumático dos olhares e juízos de valor. De novo, eu não tinha o aparato interno para lidar com aquilo. Só me ocorreria muito mais tarde que aquele momento não tinha a ver com vergonha, valores ou proteção. Tinha a ver com legado... Recebi o sangue dela, os olhos, as habilidades de sobrevivência, a dor dela. Meu mundo era uma trilha de comportamentos herdados e aprendidos.

Por causa da "zona de guerra" que era a nossa casa, sempre senti que precisava ficar e proteger Danielle. As brigas eram brutais, e pouco se atentavam ao bebê na linha de fogo, quando socos eram desferidos ou facas atiradas. Na maior parte do tempo, nós, as irmãs mais velhas, nos limitávamos a amá-la. Era a melhor proteção que podíamos oferecer.

Depois de ser a mais nova por tanto tempo, o nascimento de Danielle despertou em mim o senso de responsabilidade. Foi como se Flo-Jo tivesse me passado o bastão sem que eu sequer tivesse praticado. Agora eu tinha que completar o último trecho da corrida, o relógio correndo, uma jornada em que todos os outros corredores tinham um percentual zero de gordura e o meu estava em 40%. Meus sapatos estavam desamarrados. Não conseguia enxergar porque meus olhos estavam ressecados. Mesmo assim eu tinha que correr. Meu treino tinha sido o de uma menina de escola primária, enviada para casa encharcada de xixi. E encharcada de xixi eu agora precisava correr com minha irmãzinha no colo.

Eu não tinha palavras para explicar nossa pobreza, disfuncionalidade e trauma para Danielle, mas podia abraçá-la. Podia amá-la; e só. Eu não tinha as armas para protegê-la. Não percebia que precisava de proteção e aconselhamento tanto quanto ela. Não sabia, nem podia admitir, que estava devastada.

Danielle estava com 8 anos no verão entre meu primeiro e segundo ano de faculdade. Um fim de semana, no meio do dia, eu estava trabalhando na Brooks Drugs na Dexter Street, na esquina do nosso apartamento, quando alguém entrou correndo e disse:

— Ai, meu Deus! Viola, você precisa vir. Aconteceu uma coisa com a sua irmãzinha.

Corri para fora e os policiais estavam lá, com minha mãe gritando a plenos pulmões. MaMama estava com os tênis do meu irmão, chorando, balançando um punho no ar para o homem sentado no porta-malas da viatura, algemado. Com a outra mão, segurava minha irmãzinha junto ao corpo.

Danielle estivera andando de patins e ainda estava com eles. Ela chorava nos braços da minha mãe.

— Esse filho da puta nojento machucou minha bebê — disse MaMama. — Desgraçado nojento.

Mais tarde, descobri que um homem português mais velho frequentava a loja de conveniência na Dexter Street e molestava as garotinhas que entravam ali. Supostamente, ele ia à loja comprar cigarros. Mas ficava circulando pelos corredores e oferecendo dinheiro às garotinhas se elas deixassem que ele as tocasse.

Danielle e uma das amigas dela tinham ido de patins até a loja, que ficava a mais ou menos um minuto da nossa casa, para comprar doces.

Estavam no corredor dessa seção quando o velho se aproximou de Danielle, falando em português, tentando lhe oferecer dinheiro. Ela não sabia o que ele estava dizendo. Quando ele tocou as "partes" dela, Danielle se desesperou, e ela e a amiga saíram de lá voando.

A amiga dela disse:

— Você tem que contar pra sua mãe. Você tem que contar pra sua mãe.

E foi o que Danielle fez. MaMama calçou os primeiros sapatos que encontrou, correu para a Dexter Street e gritou:

— Seu filho da puta, você tocou a minha filha! Tem um homem nessa loja que tocou a minha filha. Vou chamar a polícia.

O dono da loja tentou acalmar minha mãe:

— Senhora, ele faz isso com todas as garotinhas. Não tem nada de mais.

— É de mais, sim, seus filhos da mãe — disse minha mãe. E correu para fora da loja, para o meio da rua, sinalizou para a polícia e identificou o velho. — É aquele homem. Foi isso o que ele fez com a minha filha. Vou prestar queixa.

Foi quando fui chamada. Os policiais o prenderam enquanto MaMama o xingava e segurava Danielle que estava chorando.

O homem não falava inglês. A única coisa que o sistema fez foi multá-lo. Pelos meses seguintes, minha irmã recebeu nove dólares do homem que a molestou. Nove dólares por mês. Essa foi a multa. Nenhuma queixa foi prestada.

Danielle era a nossa bebê. Seu primeiro instinto quando ama uma criança é protegê-la da dor do mundo… e da vida. E a revelação mais dolorosa é quando você percebe que não é capaz de fazer isso o tempo todo. Ser humano não é ser Deus. Àquele homem foi permitido que destruísse almas.

Foi difícil nos recuperar depois disso. Danielle tinha a gigantesca tarefa de se curar. Até hoje, quase quarenta anos depois, ela ainda está descobrindo como fazer isso. Tudo o que eu podia fazer era amá-la… e eu a amei e amo até hoje. Ela é um reflexo de mim.

CAPÍTULO 10

O PONTO DE PARTIDA

Nunca encontrei um lugar para me encaixar. Parece que tudo o que faço é recomeçar. Não ligo de não encontrar um ponto de partida no mundo. Só é possível encontrá-lo quando você encontra a si mesmo.

— AUGUST WILSON

Eu queria ser uma grande atriz, como a Srta. Tyson. Queria falar como uma atriz e treinar como uma atriz. O processo e talento necessários para construir um ser humano completamente diferente de você é equivalente a ser sobrenatural. E também tem o poder de curar o que está ferido. Tudo o que eu não conseguia resolver na minha vida e que estava dentro de mim podia ser colocado no meu trabalho, e ninguém perceberia. E se eu fosse boa, poderia viver disso. Era perfeito… Tudo era uma perfeita alquimia de cura, aceitação e valorização. Então, Ron Stetson, um jovem ator e professor, entrou na minha vida quando eu tinha 14 anos.

Ron Stetson foi meu professor de atuação no programa do governo Upward Bound. Por seis semanas no verão, eu vivi no campus de uma faculdade e frequentei as aulas. Geralmente havia 48 alunos de várias comunidades de Rhode Island e de diversas origens.

Nossas aulas começavam às oito horas da manhã e terminavam por volta das cinco da tarde. O programa de verão era uma simulação da faculdade, para que pudéssemos fazer a transição de forma mais tranquila depois do ensino médio: assistir às aulas, morar com pessoas de outras origens, estar por conta própria. Éramos todos os primeiros estudantes de uma geração de baixa renda a chegar ao ensino superior. Nosso grupo era uma mistura de estudantes de baixa renda, cada um com sua própria cruz para carregar. Alguns tinham enormes barreiras linguísticas; outros, ambientes familiares desafiadores; e outros ainda tinham histórias horríveis de repressão política e genocídio em seus países.

Eu amava o Upward Bound. O projeto provocou em mim uma onda de perspectiva e graça em relação à minha situação familiar. Alguém que passou quatro anos vivendo em uma selva ou que presenciou um dos pais tendo a cabeça estourada pela milícia fazia meus problemas parecerem pequenos. Eu sabia que não eram, mas aquilo me mostrou a dolorosa verdade de que nunca sabemos pelo que outra pessoa pode estar passando.

As noites eram livres até às oito ou oito e meia da noite. Depois do jantar, podíamos escolher uma atividade extracurricular. Teatro era uma delas.

E assim conheci Ron, que para mim era o cara mais bonito, descolado, original e dinâmico que eu já conhecera. Ele dirigia um carro detonado que não tinha porta no lado do passageiro. Descolado demais. Ele colocava um pedaço de plástico no lugar para que o passageiro não caísse nem se molhasse com a chuva. Usava chinelos, regatas e jeans. Era não apenas descolado, mas também diferente. Tinha uma visão diferente do mundo, das pessoas, da raça. Falava o que vinha à cabeça. Na verdade, todos os conselheiros e professores eram assim. Eles abriram um buraco no meu mundo e um novo espaço para eu ocupar.

Ron me deu dois grandes presentes que mudaram a minha vida. Um deles durante o nosso primeiro dia na aula de teatro. Ele perguntou à classe de 14 pessoas quantos de nós queriam ser atores ou atrizes.

Todos levantaram a mão.

— Vocês sabem que vão ter que trabalhar pra caralho todo santo dia — avisou ele.

Um quarto das mãos abaixaram, mas eu pensei: *Uau, isso é incrível.*

— Todo dia — repetiu ele.

Mais mãos abaixaram.

— Você pode ir a audições todo dia por seis semanas e nunca, nunca conseguir um trabalho. Sabem disso, não é?

Mais mãos abaixaram.

Minha mão continuou erguida, como se quisesse tocar o céu.

— E vocês serão rejeitados várias vezes — prosseguiu Ron.

Agora, eu era a única com a mão levantada.

Ele continuou.

— Você vai tomar ovada na cara. Vai falhar. Sua família não vai entender o que você faz, nem a maioria das pessoas.

Mantive a mão erguida, olhando para ele. Quando você nunca teve o suficiente para comer, quando sua eletricidade e aquecimento foram cortados, não tem medo quando alguém diz que a vida será difícil. O fator medo estava minimizado para mim. Eu já conhecia o medo. Meus sonhos eram maiores que o medo.

Ron me encarou.

— Tudo bem, vamos voltar para a aula.

O segundo presente que Ron me deu aconteceu na nossa festa de encerramento da peça na casa dele. Deloris, que também estava na aula, falava comigo sobre algum garoto. Não lembro exatamente o que ela estava dizendo, mas em algum momento mencionamos que não éramos bonitas.

Ele disse:

— Espera! Vocês duas não se acham bonitas? Por quê?

Envergonhadas, olhamos uma para a outra e rimos.

— Ron! Ninguém em Central Falls acha que somos bonitas. Nunca tivemos namorados. Nunca beijamos ninguém — confessei.

Houve uma mudança desconfortável no ar.

— Como é que é?

— Ron, a maioria das pessoas em Central Falls são brancas e só… nós…

Deloris e eu não tínhamos palavras.

— Vocês são lindas pra caralho! Sempre achei isso. Vocês não conseguem ver isso?

A atmosfera na sala mudou de novo. Ou foi o ar em nossos pulmões? Foi um momento divisor de águas, do tipo que acontece quando se é visto, valorizado e adorado. Para as garotas, a adoração valida nossa feminilidade. Quando se é uma garota negra retinta, ninguém simplesmente gosta de você. Eles riem com você, contam segredos, tratam você como um dos garotos… mas nenhum carinho é dado, nenhuma devoção é oferecida. A ausência disso se torna uma forma de apagamento.

Aprendi muito com Ron naquele primeiro verão de aulas de teatro. "O teatro desperta a imaginação", dizia ele. Ah, a imaginação. A habilidade da mente de criar ideias e imagens. Foi isso que foi despertado em mim, quando Ron disse com tanta convicção: "Você é linda." Um outro espaço foi aberto no meu mundo onde eu podia ser qualquer pessoa ou coisa que quisesse. Eu podia definir meu mundo naquele espaço e voltar mais forte.

Como a Mulher-Maravilha, girando e se transformando nesse ser super-humano que podia identificar mentiras e acabar com homens de duzentos quilos. Ele me deu o primeiro ingrediente de que eu precisava para ser artista: o poder de criar. O poder da alquimia, aquele processo mágico de transformação e criação para acreditar a qualquer momento que eu poderia ser a pessoa que sempre quis ser.

Ele deu a todos nós algo ainda mais especial: um espaço sagrado no qual podíamos compartilhar nossos sentimentos sem sentir vergonha ou medo. Um espaço onde podíamos compartilhar nossos segredos mais profundos e sombrios, e eles seriam recebidos com amor e empatia. Ele nos encorajou a não guardar nada dentro de nós e, caramba, caramba...

Como ele amava quando fazíamos algo ousado, estranho, único. Exclamava em voz alta: "Olhem aquilo, porra!"

Tornei-me atriz porque a atuação é uma fonte de cura.

O Upward Bound era uma mistura de raças. O que tínhamos em comum, além de todos serem extremamente pobres, era uma paixão por ser a primeira geração de nossa família a ter uma educação formal e alcançar grandes feitos. À noite, quando tínhamos permissão para nos encontrar, as histórias eram de arrepiar. Éramos negros, brancos, cambojanos, laosianos, hmong, vietnamitas (rotulados como *the boat people*, ou "os refugiados dos barcos"), angolanos, portugueses-africanos, dominicanos, porto-riquenhos. Os alunos do Sudeste Asiático em especial tinham histórias de sua família inteira sendo massacrada, ou escapando para a selva, vivendo lá por meses, às vezes anos, até chegarem a um campo de refugiados, onde alguns contraíam malária.

A maioria tinha barreiras linguísticas ou questões de saúde preocupantes, mas todos éramos alunos excepcionais. Todos tínhamos disposição para compartilhar. Foi lá que soube que João, Phy, Vanna, Maria, Peaches e Susie passavam pelo mesmo. De repente, minhas histórias de momentos difíceis pareciam pequenas, uma consciência orquestrada por Deus. Eu queria que a minha história fosse pequena. Eu queria que ela diminuísse como um tumor, até chegar a um tamanho com o qual eu pudesse lidar.

O teatro me deu uma válvula de escape. A liberação emocional que atuar me oferecia me proporcionou grande alegria. Uma alegria perfeita. Quando atuava, conseguia sentir tudo — cada receptor do meu corpo estava *vivo*, 100% *vivo*, e eu não estava escondendo nada. Eu me sentia livre para falar sobre todo tipo de merda quando estava no grupo com os outros atores. Esse era o motivo de a maioria dos alunos problemáticos sempre ser colocada na aula de teatro. Todos colocavam tudo para fora! Todos tinham permissão para expor seus traumas, compartilhar histórias de terríveis abusos sexuais ou físicos, revelar um humor completamente excêntrico, revelar seus segredos mais íntimos e sombrios, tudo. As pessoas escutavam com empatia, 100% concentradas, em apoio.

Mas... mas... aí é preciso sair e viver no mundo real como você mesmo. Seguir tentando manter a força de vida que você obteve naquele palco e naquela aula. Whoopi Goldberg, como a médium em *Ghost — Do outro lado da vida*, tinha talento de atuar como um canal para almas. Algumas eram boas, e outras, más. Porém, depois de tudo, ela tinha que voltar a si e à sua vida. Quando você é um ator, você se torna um caçador de almas. Um ladrão. Depois que as cortinas se fecham, você fica sozinho consigo mesmo.

Quando comecei no Upward Bound, tinha um ano que eu não fazia xixi na cama. Eu estava tão orgulhosa! Mas então, do nada, na primeira noite do que seriam seis semanas em um campus de faculdade, acordei e estava molhada, chocada, envergonhada, e falei: "Ninguém entra neste quarto."

Eu não tinha uma colega de quarto, mas o banheiro era compartilhado. Havia 12 pequenos quartos na acomodação, e o meu tinha provavelmente entre 14 e 19 metros quadrados. Eu havia chegado ao meu quarto e orgulhosamente colocado lá tudo o que tinha, o que era quase nada. Foi a última vez que fiz xixi na cama. Fiquei irritada. Pensei que tivesse mais controle.

A lição que tirei do Upward Bound era que você precisa abrir a boca e contar a sua maldita história. Isso me aterrorizava mais do que os ratos.

CAPÍTULO 11

SER VISTA

Que você viva tempo o bastante para saber o motivo de ter nascido.

— Bênção Cherokee concedida aos recém-nascidos

Do nono ano até terminar o ensino médio, moramos na Park Street, e depois na Parker Street, porque fomos despejados do primeiro endereço. Na Parker Street, tínhamos um apartamento de sótão, pequeno, com teto inclinado e apenas dois quartos. Minha irmã Anita tinha ido para a faculdade e arranjou o próprio apartamento. Dianne fora na frente muito tempo atrás. Morava em Washington, D.C. Então éramos apenas eu, minhas irmãs Deloris e Danielle, e meus pais. Meu irmão, John, nunca estava por perto.

O auxílio do governo havia sido cortado porque descobriram que meu pai ainda morava conosco e recebia salário. Não era o suficiente para viver, mas era um salário. Na época, eles cortavam o benefício e pronto. Quando fomos despejados, arranjamos carrinhos de supermercado, colocamos neles tudo o que conseguimos e partimos para a Parker Street, para o minúsculo apartamento de sótão no terceiro andar. Se hoje eu tivesse que carregar um carrinho de supermercado cheio de pertences por três lances de escada sinuosos, não daria conta. Foi repentino assim; tínhamos que sair. Eu estava no primeiro ano do ensino médio quando nos puseram para fora.

Tirando o fato de não pagarmos o aluguel, foi assim que fomos despejados: meus pais entraram em uma briga brutal e sangrenta com Carlos, o proprietário. Talvez a briga tenha começado por conta do aluguel. Carlos era português e tinha um sotaque bem carregado, e obviamente sua paciência havia se esgotado. Ele queria que um de seus parentes se mudasse para o apartamento, e estava cansado de não receber nenhum centavo dos meus pais. Eles sempre prometiam pagar, e daquela vez atrasaram tanto que ele cansou. Meu pai estava convencido de que Carlos era racista. Quando meu pai sentia qualquer sinal de que estava sendo visto como inferior, perdia o controle. Para mim, o homem só queria receber o aluguel.

Carlos veio com a esposa, exigindo receber o dinheiro. Meu pai começou a discutir depois que o outro declarou que tínhamos que sair. A discussão degringolou. Meu pai havia chegado em casa naquele dia com um novo brinquedo, um facão, que trazia enrolado em uma toalha, recém-afiado. Carlos viu o facão e começou a gritar que meu pai planejava atacá-lo. Tentou desarmá-lo, e meu pai tentou pegar a arma de volta. A esposa de Carlos se desesperou e se atirou no meu pai também. E então veio MaMama: sem querer ficar de fora, agarrou o marido.

A situação se transformou num cabo de guerra com gritos, choro e xingamentos. Todo mundo gritando ordens em inglês e português.

— Solta!

— Não! Solta você!

— Você estava tentando me matar!

— Não, não estava! Eu estava levando ele pra casa, filho da puta!

A briga acabou com Carlos levando um corte na parte de baixo do braço. Acho que meu pai também cortou a mão, e, bem, fomos despejados. Carlos estava tão aliviado por irmos embora que esse provavelmente foi o motivo de nunca ter prestado queixa na polícia.

A essa altura, eu tentava deixar para trás os últimos vestígios do meu mau comportamento e estava extremamente focada em conquistar o máximo possível. Mais uma vez, não havia percebido que meu comportamento estava diretamente ligado ao caos que havia em minha casa. Eu era um barril de pólvora cheio de segredos. Guardei todos eles porque assim podia seguir com a vida. Não podia colocar para fora o que estava sentindo.

Eu me agarrava a qualquer chance disponível de participar de algo em que pudesse deixar minha marca. Os professores e conselheiros na Central Falls Jr. Sr. High School eram minha esperança: o Sr. Aissis, o Sr. Yates, o Sr. Perkins, Jeff Kenyon, Mariam Boyajian.

O Sr. Aissis, que era igualzinho a Gene Wilder, só que menor, fora meu professor de ciências no nono ano. Era também diretor musical e instrutor do Glee Club. Eu o enlouquecia. Eu era ruim. Falava demais. Era a clássica garota do teatro que precisava de um escape criativo e não conseguia encontrar, então o criei para mim mesma, de maneira inapropriada, na aula. Em outras palavras, eu aprontava.

Ele sempre gritava comigo. No nono ano, me expulsou da turma e fui colocada em outra. Eu não conhecia ninguém naquela turma de ciências, então na mesma hora fechei o bico. Não tinha ninguém com quem aprontar.

Alguns anos depois, o Sr. Aissis foi até uma das minhas aulas e disse:

— Viola, tenho uma coisa para você.

— O que é?

— Fui ao dentista hoje e, enquanto estava na sala de espera, vi este panfleto, Viola.

Era um panfleto para a Arts Recognition and Talent Search, uma competição em Miami, Flórida, com cinco disciplinas: teatro, artes visuais, dança, música e escrita. Cada uma tinha o próprio formato. Trinta jovens em cada categoria seriam escolhidos para uma viagem com tudo pago para Miami. Era reservado para alunos ingressantes do último ano do ensino médio.

— Você poderia tentar a bolsa de teatro — sugeriu ele.

— O que eu ganho? — perguntei.

Ele deu uma olhada no panfleto.

— Dinheiro da bolsa de estudos, acho.

— Não posso.

Uma competição nacional? O panfleto era grosso, e só a inscrição já continha uma lista cheia de exigências. Enquanto o Sr. Aissis estava ali, eu a li em voz alta, pensando, a cada palavra que pronunciava, no absurdo que seria aquilo. Tinha que montar uma gravação de um monólogo clássico e um contemporâneo. Tinha que preencher um formulário de inscrição gigantesco, que incluía uma redação. E, é lógico, havia uma taxa de inscrição.

— Não posso — repeti.

— Bom, pense no assunto — disse ele. — Quando vi, lembrei de você. Lembrei de você, Viola.

Ele me expulsou da aula porque me enxergou. Viu alguma coisa em mim.

Fiquei olhando para aquele papel. Por fim, compartilhei o panfleto e sua oportunidade impossível com meu conselheiro do Upward Bound, Jeff Kenyon. Eu podia chamar os conselheiros do Upward Bound pelo nome. Podia ligar para Jeff no meio do dia e dizer: "Oi, Jeff! Estou tendo uma crise de ansiedade no meio da aula de ciências. Você pode me ajudar?" E ele ia. Ele sempre ia.

Jeff foi a primeira pessoa a me levar com minha irmã Deloris a uma reunião de partido político, para que entendêssemos como funcionava uma campanha política. Ele foi a primeira pessoa a nos levar para a Sociedade da Herança Negra de Rhode Island, para que aprendêssemos sobre ex-escravizados abolicionistas que sabiam ler e escrever e foram essenciais para a libertação de outros. Por mais branco que fosse, Jeff nos ensinou muito sobre a história negra. Ele me ouviu conversando com minha irmã um dia no carro e entendeu nossa ignorância sobre nossa própria história. Foi isso. Esse foi o incentivo de que ele precisava para agir. Ele nos pegava no meio da semana, nos levava para comer e conversava conosco para saber como estávamos.

— O que aconteceu? — perguntou Jeff naquela semana.

— Bom, meu professor de ciências… — E contei a ele a história, terminando com: — Mas não posso fazer isso.

Jeff ficou em silêncio. Eu podia vê-lo segurando a raiva.

— Deixa eu ver o panfleto. — Depois de ver, ele perguntou: — Por que você não pode?

— Porque não tenho uma fita VHS, Jeff.

— Quanto custa uma fita VHS?

— Bom, não sei. Mas provavelmente…

— Vou comprar uma pra você.

Silêncio.

— Bom, obrigada, mas não tenho os 15 dólares da inscrição.

— Viola, eu consigo uma isenção da taxa para você.

Silêncio.

— Bom, Jeff, eu tenho que me filmar fazendo dois monólogos. Onde vou filmar?

— Viola, há uma estação de TV no campus da Rhode Island College. Conheço pessoas lá. Você pode filmar no campus.

Depois de uma longa pausa, ele disse:

— Agora você não tem mais desculpas.

E Jeff estava certo. Agora era hora de eu, como ouvi pessoas negras dizerem tantas vezes, "cagar ou sair da moita". Então caguei.

Reuni meus monólogos. Fui à Rhode Island College, onde Deloris estudava. Ela estava muito animada. Fiquei trocando de roupas, cuja maioria pertencia a Deloris, no quarto dela, procurando o visual certo. Fui à estação de TV. Filmei o monólogo contemporâneo e o clássico. Preenchi minha inscrição. Enviei tudo. Livre das correntes das minhas desculpas, eu estava lidando com o assunto e exercitando minha atitude, em vez de ficar sentada sem fazer nada. E realizar aquela ação foi por si só uma vitória.

Só para a competição de teatro milhares se inscreveram, mas apenas trinta seriam selecionados. Eu não pensava ter qualquer chance, mas me orgulhava do que fizera; concluí o trabalho duro e árduo de me inscrever.

Lembro-me de ir para casa um dia depois da escola com minha amiga Kim Hall, como já havíamos feito inúmeras vezes. Nesse dia em especial, conforme nos aproximávamos da minha casa, olhei lá para a frente e de repente vi MaMama correndo em nossa direção. Não correndo normalmente, mas a toda a velocidade, como se sua vida dependesse disso. Vale lembrar que MaMama é muito do interior. Enquanto ela avançava feito uma corredora olímpica até nós, percebi que estava usando os sapatos do meu irmão. Eu não sabia o motivo. Provavelmente não conseguira encontrar os dela. Mas, enquanto se aproximava, vimos como ela estava ensandecida, agitando um pedaço de papel, correndo, gritando. Era um telegrama da Western Union, algo estranho para aqueles mais jovens do que alguém da Geração X. Pense nisso como uma mensagem, mas em forma física em vez da instantânea e digital. MaMama sequer parou para recuperar o fôlego antes de revelar o conteúdo da mensagem. "Você foi escolhida para ir para Miami, Flórida, para a competição da Arts Recognition and Talent Search."

Fiquei paralisada. Emudecida. Paralisada como quando minhas irmãs gritaram para que eu jogasse a bombinha pela janela. Paralisada como quando minha família toda implorou para que eu pulasse do que pensamos ser nosso apartamento em chamas. Paralisada como quando me sentei em silêncio todas aquelas vezes que ouvi sermões dos professores, das enfermeiras e dos diretores sobre minha falta de higiene. Mas aquele era um tipo bom de paralisia; um tipo espetacular e glorioso. Pasma pela pura incapacidade de acreditar na notícia que minha mãe estava me dando. Estupefata pela ideia de que o trabalho que investi em um sonho louco realmente deu certo. Atônita diante do fato de que indivíduos completamente desconhecidos me viram e me julgaram digna de participar da sua prestigiada competição.

Eu não conseguia de jeito nenhum me ver como uma entre os poucos escolhidos, mas, das mil e duzentas inscrições, fui uma das trinta selecionadas. Ganhei uma viagem com tudo pago para Miami. Eu estava dentro.

Não lembro o que falei para a minha mãe quando saí daquele estupor, mas seja lá o que tenha sido foi acompanhado por muitos gritos, sorrisos e lágrimas. Eu era a maior chorona.

No verão do meu último ano de ensino médio foi a primeira vez que voei de avião. Eu me senti muito deslocada em Miami. Aquela viagem era uma das maiores coisas que tinham me acontecido até então. Meus dois monólogos eram de *Everyman* e *Runaways*, que tinha muitos diálogos incríveis sobre se sentir abandonado. Não lembro qual exatamente apresentei. Pode ter sido "Footsteps" ou o último monólogo da peça. Eram todos deliciosos, pois davam aos atores uma variedade de sentimentos e emoções com os quais trabalhar e compartilhar com a plateia. E agora eu tinha a oportunidade de compartilhar todos aqueles sentimentos, tantos que vieram das minhas próprias experiências, com os melhores dos melhores reunidos em Miami.

Dito isso, eu me sentia muito deslocada perto dos maiores talentos do país. Ficamos no recém-inaugurado hotel Hyatt Regency, em Miami. A imprensa estava lá naquela semana, até mesmo o *Good Morning America*. Excelentes atores, dançarinos, músicos e artistas visuais das melhores escolas de arte chegaram com toda a pompa. Eu cheguei com um vestido que tinha custado trinta dólares em uma loja no centro de Pawtucket e um conjunto de dois dólares da Sociedade de São Vicente de Paulo. Estava deslumbrada e totalmente despreparada, do ponto de vista artístico. Também não estava preparada socialmente. Aqueles jovens se sentiam à vontade, confiantes, ou pelo menos fingiam bem, e eram barulhentos. Eu não era nenhuma dessas coisas. Além disso, estava extremamente tímida. Eu me senti sozinha. Lembrando agora, vejo que tinha muito mais ansiedade social que timidez. Senti que não valia a pena revelar quem eu era de verdade. Ficava aterrorizada toda vez que "ela" tinha que se mostrar.

Dividi quarto com uma garota da Pensilvânia que falava sobre ganhar, sobre quem ela considerava incrível e quem não. Ela queria muito aquilo! Fosse lá o que "aquilo" significasse. Ela sempre se torturava após a audição diária. Eu não entendia. Eu só estava tentando sobreviver.

Fui muito bem com meus monólogos. Depois disso, pareceu que todo mundo queria me "conhecer". Todo mundo ama um vencedor. Quando eu precisava improvisar, o que amava fazer, ficava travada. Havia improvisações de cinco minutos, três minutos e um minuto. Depois que eu travava, um silêncio coletivo recaía sobre mim e sobre o resto do grupo.

Foi uma semana de refeições de cinco pratos, viagens de barco, equipes de TV, contato com a mídia... Apesar do lapso momentâneo durante as improvisações, meu talento estava sendo reconhecido. No entanto, meus talentos e o reconhecimento que vieram com eles eram bem mais evoluídos que eu, Viola. Eu não me sentia merecedora. Todos os símbolos que poderiam me dar status? Eu nunca tivera. Agora, um deles estava ao meu alcance.

Fui nomeada Jovem Artista Promissora e recebi uma homenagem na prefeitura quando voltei para Central Falls. Foi algo importante na cidade, mesmo que eu não tenha ganhado o dinheiro da bolsa de estudos.

Se eu tivesse que criar uma fábula sobre a minha vida, uma fantasia, diria que me vejo enfim encontrando a Deus, falando embolado, chorando, agradecendo ao Todo-Poderoso pelas honras, um marido fabuloso, uma filha linda, minha jornada do nada até Hollywood, prêmios, viagens. E posso ver nitidamente o rosto do Senhor, olhando-me, aceitando-me e dizendo: "Você nunca me agradeceu por criá-la como VOCÊ É."

CAPÍTULO 12

DECOLANDO

Se você quer me conhecer de verdade, não me pergunte onde moro,
o que gosto de comer ou como prefiro usar meu cabelo,
e sim qual é a minha meta de vida, e o que acho que me impede
de viver plenamente em prol dessa meta.

— Thomas Merton

Em determinado momento, acabei recebendo uma bolsa integral para a faculdade com a bolsa de estudos do Preparatory Enrollment Program. O PEP, como chamamos, era um programa complementar ao Upward Bound. Comecei em um local já conhecido, a Rhode Island College, morando no mesmo dormitório feminino onde tinha passado os verões no ensino médio e visitado minha irmã Deloris no ano escolar — o Browne Hall. Fui para a faculdade aos 17 anos e, como muitos jovens, não era madura, mas com certeza pensava que era.

Estava empolgada para sair de casa. Trabalhei por isso e mereci. Quando cheguei, desfiz as malas, me instalei e, em seguida, caí em uma depressão muito, muito profunda, provavelmente a mais profunda pela qual já passei. Desde então, nunca mais tive uma assim. Não com a mesma intensidade. Eu estava deprimida por estar longe da minha irmãzinha Danielle, mas por si só essa separação não dá conta de explicar a minha depressão.

Desde os 14 anos, tinha direcionado todos os meus esforços para a atuação, para me tornar uma artista. Quando me vi na faculdade, ainda não me sentia livre para fazer aquilo que eu amava. Minha mente era como uma estação na qual dois trens estavam partindo ao mesmo tempo. Um deles era minha carreira acadêmica; estava nos trilhos me formar no ensino médio, entrar na faculdade, obter meu diploma de bacharel em Artes e me tornar uma artista. Mas o outro trem deixando a estação voltava para o local do trauma de onde eu saíra, um local onde fui ferida, onde não acreditava em mim mesma, não tinha noção de quem era. Eu não entendia o que era amor-próprio. Nunca sentia que eu era o suficiente.

Fui para a faculdade me perguntando o que muitos artistas perguntam: *Como vou ganhar dinheiro? Como vou me sustentar?* Quando eu não enxergava um caminho, pensava: *Não posso voltar para casa. Não vai dar certo trabalhar como artista. Tenho que ser outra coisa. Atuar é algo que vou fazer no tempo livre.* Então fiz várias matérias de inglês, que eu amava, e decidi que seria professora. No entanto, parte de mim deve ter tido outros pensamentos, porque mergulhei em uma enorme tristeza.

A depressão surgiu por desistir do meu sonho.

O Browne Hall, meu dormitório, era todo feminino. Era dividido em vários setores de 12 quartos, cada um com uma cama de solteiro, uma escrivaninha e um armário pequeno. O prédio tinha uma porta da frente e uma nos fundos. Quando alguém chegava à porta da frente, quem quer que estivesse cuidando da recepção chamava a aluna e dizia: "Você tem visita." Eu estava me adaptando à minha nova vida e, apesar do peso da depressão, me sentia feliz por estar sobrevivendo bem longe de casa. Tinha meu quarto, um lugar para tomar banho, comida, aquecimento.

Uma noite, logo no primeiro ano, recebi uma ligação da minha irmã Anita, que estava chorando.

— Estamos na porta dos fundos.

Saí para encontrar Anita em lágrimas e grávida de quase oito meses da minha primeira sobrinha, Brianna. MaMama estava com ela, também chorando, o rosto ensanguentado, ferida. Minha irmãzinha Danielle fedia a urina.

Aquele momento me transportou de volta para o trauma com o qual eu crescera, que havia me catapultado para fora do meu corpo. Meu pai tinha atacado minha mãe outra vez, e elas tiveram que sair de casa às pressas. Então dirigiram até a Rhode Island College no carro velho de Anita porque não tinham para onde ir.

— Gente, vocês não podem ficar aqui. Não posso deixar ninguém dormir no meu quarto. — Entrei em pânico. Não tinha ideia do que fazer. — Vão me expulsar do dormitório.

— Então teremos que voltar para casa — disse Anita. — Ele enlouqueceu. Pode matar a mamãe.

Não conseguia me mexer. De novo, estava paralisada. Mesmo assim, consegui responder:

— Não tenho dinheiro. Não sei o que fazer.

MaMama chorava, aterrorizada.

— Por que não deixa Danielle ficar aqui esta noite?

Danielle também chorava. Foi horrível. Eu a levei para dentro. Mal tinha dinheiro para a lavanderia do dormitório, mas recebi minha irmã mesmo assim, tentei lavar as roupas dela, deixei que tomasse um banho. Minhas melhores intenções não se equiparavam aos meus recursos. Ela dormiu comigo na minha cama de solteiro; ela em uma ponta e eu na outra. Meu dinheiro mal dava para as refeições do fim de semana, quando o refeitório estava fechado, mas de alguma forma a alimentei. Era tudo o que eu podia fazer. Estava tentando encontrar meu caminho, me estabelecer e ainda salvar minha família.

Era como tentar salvar outra pessoa quando eu mesma estava me afogando. Um dos meus maiores arrependimentos é o trauma que Danielle teve que passar, e minha falta de habilidade para fazer algo além da cura temporária daquela noite. Hoje, com uma conta bancária gorda, recursos, queria poder voltar àquela época. Se eu pudesse, viajaria no tempo e afastaria minha irmã de tudo, bem naquela ocasião.

Ela me ligava pelo menos 15 vezes por dia. Minha colega de dormitório dizia: "Viola! É a sua irmãzinha." Ela quase sempre estava aos prantos, dizendo: "Venha me buscar, Vahlee." Eu sempre tinha que dizer: "Danielle, não posso ir. Estou muito longe." Ela começava a chorar ou eu ouvia os ataques de raiva embriagados do meu pai ao fundo, enquanto ela chorava e dizia: "Por favor, venha me buscar."

Às vezes, principalmente nos fins de semana, Deloris e eu íamos para casa ficar com ela, juntávamos dinheiro para comprar sorvete Heavenly Hash, salada grega e macarrão concha com molho de tomate Prego. Danielle ficava tão feliz! Ela corria para nós como Celie em *A cor púrpura* ao ver a irmã, Nettie. Aquela reação de quando sentimos tanto a falta de alguém e, enfim, a pessoa está bem diante de você. Nós comíamos e víamos *A ilha da fantasia* e *O barco do amor*.

Tattoo, personagem interpretado por Hervé Villechaize, corria para um farol quando via o avião indo em direção à ilha e fazia soar o sino, gritando: "O avião! O avião!" Danielle amava tanto essa parte que dizia, entre garfadas de macarrão: "Ele vai dizer 'O avião! O avião!'." Nós a provocávamos: "Ele não vai, não. Quem te falou isso?" E ela rebatia: "Presta atenção, você vai ver." Ele dizia as palavras e nós ficávamos boquiabertas. Olhávamos para Danielle com espanto, e ela cruzava os braços como se dissesse "Eu avisei". Esse era o nosso ritual. Íamos para casa porque amávamos muito nossa irmãzinha, e ela nos amava também. Então, na segunda-feira, voltávamos para a faculdade.

Minha irmã mais velha Dianne obteve toda premiação imaginável em sua jornada: a Sociedade Nacional de Honras, a Sociedade de Honra de Rhode Island, a All-State Basketball. Além disso, era uma grande atriz e cantora. Conseguia fazer de tudo. Mulheres negras bem-sucedidas quase normalizam o excesso de conquistas. Dianne definitivamente era assim.

Meu pai em nossa casa na Parker Street.

Papai e minha irmãzinha, Danielle. Eles passavam muito tempo juntos quando ela era pequena.

Minha mãe e meu pai no hipódromo após uma vitória. O tratador de cavalos sempre aparecia nas fotos. Meu pai quis que minha mãe aparecesse ao seu lado nesse dia.

Eu realmente não sei se esta foi tirada no primeiro ou no último ano do ensino médio. Adoro meu sorriso nesta foto. Mas na época não conseguia nem olhar para fotos minhas.

Eu no dia do meu baile no primeiro ano do ensino médio. Fui com Bill Martel, que era veterano, por quem eu tinha uma quedinha. Minha mãe usou um daqueles pentes quentes para fazer ondas no meu cabelo. Eu me diverti MUITO, mas meu cabelo cheirava a queimado.

Viola Davis
35 Parker Street
NICKNAME: *Vi*
FAVORITE SAYING: *"When I'm rich and famous . . ."*
FUTURE AMBITION: Professional Actress
ACTIVITIES: Drama 9, 10, 11, 12; Chorus 9, 10, 11, 12; Cross Country 9; Model Legislature 11, 12; Girl's State 11; Yearbook Staff 12; school newspaper 11, 12; art club 9, 11, 12; 1983 Homecoming Court.
FAVORITES: Jennifer Holiday . . . Sylvester Stallone . . . theatre . . . dance . . . reading . . . writing . . . acting . . . ice cream . . . pizza . . . Fame . . . all food in general.

Viola Davis

Morro de vergonha desse texto sobre mim que saiu no livro do ano do ensino médio. Em minha defesa, só posso dizer que eu era muito nova. Mas... eu manifestei a parte de me tornar uma atriz profissional.

[Viola Davis/ Parker Street, nº 35/ APELIDO: Vi/ FRASE FAVORITA: "Quando eu for rica e famosa..."/ O QUE QUER SER NO FUTURO: Atriz profissional/ ATIVIDADES: Teatro 9, 10, 11, 12; Coral 9, 10, 11, 12; Corrida de cross country 9; Legislatura modelo 11, 12; Programa de liderança para meninas 11; Equipe do anuário 12; Jornal da escola 11, 12; Clube de artes 9, 11, 12; Realeza do Baile de 1983./ FAVORITOS: Jennifer Holiday [sic]... Sylvester Stallone... teatro... dança... ler... escrever... atuar... sorvete... pizza... fama... comidas no geral.]

Todos os meus irmãos juntos para a minha formatura na Rhode Island College. Eles estavam tão felizes por mim, e eu estava muito orgulhosa.

Minha primeira foto profissional depois de me formar em Juilliard. Foi tirada no mesmo dia em que descobri que estava grávida.

SARA KRULWICH / THE NEW YORK TIMES/REDUX

Minha primeira peça na Broadway, *Seven Guitars*. Nesta cena estou com o fantástico Keith David.

T. CHARLES ERICKSON

Eu e a maravilhosa Julie Kavner em *God's Heart*, de Craig Lucas, no teatro Mitzi E. Newhouse, no Lincoln Center. Eu interpretava uma mulher que estava morrendo por conta de um câncer de mama. Minha personagem passava por todo o processo da morte no palco.

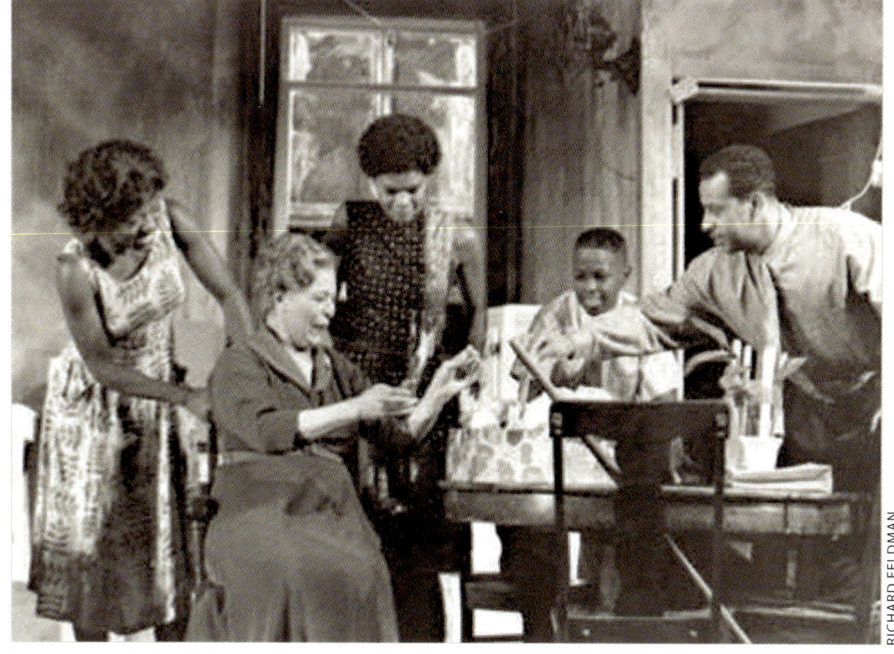

RICHARD FELDMAN

Interpretando Ruth Younger em *O sol tornará a brilhar*, de Lorraine Hansberry. O elenco era incrível! Kimberly Elise, Ruben Santiago-Hudson e Gloria Foster. A montagem foi apresentada no Williamstown Theatre Festival.

Um mês de namoro com Julius. Aqui estávamos na casa de Steven Bochco. Steven criou o programa *City of Angels*, em cujo set Julius e eu nos conhecemos.

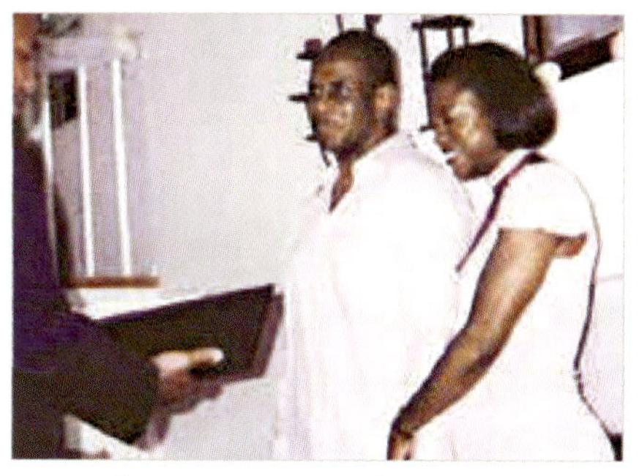

Esta foi a primeira das nossas três cerimônias de casamento, em nosso apartamento no Valley. Convidamos apenas 15 pessoas. Foi tudo perfeito!

Eu e a minha linda mamãe na minha renovação de votos. Foi uma festa maravilhosa!!!

Me arrumando para o Emmy na noite em que ganhei o prêmio.

Outra vitória — minha Genesis e eu no chá de bebê dela.

Papai com meus sobrinhos, Derek e Warren. Ele amava os netos.

MITCHELL HAASETH

Srta. Tyson e eu. Eu secretamente aproveitava todas as oportunidades que tinha para abraçá-la e beijá-la.

A última leitura de roteiro de *How to Get Away with Murder.* Todos nós choramos no final.

O elenco de *A voz suprema do blues*, em Pittsburgh. Esta foi minha última foto com Chadwick.

Ela começou a atuar na Rhode Island College antes de pedir transferência para a Howard University. Dianne ainda queria se tornar atriz, até descobrir o quanto era difícil. "Quero ter plano de saúde", disse ela.

Embora meus pais não tenham ido para a faculdade — não terminaram o ensino médio —, Dianne havia nos influenciado a pensar que **Nós. Vamos. Para. A. Faculdade.** Ela despertou em nós a noção de que, se não tivéssemos diploma, se não encontrássemos uma profissão, se não tivéssemos uma meta, se não tivéssemos atitude, seríamos como nossos pais. Senti que, se eu não fosse para a faculdade, se não conseguisse meu diploma, se não fosse excelente, a realidade dos meus pais seria a minha. Não havia meio-termo. Ou você conseguia ou fracassava.

Eu os amava muito, mas não queria levar uma vida de pobreza, alcoolismo e violência. Achava que só tinha duas opções: ser bem-sucedida ou afundar de vez. Não havia meio-termo. Eu não fazia ideia de que tinha as ferramentas para me recuperar caso falhasse. Não fazia ideia de que haveria momentos difíceis seguidos de alegria, ou que às vezes as coisas não iriam bem, mas que o fracasso não seria permanente. Esse pensamento emocionalmente saudável não foi passado para mim. Eu só conhecia segredos, omissão, ser bem-sucedida a qualquer custo, ter um excesso de conquistas. Era conseguir ou fracassar. Era nadar ou afundar.

Não sei muito bem como encontrei minha verdade, mas tenho certeza de que outras pessoas que se importavam comigo tiveram muito a ver com isso: os conselheiros no programa Upward Bound e minha irmã Deloris, que perguntava o tempo todo: "Por que você não está atuando?" Até que um dia, no meu segundo ano, falei: "Quer saber? Vou tentar." Foi quando grande parte da depressão passou. Minha cura era a coragem. A coragem de ousar, arriscar errar. Decidi me graduar em teatro e ser atriz.

Fiz muitos amigos na faculdade. Minhas colegas de dormitório eram o meu grupo: Jodi, Chris, Jane e principalmente Terri Noya, porque nós duas vínhamos de Central Falls. Noya era portuguesa e, assim como eu, de origem humilde. Cheril, a assistente de residência, tinha paralisia cerebral e precisava de todo um equipamento para se locomover. Ela era maravilhosamente durona.

Elas eram um grupo heterogêneo de garotas com visão de futuro, enviadas por Deus para me proteger. Sentia que todas ali acreditavam em mim. Nós nos amávamos. Nós nos apoiamos na morte de pais, em casamentos, no nascimento de filhos. Uma das nossas colegas de dormitório engravidou quando ainda estávamos estudando e teve que desistir da faculdade, mas nós a apoiamos.

Tivemos bons momentos juntas, mas aquele primeiro ano foi uma transição difícil. Bebi três vezes no primeiro ano, e fui pega todas as vezes. Saía com amigos e bebia, mas não era a minha praia e eu deveria ter respeitado isso. É como nossos pais diziam quando jovens: "Cabeça dura, bunda mole." Isso significa que é necessário aprender algumas lições da maneira mais difícil.

O momento da minha vida em que fiquei mais bêbada foi durante a faculdade. Algumas das minhas colegas de quarto e eu fomos para o lado leste perto da Universidade Brown e tomamos shots de tequila e bebemos cerveja na Spats. Quando me dei conta, estava saindo de lá cambaleando. Voltei para o dormitório, vomitei e tive ressaca por uma semana. Não sei qual era a minha praia, mas não era beber, e com certeza não era namorar nem transar. Os momentos de diversão para mim eram quando as garotas do dormitório se sentavam na sala comum e conversavam... sobre tudo.

Tive uma experiência interessante na faculdade, onde qual não me encaixei nem com as pessoas brancas, nem com as negras. Harambee era a Aliança dos Estudantes Negros. Embora conhecesse muitas pessoas negras, tivesse ido à Feira de Moda Negra e tudo mais, não me encaixava com eles por ser de Central Falls e eles de South Providence, Providence ou Middletown, regiões onde havia uma população negra maior. Era como se eu não tivesse minha carteirinha de negra.

Eu era retinta, não usava roupas descoladas e não tinha aquela autoconfiança que chamam de *swag*. Nadinha. Meu Deus, eu vinha de uma cidade pequena de população predominantemente branca e que agora ainda tinha mais pessoas latinas. Eu sequer sabia que precisava ter um comportamento específico para sentir que pertencia à minha raça. Mesmo assim, minha "carteirinha" era negra demais para me juntar às pessoas brancas. Fiquei perdida naquele limbo.

Foi uma batalha seguir com a faculdade, mesmo depois de sobreviver à depressão do primeiro ano. Estava sozinha. Havia um programa de refeições durante a semana, mas não nos fins de semana. Aí estava: a questão da comida de novo. Havia algo sobre a incapacidade de conseguir comida que me fazia regredir para a minha infância ferrada. Sentia como se estivesse procurando comida desde a tarde de sexta até a segunda de manhã.

Imagine como é não contar com um plano alimentar nos fins de semana? Pior, não ter uma família que possa enviar comida para você ou uma casa para usar a cozinha ou a máquina de lavar. Imagine não ter um frigobar em seu dormitório abastecido com comida para os dias em que o refeitório está fechado. O resultado: as mazelas da fome e da pobreza.

Para combater isso, sempre tive muitos empregos. Trabalhei como assistente de residência e conselheira no programa de aconselhamento da faculdade durante o verão. Sempre trabalhei. No último ano, tive quatro empregos enquanto estudava em tempo integral. Trabalhava na biblioteca da faculdade. Trabalhava na recepção da Rhode Island College. Continuei trabalhando na Brooks Drugs, em Central Falls. E tinha outro emprego no campus.

Trabalhar na Brooks Drugs me fazia ter que sair do campus, pegar um ônibus e andar até Central Falls. Imagine precisar trabalhar em tempo integral, mas sem ter um carro, pegando, então, três ou quatro conduções numa temperatura abaixo de zero para conseguir ganhar uma merreca, suficiente apenas para comer apenas nos fins de semana. Em seguida, você precisa pegar três ou quatro ônibus de volta para o dormitório para chegar às aulas da segunda de manhã. Precisa se formar; precisa estudar. A sensação é de estar em um moinho irrefreável.

Até hoje não gosto de pegar ônibus. Morei em Nova York por 13 anos e pegava o trem o tempo todo, nunca o ônibus. Durante a faculdade, tinha que andar no frio congelante por pelo menos dois quilômetros e meio até o ponto de ônibus que ficava fora do campus. Era isso ou ter que esperar o ônibus que passava na Rhode Island College, e os horários dele não eram confiáveis. Na maior parte do tempo, eu acabava caminhando mesmo até o ponto de ônibus no frio congelante.

A situação era especialmente atroz quando estava frio, porque eu precisava passar pela entrada dos fundos da faculdade, pelas quadras esportivas até a Smith Avenue, onde havia pouca iluminação, e esperar o ônibus que me levava até o centro de Providence. Então esperava de novo, em um ponto maior, o ônibus que me levaria do centro de Providence até o centro de Pawtucket. Geralmente não tinha dinheiro para a última parte do trajeto ou, quando tinha, perdia o ônibus de Pawtucket para Central Falls porque, como eu disse, o horário não era confiável. Eu andava uns dois ou três quilômetros do centro de Pawtucket até a Brooks Drugs, em Central Falls. Depois do trabalho, ia para o apartamento dos meus pais, dormia no chão e voltava para a faculdade na manhã seguinte ou pegava o turno de alguém.

Trabalhar duro é ótimo quando se é motivado por paixão, amor e entusiasmo. Mas trabalhar duro motivado por privação não é nada agradável.

Muito da faculdade, para mim, eram risos e conexão com as colegas de dormitório e outras amizades que comecei a fazer, tudo misturado ao isolamento e à maldita dor. Eu ainda sentia que precisava esconder minhas verdades mais profundas para me encaixar. Recriei a mim mesma como essa "outra" pessoa. Eu me imaginei como uma *geek* do teatro fabulosa de Central Falls, que conquistava muitas coisas e era engraçada e excêntrica. De vez em quando, me sentava com as alunas negras no refeitório, mas na maior parte do tempo eu me sentava com o meu grupo, minhas colegas de dormitório, ou sozinha.

Na época, a Rhode Island College tinha menos de 1% de "outros". "Outros" se referia a alunos de outros grupos étnico-raciais: latinos, asiáticos, negros, descendentes de povos do Oriente Médio. Os demais eram brancos. Havia algo em torno de nove mil alunos. Eu era uma garota perdida tentando me encontrar.

Não ajudava o fato de a faculdade ter fraternidades e repúblicas formadas por arruaceiros brancos. A Kappa Epsilon era uma delas. Digo isso porque alguns de seus membros eram abertamente racistas. Muitos anos depois do meu período na faculdade, li que alguns pesquisadores associam a fundação da Ku Klux Klan à fraternidade Kappa Alpha. Pensando agora, alguns dos membros da Kappa Epsilon na Rhode Island College devem ter sido próximos do grupo supremacista, visto que a narrativa de seus atos explicitamente racistas era perpetuada pelos membros. Acho que eles acreditavam que as pessoas brancas entravam na faculdade por mérito, enquanto estudantes negros e multirraciais eram meramente beneficiários de ações afirmativas.

Não havia entendimento cognitivo da real complexidade da questão de raça na faculdade ou em seu processo de admissão. Como se destacar quando você é do Sudeste Asiático, muitíssimo inteligente, trabalha duro, mas passou dois anos na selva do Camboja, dois anos em um campo de refugiados e viu sua família ser massacrada antes de chegar aos Estados Unidos? Sem o programa de aconselhamento, não haveria nenhum estudante multirracial, porque já começávamos com um enorme déficit. Ainda mais destrutiva era a visão de que não éramos merecedores. Esse é o alicerce sobre o qual foi construído o DNA dos Estados Unidos, e ao unir a isso desafios pessoais como pobreza, violência, trauma e vulnerabilidade, pode se tornar uma sentença de morte. Anos mais tarde, Frank Sanchez foi nomeado presidente da instituição e transformou completamente o censo demográfico da faculdade.

Durante meu tempo na Rhode Island College me concentrei sobretudo nas aulas de teatro: estudo de personagem, voz e articulação, aulas criativas, crítica e história do teatro — todos os aspectos dessa arte. Nas outras aulas acadêmicas, nem tanto. Eu sentira um desconforto enorme até decidir que a atuação era o caminho que eu queria seguir. Era o que me fazia feliz. O que me trazia alegria. Mas não era possível trabalhar como atriz em Rhode Island. Não dava. Como conseguir um trabalho? Como conseguir um teste ou um agente? Estava perto de começar minha vida profissional e precisava descobrir.

A área da vida que é paralela ao trabalho, ao estudo, é o lar. Seu centro emocional está enraizado ali. Para mim, o resultado foi estar sempre atrasada para a aula, não estar tão preparada quanto poderia. Estava sempre correndo atrás, sempre um pouquinho desorganizada. Faltavam-me habilidades de organização até no meu quarto. Não sabia como me vestir nem como me apresentar. Eu era considerada autêntica porque não sabia o que ou quem ser. Mas ser autêntica e ser transparente são duas coisas diferentes. Ser autêntica é usar sapatos de 15 dólares e ter orgulho de usá-los. Ser transparente é dizer: "Estou sempre ansiosa. Nunca sinto como se me encaixasse. Preciso de ajuda." Eu não era transparente.

Nunca tinha a sensação de estar em meu corpo. As pessoas provavelmente sentiam que eu estava, porque eu nunca falava sobre o alcoolismo do meu pai ou sobre crescer pobre e passando fome. Guardava segredos enormes. Sentia que eu mesma era um segredo enorme. Uma grande parte de mim, minha patologia, era um segredo enorme. O que mostrava para o mundo era uma garotinha negra de Central Falls que se esforçava para conquistar muitas coisas. E eu era essa garotinha.

Quando decidi que o teatro era o que eu queria, mergulhei na atuação. Acordei um dia e falei "Só vai, Viola". Fiz testes e consegui dois papéis na Main Stage Productions: *Hot L Baltimore*, de Lanford Wilson, e *Romeu e Julieta*. Eu era a prostituta April em *Hot L* e a babá em *Romeu e Julieta*. Por minha atuação como April, fui indicada para o Irene Ryan, o maior prêmio de atuação da faculdade. Também criei um espetáculo que apresentei durante anos. Fazia todos os 17 personagens. Todos os personagens desde Celie de *A cor púrpura*, passando por Pilatos em *A canção de Salomão*, de Toni Morrison, até Joana d'Arc. Cheguei a apresentar um número de improvisação em que criava uma peça cômica baseada em palavras que a plateia me dizia espontaneamente.

O espetáculo que apresentei sozinha foi meu projeto de conclusão de curso no último ano, e o propósito era mostrar que eu era versátil, que podia me transformar tanto quanto meus colegas brancos. Na época, senti que o espetáculo era um verdadeiro acontecimento para me mostrar ao mundo. Mas, pensando agora, o objetivo era uma merda. Como assim, você cria um espetáculo para provar que tem valor?

Havia uma barganha, um fator de desespero atrelado. *Permita-me provar que tenho talento em vez de apenas ser eu mesma. Esqueça tudo sobre aquela garota negra que entrou na sala para fazer o teste. Deixe-me usar meu treinamento e técnica para fazê-lo "esquecer" que sou negra.* O fardo desse obstáculo era muito mais pesado do que aquele carregado pelos meus colegas brancos. Alunos brancos só tinham que aparecer e atuar bem. Nenhuma transformação era necessária para fazer os outros acreditarem que aquela pessoa de Rhode Island podia interpretar um russo em uma peça de um autor russo. Eles apenas tinham que ser brancos. Esse obstáculo era o tabu gritante e muitas vezes presente nos diversos cômodos em que entrei durante minha vida.

A Rhode Island College era conhecida por suas excelentes produções musicais, mas nunca participei de nada disso. Na verdade, se perguntados, muitos dos estudantes de teatro da época teriam poucas lembranças de mim. Encontrei mentores em Bill Hutchinson, Elaine Perry e David Burr. Em geral, participava de projetos da Black Box Productions, do Readers Theatre e do Summer Theatre fora do campus.

Uma implicância que tenho como estudante de teatro nos anos 1980 é esta: o teatro acadêmico deveria ser apenas isso, acadêmico. A faculdade não deveria funcionar como a Broadway ou o teatro regional cujo principal objetivo é lucrar. O propósito do teatro acadêmico é treinar e preparar o ator-estudante. O propósito é dar a ele ferramentas para trabalhar em nível profissional. É para isso que pagamos mensalidade. Havia e há estudantes de teatro que nunca participaram de uma grande produção teatral. Como aprender sem a prática?

Me graduei depois de cinco anos porque levei muito tempo para escolher meu curso. Tive que puxar outras disciplinas para recuperar o tempo perdido. Estava no campus o tempo todo.

No meu último ano, usei o intercâmbio nacional para ir à California Polytechnic University, em Pomona. Fui porque queria sair de Rhode Island, me afastar do inverno frio. Queria um cenário diferente. A maior surpresa da minha vida foi que, naquele único semestre, floresci. Atuei em *Mrs. Warren's Profession*, uma peça de George Bernard Shaw. Fiz parte de um grupo de improvisação. Fiz uma aula para falar em público que mudou a minha vida. Fui muito bem academicamente e fiz amigos incríveis. Foi a primeira vez que fiz entrelace no cabelo, o que foi muito importante para mim na época. Naqueles tempos, eu me sentia bonita; muito bonita. Mantive o bendito entrelace até que a linha da costura ficasse pendurada no ombro.

Eu amava o programa de teatro da Cal Poly. Me encaixava perfeitamente entre os *geeks* do teatro. Tinha uma ótima colega de quarto, Eva Rajna, uma mulher judia alta e maravilhosa da Hungria, cujo pai tinha uma padaria em Sunnyvale, Califórnia. Era uma família muito agradável. Ele lhe enviava caixas de pães, que nós devorávamos. Na época, eu conseguia comer quantidades enormes de comida.

Fora do teatro, eu ainda era extremamente tímida, deslocada e uma introvertida meio desengonçada. Evitava conversas, evitava encontros românticos, ainda não tinha namorado nem transado. Tive que me esforçar um bocado para confiar nas pessoas, me abrir para elas. Por conta disso, meu grupo era sempre pequeno.

Voltei renovada para a Rhode Island College para cursar o último semestre. Viajar quase cinco mil quilômetros e me jogar bem na boca do inferno que era a Califórnia me obrigou a me esforçar para sobreviver. Entrei no rol dos melhores alunos pela quarta vez.

Um mês antes da formatura, fiz uma audição para o programa de pós-graduação para estudantes de teatro chamado de audições Urta (University Resident Theatre Association). Mesmo com esse título, ninguém conseguiu trabalho nos teatros locais após aquelas audições. É mais um exemplo da brutalidade e um aspecto nebuloso da profissão. No entanto, algumas faculdades me cortejaram para seus programas de estudos teatrais. De novo, eu era um caos contraditório. Eu era, por um lado, valente, corajosa, capaz de ser independente e me manter sozinha. E, ao mesmo tempo, tinha conflitos emocionais, não estava confortável com a minha autenticidade, na minha própria pele.

Como a Viola corajosa, valente e independente, peguei o trem para minha audição em Nova York sem qualquer instrução ou pesquisa prévia. Só fui e participei da audição, e foi ótimo. Meu nervosismo não foi um problema, pois pude usá-lo como combustível para apresentar meus monólogos, que eram de Celie em *A cor púrpura* e Martine de *As eruditas*, de Molière.

Era o monólogo de Celie que sempre me abria as portas. Mais tarde, este monólogo me fez entrar na Juilliard e em várias competições do Readers Theatre, na Nova Inglaterra. Para mim, pareceu conveniente o fato de Celie ser tão incompleta, não totalmente formada. Se não fosse pelo amor da irmã e de Shug Avery, ela nunca teria enxergado o próprio valor.

Quando estava no palco, eu podia absorver os aplausos, as lágrimas e as palavras da plateia dizendo que "ficaram tão emocionados" e "nunca viram uma apresentação como aquela". Ofereciam-me uma espécie de amor-próprio externo temporário. Mas isso logo passava, porque amor-próprio externo, por definição, não é amor-próprio. Então eu logo voltava ao mundo normal onde me sentia esquisita. Conseguia lidar com a minha peculiaridade, dor e timidez quando podia colocar tudo em um personagem. Era aceita de uma maneira que me fazia sentir ainda mais esquisita e não aceita na vida real.

Eu me graduei com um diploma em teatro em 1988. Toda a minha família foi para a formatura na Rhode Island College — minhas quatro irmãs e meu irmão, meus pais e até a minha avó, Mozell Logan, que tinha viajado da Carolina do Sul. Eles se sentaram nos bancos e gritaram como *banshees** quando recebi meu diploma. Minha avó ficou dizendo: "Estou tão orgulhosa de você, querida. A vovó te ama tanto."

Ela era pequena e retinta. Lembro de pensar: *Por que a estou encarando tanto?* Algo nela me atraía e ficou tatuado em minha memória. Era sua voz. Profunda, cristalina, melodiosa. Eu queria congelar aquele momento na minha memória. Era a sua voz que se destacava para mim. Ela era dona de uma voz que a maioria dos atores mataria para ter. Eles gastavam milhares de dólares para alcançá-la. Era régia. Era dominante. Fiquei surpresa. Soava exatamente como... EU!

---

* *Banshee* é o nome atribuído a fadas na mitologia celta, principalmente na Irlanda. Esse ente fantástico representaria o poder que a voz tem no ser humano, já que geralmente as *banshees* podiam apenas ser ouvidas e muito raramente vistas. Dentro da mitologia irlandesa, elas são seres cujos gritos anunciam a morte. [*N. da E.*]

CAPÍTULO 13

O FLORESCIMENTO

Pule e você descobrirá como abrir as asas enquanto cai.

— RAY BRADBURY

Quando me graduei na Rhode Island College, uma voz em algum lugar distante no fundo da minha mente — que sempre foi verdadeira, franca e, em retrospecto, maravilhosamente consciente, ainda que eu nem sempre tivesse coragem de ouvir, mas, uma vez que ouvia, servia-me com perfeição — guiou-me para que eu me inscrevesse em um programa de verão de seis semanas no Circle in the Square Theatre em Nova York. Fui aceita depois da audição da Urta em Nova York.

Eu tinha uma bolsa de estudos garantida para o programa de seis semanas, mas precisava de dinheiro para viver na cidade durante aquele tempo. Uma mulher incrível, Iona Dobbins, cuidava do Conselho Estadual de Artes de Rhode Island na época. Ela se dedicava aos artistas e às artes. Chorei no escritório dela, implorando por dinheiro. Ela ouviu minha história, ofereceu-me um lenço e disse: "Vou arranjar o dinheiro para você." E arranjou. Ela me deu mil e duzentos dólares.

Isso me incentivou a ganhar o restante do dinheiro necessário para ir para Nova York e estudar naquele grande teatro.

No verão, um mês antes do começo do programa, trabalhei em uma fábrica horrível. Aos atores que dizem: "Ah, não me importo, não vou comprometer meu trabalho, mesmo que eu tenha que viver na pobreza", eu respondo: "Você nunca viveu na pobreza. Se já foi pobre, quando criança ou adulto, sabe que não é brincadeira."

Trabalhei em fábricas que aceitavam mão de obra inscrita em agências de emprego. Você se inscrevia para trabalhar em qualquer lugar que precisasse de gente naquele dia. Às seis da manhã, entrava em uma van lotada e era levado até à fábrica. Em Central Falls, conheci pessoas que trabalhavam em fábricas — pessoas com as quais cresci, imigrantes ilegais que chegavam sem qualquer habilidade. Até minha mãe trabalhou em algumas.

Trabalhei em uma fábrica que só fazia caixas. Era só isso. Fazer caixas. O. Dia. Todo. Trabalhei em outra fábrica e então comecei no P-PAC, o Providence Perfoming Arts Center, como atendente de telemarketing, o que é horrível. As pessoas gritam com você: "Pare de me ligar, porra! Não quero que você me ligue. Blá-blá-blá." É um ótimo treinamento para atuar pelo tanto de humilhação e rejeição sofridos. Eu tinha uma técnica: perguntava pelo homem da casa se uma mulher atendesse. Usava minha voz mais sexy. Quase sempre a mulher perguntava: "Quem é que está ligando?" Então eu as pegava. Conseguia mantê-las na linha. Era o meu único truque.

Minha vida estava de pernas para o ar no verão em que ganhei dinheiro suficiente para inteirar com o do Conselho Estadual de Artes de Rhode Island e ir à Nova York. Enfim aproveitaria meu tempo como atriz no Circle in the Square Theatre.

Quando cheguei lá, também consegui um trabalho distribuindo panfletos de *Tamara: The Living Play* na Times Square. Era quase como um teatro com direito a jantar. Você entrava em um prédio na Quinta Avenida, e assistia à peça — um misterioso assassinato — acontecendo bem ali, no cômodo em que você estava. Então, cada personagem ia para um cômodo diferente, e você tinha que decidir qual queria seguir. No fim, o mistério era resolvido no mesmo cômodo onde começara. Durante o intervalo, o jantar era servido.

Uma amiga, que também estudara na Rhode Island College, era a gerente de marketing da peça: "Viola, pago vinte dólares por hora em dinheiro para distribuir panfletos da peça na Times Square."

Aquele foi um dos meus trabalhos durante o programa de seis semanas no Circle in the Square. Eu só distribuía os panfletos — não consegui um papel na peça, porque acabara de sair da faculdade, não tinha agente e mal chegara à Nova York, vinda de uma cidadezinha qualquer de Rhode Island. Eu definitivamente não era uma profissional ainda.

Eu me desenvolvi no Circle in the Square. Amava, amava, amava Nova York! Morava em um loft em Gramercy Park com duas mulheres que conhecia da Rhode Island College, Donna e Mary. Nova York despertou uma parte de mim que estava sempre muito amedrontada. A cidade me tirou da minha zona de conforto. Nova York tinha uma energia diferente. As multidões, o cheiro, o barulho, os prédios, a vida. Homens assobiando ao passar por você no metrô. Em um dia, aprendi a usar o trem. Só aprendi. Fui a restaurantes e delicatéssens administradas por pessoas de todas as partes do mundo.

Recebi a melhor formação de atuação que existe. Tive muitos professores incríveis. Ron Stetson, Dr. Hutchinson, Rob Dimmick, Elaine Perry, David Burr. Mas Alan Langdon, naquele programa de seis semanas no Circle in the Square Theatre, no verão de 1988, foi o melhor que já tive. Voltei à vida sob a tutela dos professores de lá, como Jacqueline Brooks. Grandes atores, como Philip Seymour Hoffman, Felicity Huffman e Kevin Bacon, estudavam lá. Tínhamos estudo de cena, de atuação, movimento, voz, tudo sem barreiras e com muita coragem. Era compreensível que um programa como esse nos impossibilitasse de nos esconder emocionalmente.

Alan mesmo era, bem, um homem estranho. Misterioso. Pensando agora, acho que ele era simplesmente mais calado. Como artistas, estamos tão acostumados com personalidades exibicionistas, que quase nos ofendemos quando alguém não é assim. A extravagância de Alan estava em sua intensa observação silenciosa.

Havia quase trinta jovens no meu grupo, e mais de cem estudantes no total, e fazíamos duplas para as cenas. Todos vinham de partes diferentes do país e estavam em apartamentos em diferentes áreas da cidade. Íamos aos apartamentos uns dos outros ou, às vezes, praticávamos uma cena em um pórtico de entrada. Entrávamos, fazíamos a cena, e Alan só observava. Então subia e ficava nos fundos do cômodo e se sentava de novo. Era como se ele assistisse em silêncio diante de uma partida de futebol e por dentro estivesse ansioso porque seu time estava prestes a vencer. A cena terminava e havia sempre um silêncio cortante. Ele então fazia uma série de perguntas ou algo para nos acordar.

Uma atriz — Emily — que tinha uma voz muito, muito suave e sempre parecia ansiosa fazia parte do grupo naquele verão. Ela sempre parecia assustada. Era muito doce e educada, quase demais, até. Participava do programa não porque queria ser atriz, mas para se encontrar. Ou se curar? De quê, não sei. Um ator leva consigo sua história para o trabalho — passado, presente, medos, conflitos, humor, traumas.

Emily decidiu fazer uma cena da peça *Agnes de Deus*, de John Pielmeier. A história é sobre uma jovem freira que engravida dentro do convento. Ela insiste que não teve relação sexual e diz que Deus a engravidou. Não há evidências de ninguém no monastério ou no quarto dela. Em determinado momento, ela começa a sangrar pelas mãos, um estigma. Parece que o bebê pode ser caso de concepção imaculada. A Madre Superiora chama uma psiquiatra indicada pelo tribunal para fazer uma avaliação. Mas o conflito na cena que Emily escolheu é entre a insistência lógica da psiquiatra e a insistência passional da jovem freira tão temente a Deus.

A cena começa com a atriz fazendo a psiquiatra que prende Agnes (Emily) à parede, gritando:

— Agnes, de quem é esse bebê? Me diga! Me diga!

Ela deveria gritar de volta: "É de Deus!"

Emily sussurrou um "É de Deus" quase inaudível.

Eu me encolhi, sabendo que Alan iria fundo para descobrir o que a bloqueava.

Houve o silêncio de sempre depois da cena. Alan olhou para Emily e enfim disse:

— Onde está sua voz?

A essa altura, ela estava tremendo. Disse que não sabia. Alan insistiu:

— Você precisa saber. Quem pegou sua voz?

Naquele verão, Emily e eu ficamos muito próximas. Nós duas éramos extremamente tímidas e desajustadas, e pessoas assim costumam se unir. Falávamos sobre a vida o tempo todo, e ela só dizia que queria melhorar. Não sei exatamente do quê. Mas até eu queria saber onde ela perdera a voz e por que sempre parecia assustada, tensa.

Mostrando intensa emoção, ela disse, por fim:

— Quando eu tinha 9 anos, meu pai me prendia na cama, me espancava e me estuprava. Ele cobria minha boca.

A turma inteira ficou em silêncio.

Meu coração acelerou.

Alan perguntou se ela queria refazer a cena. Emily queria. Ela estava lutando contra algo que não era a atuação. Essa aula foi uma ferramenta para desbloquear uma dor profunda, para salvar uma garotinha de 9 anos. O grito dela foi semelhante ao som de um animal prestes a ser massacrado por uma alcateia, invocando cada grama de força no corpo para lutar, para viver. Também era o som da perda.

— É DE DEUS! ESTE BEBÊ PERTENCE A DEUS!

Ela desmoronou no chão. Alan a amparou. Estávamos todos em vários estágios de choque e lágrimas.

E eu? Eu fiquei com inveja. Todas as minhas cenas eram carregadas de emoção, bem exploradas, eu achava. Mas aquilo era outro nível. Eu estava ferida, e isso me levara até ali, à atuação, a Nova York, a querer me curar e viver e me sentir viva!

Stanislavski, Sanford Meisner, Stella Adler, todos os professores do famoso Actors Studio, diziam para estudar *a vida*. São os momentos que você estuda a vida que são injetados em seu trabalho. Você está criando seres humanos. Não está criando apenas um jeito diferente de andar, falar, sentir. O Circle in the Square Theatre criou um lar para mim e o fez com amor. Alan Langdon ainda dá aulas no Circle in the Square.

Depois de seis semanas no programa de verão, eles ofereciam uma vaga no teatro para um dos estudantes. Eles me ofereceram. Não aceitei, dizendo: "O Circle in the Square é um ótimo programa de treinamento, mas quero um programa que me permita arranjar um emprego."

Eu queria um programa de formação em que, assim que terminasse, estivesse trabalhando como atriz e tivesse um agente. Sem agente, não dava para arranjar trabalhos. Queria poder dizer que me formei e que agora estava trabalhando como atriz. Queria a garantia de um salário para pagar minhas contas, para colocar comida na mesa. Não queria voltar para Central Falls.

Perguntei a Mark, outro grande amigo meu que estava no programa na época:

— Em qual programa posso entrar que, ao final, fazemos audição para pessoas que podem nos dar um emprego?

— Bem, seriam Juilliard, Yale e NYU, Viola. Esses são os programas, e talvez Suny Purchase, onde os alunos fazem audições no quarto ano — respondeu ele. — Antigamente eram chamados de audições da liga porque havia uma liga de 13 escolas. Mas agora essas quatro convidam agentes e diretores de toda parte para as audições do quarto ano.

Tirei um ano sabático e ao final me candidatei à Juilliard, uma das quatro que Mark mencionou. Teria me candidatado a todas as três, mas só tinha dinheiro para uma taxa de inscrição.

Já me perguntaram se fiz contatos no Circle in the Square, se formei uma rede de contatos por estar lá. Acho que até havia uma rede desse tipo em Nova York, mas percebi que não existe nada disso, nem uma cartilha ou um atalho para garantir a sua entrada no mercado, exceto enfim conseguir um trabalho que leve ao seguinte, e assim por diante.

Meu próximo passo após sair do Circle in the Square seria tentar entrar em um dos programas que Mark mencionou, mas eu havia perdido as datas das inscrições para ingressar no ano seguinte. Foi aí que tomei a decisão de tirar um ano sabático. Sabia que precisava crescer. O Circle in the Square Theatre fica bem no meio de Manhattan. Pegava o metrô sozinha. Morava em um apartamento na Gramercy Park com duas amigas da Rhode Island College. Nunca tinha transado, nunca tinha tido um namorado, nunca tinha morado sozinha. Nunca tinha viajado para o exterior. Queria crescer. Queria experimentar a vida. Queria que minha vida fosse tão expansiva quanto sentia que minha mente, minha imaginação eram.

Eu me lembro de rezar. Eu era uma pessoa que não ia à igreja. Mas, quando jovem, comecei a rezar toda noite, antes de me deitar, com o objetivo de conseguir dormir, de acalmar minha ansiedade. Rezava ainda mais quando meu pai espancava MaMama, quando a coisa ficava muito feia. Rezava quando ele cortava o braço dela. Rezava quando a furava na perna ou no pescoço com um lápis. Era tudo o que eu conseguia pensar em fazer. Agora, aos 21 anos, rezava para que a minha vida se manifestasse de uma forma que me fizesse digna de me tornar uma atriz profissional, viajar para fora do país e arrumar um namorado.

Naquele ano, me tornei atriz profissional. Minha primeira produção profissional foi em Providence, Rhode Island, na Trinity Repertory Company, em *Joe Turner's Come and Gone*. Depois que voltei daquelas seis semanas de formação em Nova York, atuei na Trinity Rep por um ano. O diretor artístico era Adrian Hall. Tinha feito audições para ele, eu o conhecia. Ele vira meu trabalho. Ele se aposentou durante o ano sabático, mas fizemos umas três peças juntos. Depois que se aposentou, a diretora Susan Lawson, cujo péssimo apartamento em Nova York eu mais tarde sublocaria quando entrasse para a Juilliard, assumiu a direção da peça.

Tinha um emprego de dia e outro à noite. Voltei a trabalhar como atendente de telemarketing no Providence Perfoming Arts Center durante o dia. As apresentações da Trinity Rep eram à noite, o que deixava minhas manhãs livres. O treinamento de humilhação/rejeição durante o dia; e então atuar profissionalmente em uma peça à noite.

Danielle (então com 11 anos) e eu nos tornamos ainda mais próximas durante meu ano sabático. Embora eu tivesse colegas de quarto, às vezes ela dormia na minha casa. Ou eu dormia na casa da minha mãe no chão com ela, porque o apartamento dos meus pais era pequeno demais. Foi por isso que arranjei meu próprio apartamento em Pawtucket. Minha colega de quarto era uma pessoa muito gentil, amiga de uma amiga, e o apartamento era lindo. No entanto, a senhoria era uma racista raivosa. Nunca conheci ninguém como ela. Era brasileira e ficou horrorizada quando me mudei, pois pensou que eu fosse prostituta ao me ver esperando o ônibus.

Quando minha colega de quarto, que era a única pessoa com quem ela falava, contou que eu era atriz, ela não entendeu o que isso significava. Disse que eu não tinha permissão para receber visitas, nem mesmo minha irmãzinha, porque crianças negras destroem propriedades. Disse que tinha medo de ser estuprada e morta por mim ou por qualquer homem negro que eu convidasse para o apartamento. Ela deixava um taco de beisebol encostado perto da porta. Muitos anos depois, quando já tinha me mudado para Los Angeles, fui a Rhode Island visitar minha família e, durante um passeio no shopping, vi uma mulher vendendo joias em um estande. Era ela.

— De onde você é? — perguntei.

Ela respondeu:

— Do Brasil, querida.

E foi extraordinariamente gentil. Coloco essa mulher na lista de racistas que gostam de negros desde que estejam bem longe deles.

Mas então entendi que a discriminação era parte da cultura norte-americana — do Norte e do Sul —, influenciada pelas leis de Jim Crow. Quer você tenha uma educação formal ou não, a terrível força do racismo o atinge como um martelo. Permeou minha vida quando eu tinha 8 anos e aos 23 ainda me atormentava. Quando se tem pouco dinheiro, não há como combatê-lo. Onde eu poderia morar? Minha irmã Deloris estava vivendo com o namorado, que logo se tornaria seu marido, em um apartamento de um quarto. Minha irmã Dianne morava em Maryland, e minha irmã Anita tinha dois filhos e enfrentava os próprios percalços.

Eu queria ter poder e recursos naquela época para mandar aquela mulher racista enfiar o apartamento no rabo, mas aí seria o MEU rabo no chão da casa dos meus pais. E isso era como ser sentenciada a reviver a minha infância. Eu continuava correndo.

Em *Joe Turner's Come and Gone*, há um papel de uma menina de 11 anos, Zonia. Danielle fez o teste e conseguiu o papel. Isso em uma produção profissional dirigida por Israel Hicks, provavelmente um dos melhores diretores de teatro da indústria na época. Atores cheios de medo vinham de Nova York para os testes. Era uma excelente produção. Danielle foi bem e conseguiu boas resenhas do *Boston Globe*, do *Providence Journal* e de muitos outros jornais. Ela também só tirava dez na escola.

Depois da aula, ela pegava o ônibus de Central Falls para o centro de Providence para ensaiar e, quando estávamos no período de produção, pegava o ônibus para chegar ao teatro a tempo. Cara, ainda estávamos correndo atrás de ônibus o tempo todo. Eu conseguia fazer Danielle correr com facilidade se a incentivasse: "Danielle! A corredora mais rápida de Central Falls." À noite, depois da peça, quando estávamos exaustas, eu a levava de volta para casa de ônibus e ficava com ela na casa dos meus pais, porque já estava tarde demais para caminhar de volta para o meu apartamento, que era perto dali.

Meus pais já não brigavam com a mesma intensidade nessa época, embora o alcoolismo ainda estivesse presente.

Enquanto ensaiava para *Joe Turner's Come and Gone* na Trinity Rep, dois acontecimentos importantes ocorreram. Fiz teste para a Juilliard e conheci David, o homem da minha vida pelos próximos sete anos. David estava na peça. Ele interpretava Jeremy, e eu, Molly. Era um ator profissional vindo de Boston. Para mim, era como conhecer o Marlon Brando negro. David era um ótimo ator. Eu o vi. Ele veio até mim. Senti que estava completa, absoluta e indubitavelmente apaixonada. Ele foi meu primeiro namorado.

David era mais velho e muito negro. Havia mergulhado na história negra, na consciência negra e na literatura negra. O gênero musical preferido dele era jazz. Também era um entusiasta do cinema. Começava assistindo a filmes de manhã e só parava no dia seguinte. Suas habilidades com a harmônica ou com o berimbau de boca eram espetaculares. Tudo a respeito do nosso relacionamento me fazia sentir tão, tão… adulta. Depois da peça, íamos ao bar ao lado. Nos conectamos tomando Long Island Iced Tea. Eu gostava justamente porque tinha o mesmo gosto do chá gelado. Eu só tomava um. Eu era uma garota adulta de 23 anos e uma atriz profissional, usando os jargões da área, fazendo o que atores profissionais fazem — me cercando de atores experientes.

Enquanto a peça estava em cartaz, tínhamos alguns dias livres. Foi quando viajei para Nova York para a audição da Juilliard.

Queria ser capaz de fazer audições. Um ator não aparece simplesmente e diz: "Quero o papel." Um agente é um canal, a conexão entre o ator e o trabalho. Nem todos os agentes são iguais. Alguns não conseguem uma audição para você nem para uma mísera fala em um programa de TV. Meu objetivo era frequentar a Juilliard e me graduar tendo um excelente agente.

Entrei no trem de Providence para Nova York, pensando em arrasar na audição e voltar para minha chamada das sete e meia da noite para *Joe Turner's Come and Gone* na Trinity Rep. No teatro, sete e meia da noite é sua chamada de meia hora. Significa o horário que você tem que estar no teatro. É quando o diretor de palco chama. É como bater ponto. Você tem que estar no camarim às sete e meia da noite.

Eu não fazia ideia de que as audições para entrar na Juilliard levavam três dias. Descobri isso muito mais tarde, depois de trocar histórias de admissão com colegas. Eu sequer sabia que o programa da Juilliard é de quatro anos. O da Yale é de três. O da NYU é de três. Minha intenção era simplesmente ir para uma faculdade onde pudesse continuar minha formação e conseguir um agente... e eu queria melhorar.

Sem saber do processo de audição de três dias, reservei uma data, pensando: *Bem, vou lá e direi a eles: "Vocês vão me dizer se entrei ou estou fora. Porque preciso voltar. Preciso pegar o trem de volta."* Levei quatro horas e meia para chegar, e meia hora da Penn Station até a Juilliard, que fica em Midtown Manhattan, na Sixty-Fifth Street com a Broadway, e levaria quatro horas e meia para voltar. Eu tinha apenas 45 minutos para a audição.

Estava bem confiante de que ia entrar na Juilliard, sem fazer ideia da complexidade envolvida no processo de admissão. Sentia que tinha poder na minha atuação. Tinha a sensação de que era boa. Quanto mais tempo passava no ambiente do teatro, mais confiante ficava. E tinha facilidade em viver em Nova York, mesmo tendo vindo de Central Falls.

No dia em que fui à audição na Juilliard, meu tempo estava contado. Entrei no primeiro trem e cheguei cedo. Pesava mais ou menos 74 quilos e estava nervosa, sentada em uma sala com atores esguios que tinham frequentado boas escolas desde os 2 anos, faziam aulas de dança desde que tinham aprendido a andar, todos se aquecendo de acordo com as técnicas de balé. Eu me sentei lá, esperando a minha vez. Não fazia ideia do que vestir, então usei jeans largos, um suéter vermelho enorme e um turbante com brilhos prateados, roxos e dourados. Era inexperiente demais para saber que tudo aquilo poderia desviar a atenção para a minha performance.

Meu material de audição eram as falas de Celie, em *A cor púrpura*, e algo de *As eruditas*, de Molière. Era necessário um material contemporâneo e um clássico. Geralmente três minutos e meio, no máximo. Isso é um verdadeiro monólogo. Às vezes, dava para ir um pouco além, mas aquele era o padrão. Eu estava confiante com o meu material.

Na Juilliard, você faz audição para três ou quatro professores e, se for bem, vai para a etapa seguinte e faz outra audição. Então vai para a etapa seguinte, faz outra audição, até que todo o corpo docente tenha visto você. Em seguida, vêm as entrevistas. Os candidatos ficavam em hotéis, reservando tempo para tudo aquilo. Eu só tinha 45 minutos e não fazia ideia de quão pouco ortodoxo era aquilo. Fiz meus monólogos, agradeci e voltei para a sala cheia de atores que pareciam ter se preparado para aquele momento desde a infância.

O ambiente é uma hierarquia firme e autoritária; o corpo docente é supremo, e é absolutamente rigoroso sobre a formação clássica; você só fala se falarem com você. Coloquei o turbante no cabelo outra vez e disse:

— Acho melhor informar que tenho 45 minutos. Estou em uma peça em Providence. Minha chamada é às sete e meia. É uma viagem de quatro horas e meia de trem. Precisam me dizer se estou dentro ou fora.

Ainda não acredito que falei isso.

Eles pareceram chocados, como se eu tivesse dado um tapa na cara deles. Mas disseram:

— Tudo bem, só aguarde.

Eu me sentei na sala, me sentindo deslocada. Todo mundo estava fazendo aquecimento vocal ao mesmo tempo. Gritando, berrando, uivando. Fazendo posturas de yoga. Essa merda toda. Fiquei sentada em silêncio no canto e olhei para o corredor, enquanto os professores e o diretor carregavam cadeiras para a grande sala de treinamento da Juilliard, a sala 103. Ouvi sussurros: "O que está acontecendo? O que está acontecendo?" Então alguém me chamou. Os professores aceleraram meu processo. Em vez de esperar três dias, me pediram para fazer a audição de novo para todos os professores de todos os departamentos em uma única sala.

Quando me chamaram — "Tudo bem. Viola, em cinco minutos" —, eu sabia que tinha toda a atenção das pessoas naquela maldita sala. Fiz minha audição para todos eles. Eles me entrevistaram. Inclusive o chefe do departamento, que a propósito era um babaca; um grande diretor; um grande intérprete de Shakespeare... mas um babaca. Michael Langham, que foi diretor do Stratford Festival no Canadá por muitos anos, disse:

— Há coisas em que você precisa trabalhar. Mas vemos seu talento como atriz, sua riqueza emocional.

— Obrigada. Obrigada. Obrigada. Obrigada. Obrigada. Obrigada — respondi.

Pensando agora, o que eu queria dizer mesmo era: *Rápido, porra, me contem logo se entrei, porque preciso pegar o trem. Preciso ir.* Mas sabia que tinha entrado. Corri para o trem e voltei a tempo da peça.

Entrar em uma faculdade é geralmente uma história maravilhosa, que equivale a se apaixonar ou estar em lua de mel. Há uma diferença entre se apaixonar e estar casada de verdade. Quando recebi a carta de aceitação, já sabia que tinha entrado. A magia e a alegria da audição eram um sonho em segundo plano, esquecido havia muito. Queria ter podido me concentrar só no fato de que minha audição tinha sido foda.

De volta a Providence, podia perceber o quanto David amava Danielle. Ele amava crianças em geral. Já tinha um filho de um relacionamento anterior. Durante os intervalos dos ensaios, comíamos os sanduíches mais maravilhosos da Mark's Deli. Depois da apresentação, à noite, eu levava Danielle para casa e andava de volta para o meu apartamento. Como Danielle era menor de idade, outra atriz fazia o papel de Zonia em quatro apresentações por semana. Elas revezavam. Nas noites em que Danielle não se apresentava, eu ficava com David.

Por mais tentador que seja romantizar essa época da minha vida, realmente não posso. Eu estava tão incompleta... Pedi a Deus por um namorado, por um status de atriz profissional e pela experiência de viajar para o exterior. Mas não pedi sabedoria. Não pedi amor-próprio. E isso era visível.

Eu estava com um homem que nunca me amou. Meu objetivo naqueles sete anos foi ganhar o amor dele. Eu rezava, tentando me convencer de que AQUELE seria o dia em que ele confessaria que não podia mais viver sem mim. AQUELE seria o dia em que ele me olharia e diria que eu era linda. Praticamente lhe dei passe-livre para relacionamentos com outras mulheres. Eu me sentia sortuda só por tê-lo. Estava ferida a esse ponto. Ele nunca se lembrava do meu aniversário, das minhas comidas preferidas, do Natal, do Dia dos Namorados. Eu gostava mais dos marcos de conquista externos do que da sensação interior de construir um lar com um homem, a sensação de pertencer a si mesma.

Ele não era um ótimo namorado, mas eu não exigia nada dele. Não estabelecia limites. Não o ensinei como me tratar, então eu também não era a melhor namorada. Eu costumava sentir inveja até de pessoas que estavam em relacionamentos ruins.

Ouvia mulheres dizerem: "É, ele estava me implorando para aceitá-lo de volta depois que me traiu. Ele chorava, repetindo o quanto me amava e me queria, então o aceitei de volta." E eu pensava: *Ele chorou e disse que a queria e a amava?* Nunca ouvi aquilo em sete anos. Mas não era David. Era eu.

Antes de David, eu tinha conhecido outra pessoa no caminho para o trabalho. Ele se tornou "Meu Primeiro Namorado Sobre Quem Nunca Falo". O nome dele era Carl, um homem genioso. Nossa conexão começou com ele me dizendo no ponto de ônibus que eu era bonita, e eu sorri. Eu nunca sabia onde ele estava, o que fazia, onde trabalhava, nada. Eu me lembro pouco dele porque não ficamos juntos por muito tempo. Transei com ele quatro vezes. Fico envergonhada porque tenho valores puritanos que na época não admitia. Me envergonho também porque, da última vez em que estive com ele, fui até sua casa para dizer: "Terminamos." Ele queria transar e eu definitivamente não queria. Estava menstruada. Uma briga começou. Ele ficava puxando minha calça para baixo. Pensei em dar um soco nele, mas não dei. Talvez, se agisse assim, estaria reconhecendo que o que estava acontecendo era estupro. Então cedi e depois fui embora, envergonhada. Foi como me senti, mas por fora o que deixei transparecer foi uma jovem que estava no controle da situação. Compartimentalizei o trauma e o filtrei para mentir a mim mesma e me manter segura. Outro segredo sujo, outra vergonha.

Por que não soquei a cara dele? Por que não lutei da mesma forma que a Viola de 6 anos tinha feito com um menino que tentou beijá-la e tocá-la na casa dele? A Viola de 6 anos socou aquele garoto o mais forte que conseguiu. Sem remorso. Diabos! Ele me chutou com força depois, mas me levantei, chorando, e acabei com ele de novo! Em algum momento, acho que senti que ela estava errada. Que em minha jornada "para o topo", para ser mais "evoluída", deixei a briguenta para trás. Abri mão das minhas garras.

David era um ator de fora da cidade. As regras de equidade ditavam que o teatro tinha que dar a ele um apartamento durante a temporada da peça. Eu tinha outro lugar para ficar, para descansar minha cabeça. No tempo com ele me conectei com outra parte da minha alma que me definia — minha negritude. David era corajoso e não se desculpava por ser negro. Uma vez, viu uma enquete no programa *Tony Brown's Journal* da PBS que dizia que 80% das pessoas brancas sentiam que as negras não eram patriotas. Isso o irritou tanto que David estudou cada guerra travada pelos Estados Unidos e o envolvimento afro-americano nelas. Cada uma das guerras que lutamos. Mesmo durante a Era Jim Crow, quando não estávamos nem perto de ter os mesmos direitos que os brancos. Aquilo era patriotismo! Se isso não dizia muito sobre nosso amor e comprometimento pelo país, nada mais dizia. Ele também estudou música e história negra.

Pouco antes de eu ir para a Juilliard, David foi a Los Angeles para atuar na peça de Shakespeare *Medida por medida* no teatro The Old Globe, em La Jolla. Em seguida, se mudou de volta para Rhode Island para se tornar um membro da companhia na Trinity Rep. Durante meus anos na Juilliard, toda vez que ia para casa nos fins de semana ou durante os feriados, ficava com David em seu apartamento.

David era um ator muito dedicado. Eu era uma atriz iniciante e, na época, uma estudante de atuação. Durante meu ano sabático, trabalhei na P-PAC vendendo ingressos por telefone enquanto fazia uma peça atrás da outra na Trinity Rep. Enfim, era uma atriz com trabalhos, não dava para juntar dinheiro, mas ganhava o suficiente para viver. Rhode Island não era um lugar caro para morar. Eu não tinha carro, mas alugava um apartamento que dividia com uma colega de quarto. Podia comprar comida. Conseguia fazer tudo o que era necessário para sobreviver. Eu era uma atriz muito ocupada.

Mas não queria ficar em Rhode Island. Queria crescer, viajar. No fim do meu ano sabático, me demiti da Trinity Rep e fui para Edimburgo, na Escócia, onde apresentei três peças no Fringe Festival. Um dos meus mentores, o Dr. Bill Hutchinson, preencheu a inscrição para que entrássemos. Fui para Boston tirar meu primeiro passaporte e fiquei maravilhada com como meus sonhos estavam se concretizando. É o maior festival de teatro do mundo.

Emily Baker, que conheci no programa de seis semanas no Circle in the Square me emprestou dinheiro para eu participar. Ela escrevera uma peça sobre a experiência de ter sido abusada pelo pai, e queria que eu atuasse. A outra peça em que atuei no festival foi uma comédia escrita por um professor de teatro da Rhode Island College. Interpretei o papel da esposa de Sócrates, que faz terapia porque o marido nunca falava com ela. Ele só pensava, o tempo todo. A terceira peça era de outro professor/diretor da RIC. Assumi o papel da serpente, numa reinterpretação de Adão e Eva. Voei pela British Airways e fiquei em um apartamento na Sir Arthur Conan Doyle Drive, em Edimburgo.

Do apartamento nós fazíamos uma longa caminhada até o teatro. Durante o dia, visitávamos o castelo de Mary, a rainha da Escócia, explorávamos a cidade, comíamos peixe com fritas e vinagre de malte. À noite, nos apresentávamos e víamos outras apresentações. Uma delas, do Traverse Theatre, na Escócia, era sobre homens em uma prisão sul-africana. Eles ficavam nus o tempo todo. Às vezes, simulando sexo. Em certa altura, usavam um balde para fazer suas necessidades e, mais tarde, jogavam o conteúdo uns nos outros. Ou havia cocô de verdade no palco, ou era feito de argila. Eu tinha que me forçar a acreditar que era feito de argila. De jeito nenhum eles conseguiriam fazer tudo naquele *timing*.

Era instigante, e a surpresa eram as pessoas idosas na plateia, que gostavam muito da peça. Vi uma produção de *Salomé* do renomado *auteur* Steven Berkoff. Meu favorito foi o Festival de España, de Barcelona. Era uma extravagância pagã com fogos de artifício em uma escola só de meninos. A escola parecia um castelo. Os atores se vestiam como metade homens, metade bestas, com fogo saindo das ventas. Alguns vestiam fantasias de feras, fingindo pendurar roupas feitas de fogo em varais feitos de fogo. Símbolos fálicos enormes disparavam fogos de artifício no céu, que explodiam da maneira mais magnífica. Meu amigo Doug Cooney e eu nos entreolhamos boquiabertos. Doug era um estudante de teatro na Rhode Island College e interpretava Sócrates em uma de nossas peças. Acho que corremos pelas ruas rindo, revigorados, maravilhados pelo que tínhamos acabado de assistir. Era o puro poder sobrenatural do talento artístico, uma droga que dá vida, injetada por Deus. Na presença dela, você sente que pode voar!

A noite era o meu momento favorito. Em meio a todos aqueles atores em um apartamento grande, falando, conversando, rindo, tomando uísque, jogando cartas, partilhando sobre o processo de atuação, lentamente passei a me sentir parte de alguma coisa. Costumava me conectar a uma ou duas pessoas num grupo, mas daquela vez estávamos todos juntos.

Voei para San Diego depois do Fringe Festival para ficar uma semana com David, que estava com uma peça em cartaz. Então pegaria um ônibus de San Diego para Los Angeles e ficaria no apartamento do meu amigo Gary planejando meu voo para Nova York para o meu primeiro dia na Juilliard na manhã seguinte. Peguei então o ônibus de San Diego para Los Angeles. No meio da viagem, o ônibus parou de repente, a polícia entrou e retirou 80% das pessoas de dentro por não terem a identificação adequada. Chegamos a LA e vi meu amigo Gary acenando muito.

— Oi, Gary!

— Pegue suas malas e corra!

Se não tivesse acontecido comigo, eu diria que era mentira, mas uma onda de pessoas sem-teto começou a nos cercar e agarrar. Estavam tentando pegar meus braços e malas. Gary entrou no carro. Joguei minhas malas para dentro e pulei quase no mesmo instante em que o carro começou a se mover.

Alguém deveria ter me dito: "Viola, não comece sua nova vida assim. Não aperte *start* na sua nova vida agora." Mas decidi que voaria para Nova York, colocaria minhas coisas no apartamento de Susan Lawson — que havia sublocado — e iria para a minha orientação.

Peguei um táxi no aeroporto e, quando chegamos ao prédio, pensei: *Ah, tudo bem. Por fora é uma merda, mas é o apartamento da Susan Lawson.* Subi as escadas com todas as minhas malas até o quarto andar. Quando abri a porta, fiquei na soleira por vinte minutos, sem brincadeira. Foi uma experiência traumática, como ter transtorno dissociativo. Joguei minhas coisas no apartamento. Totalmente deprimida, quase catatônica, peguei o metrô para ir à orientação na Juilliard.

Eu estava prestes a entrar na barriga do monstro. Juilliard estava prestes a acabar com o meu mundo. Eu ficaria cara a cara não com Deus, mas comigo mesma.

CAPÍTULO 14

ME TORNANDO EU

Eu não vim aqui por comida. Minha barriga está cheia.
Eu não vim aqui por comida. Vim por muito mais.

— CANÇÃO RITUALÍSTICA MANDINGA

Meus primeiros dias na Juilliard são um borrão. Em parte porque estava tentando encaixar o começo de uma fase importantíssima da minha vida na rotina que eu levava, e em parte também por causa do apartamento. Na verdade, não entendia bem os imóveis em Nova York. Para mim, todos os apartamentos se pareciam com o de George Jefferson, de *Tudo em família.*

Antes de aceitar minha vaga na Juilliard, precisei organizar minhas finanças. Tinha o dinheiro da Fundação Rhode Island e economias do meu trabalho diurno como atriz no Providence Performing Arts Center. Meu orçamento estava apertado.

A solução ideal parecia ser sublocar um apartamento barato em Nova York, em um prédio que tivesse o valor do aluguel estabilizado por lei. Susan Lawson, a dona do apartamento que subloquei, era uma diretora vanguardista que mais tarde chefiou o curso de teatro na Universidade

Columbia. Ela me abordou depois de uma das peças em que estive na Trinity Rep. Contei que tinha sido aceita na Juilliard. Ela ficou impressionada e disse:

— Tenho um apartamento para você.

— Ai, meu Deus. Olha como Deus age. Ai, meu Deus.

— É verdade. Tenho um apartamento para você. É o meu.

Susan é uma mulher elegante. Ela tinha acabado de se tornar diretora artística na Trinity Rep, assumindo o lugar de Adrian Hall. Ela estaria em Providence. Eu estaria em Nova York. Era perfeito!

— Ai, meu Deus. Preciso preencher um formulário de inscrição?

— Não, se você quiser é seu.

— Quanto é o aluguel?

— Duzentos e noventa dólares por mês.

— Ai, meu Deus. Eu aceito. Aceito, sim. Sem problemas.

Ela provavelmente me perguntou: "Você não quer ver o apartamento primeiro?", mas eu não tinha tempo para isso e só quis saber:

— Como é o apartamento?

— Eu adoro. Moro lá há anos. É um apartamento estilo *studio*.

Ela o fez parecer melhor do que realmente era.

Pensei: *É o apartamento dela, e ela adora. Uma diretora do alto escalão. Apartamento dela. No Village.*

— Sim, vou querer alugar.

Quando cheguei ao prédio na First Avenue, entre a Second e a Third Streets, o que ficou se repetindo na minha mente foram as palavras dela: *Ah, eu adoro o apartamento.* Subir as escadas me fez sentir em um daqueles comerciais do Booking.com em que alguém está há horas na estrada, perdeu os sapatos, os filhos vomitaram, está cansado... Então a pessoa abre a porta do quarto do hotel e se depara com uma suíte gigantesca e suntuosa com vista para o mar. Era o que eu esperava do apartamento de Susan, o cenário para os meus anos na Juilliard. Minha expectativa era ficar deslumbrada! Minha nossa, quando abri aquela maldita porta, não foi isso que aconteceu. Foi horrível.

O lugar tinha uns quarenta metros quadrados. Havia um fogão pequeno no lado direito e prateleiras de madeira improvisadas. Abaixo delas havia uma pia branca grande e enferrujada. Era uma daquelas pias que geralmente se vê em porões. Ao lado da pia ficava a banheira. Isso mesmo. Bem no meio do apartamento tinha uma banheira com manchas de ferrugem. Pensei: *Cadê a privada?* Eu a encontrei no que me pareceu ser um closet minúsculo. Era uma daquelas privadas com cordinha para dar descarga. O lugar estava infestado de ratos. Infestado. Eles saíam de buracos no assoalho. À noite, dava para ouvi-los subindo e comendo todos os mantimentos nas prateleiras. Por conta da minha infância, não é surpresa que aquilo tenha me enlouquecido. Eu matava mais de dez ratos por dia. Podia ouvir as ratoeiras estalando. Em seguida, jogava a ratoeira, com rato e tudo, no lixo. De jeito nenhum eu tocaria neles!

Liguei para ela em um fim de semana:

— Susan! Tem ratos no seu apartamento!

— Não me lembro de a gente ter visto ratos, Viola — disse ela.

— Susan, tem ratos aqui. Estou matando uma dúzia por dia. Você precisa me ajudar. Ligue para o senhorio.

Não posso voltar, era o que eu estava pensando.

Nada.

Avisei a Susan:

— Só vou ficar até o fim do ano.

Ela poderia ter me dado um desconto no aluguel. Como mencionei, o valor do aluguel era controlado por lei. Ela morava ali havia décadas. Anos depois, talvez por volta dos anos 1990, eu estava trabalhando com alguém em São Francisco e contei o caso desse apartamento. No meio da conversa, essa pessoa me disse:

— Eu me lembro de Susan Lawson. Ouvi dizer que ela tinha o pior apartamento que alguém já viu na vida. Todos os atores de Nova York sabiam disso.

Em defesa de Susan, a vida em Nova York era assim mesmo. Uma selva de pedra repleta de pessoas apressadas, esforçadas e cheias de sonhos, que trabalhavam duro para se dar bem na vida. Todas aglomeradas em prédios altos, cujos proprietários tinham como único propósito ver quantas pessoas conseguiam enfiar ali. Eu amava a austeridade da cidade. Amo como Nova York é viva. Só não gosto das moradias. Precisava de um lugar que mantivesse essa austeridade da cidade do lado de fora.

Na época, a área não era muito melhor que o apartamento. O trem da linha F quase nunca funcionava. Quando saía dele, via as mesmas pessoas em situação de rua. Uma mulher que sempre surgia com um novo hematoma. Mesmo todo dia participando de um pedacinho ínfimo de sua vida, dava para perceber que ela estava sendo espancada. Por vezes, chegando em casa, eu encontrava sangue na porta da frente do prédio, isolada pela fita zebrada da polícia. Isso acontecia por causa do CBGB, um antigo bar de motociclistas — que na época tinha perdido o glamour — no qual algumas das maiores estrelas do rock começaram a carreira: Patti Smith, The B-52s, Blondie, Joan Jett & the Blackhearts, Talking Heads. À noite, o lugar entrava em ebulição e esse tumulto culminava em muito vômito e sangue na entrada do meu prédio.

O apartamento nunca ficava frio. Conservava o calor. Sempre tinha água quente. A descarga sempre funcionava. Essas eram as únicas coisas boas de se morar ali. Eu ficava na faculdade o dia inteiro e só voltava à noite, mas passava todos os fins de semana em casa. E comia o dia todo. Comia, comia, comia. Nunca fui de beber, mas algumas vezes bebi uma cervejinha junto com a refeição. Ganhei quase nove quilos comendo baguete com salame, queijo, tomates e mostarda; uma panela de macarrão todos os dias; e quase meio litro de sorvete Häagen-Dazs de passas ao rum.

Comecei o curso na Juilliard com 18 outros colegas de classe. No fim do primeiro ano, éramos 14. Um foi expulso. Um foi cortado. Os outros dois desistiram; ambos eram alunos negros. Existem quatro grupos diferentes na *Xilindrólliard*, como chamávamos. Cada grupo recebe um número. Então, no primeiro ano o nosso era o 22. No segundo ano, 21; no terceiro, 20; e no quarto, 19.

No instante em que passei por aquelas portas na esquina da Sixty--Fifth com a Broadway, ficou evidente por que tantos eram expulsos ou iam embora desesperados. Era difícil. O que levava alguém a ser aceito era logo deixado em segundo plano. Eles não tinham interesse no que fazíamos bem, e sim no que fazíamos mal. Se você fosse uma mocinha sonhadora e ingênua, pediam que interpretasse o papel de uma matriarca pé no chão. Caso se mostrasse forte e emotivo, queriam ver seu lado mais leve, mesmo que para isso tivessem que pressioná-lo ao extremo.

John Styk, Robert Williams, Marian Seldes, Moni Yakim, Jude Leibowitz — esses eram nossos professores no primeiro ano. Começávamos cedo toda manhã, mais ou menos às oito, e raramente terminávamos antes de altas horas da noite. Tínhamos aulas de oratória, voz, Técnica de Alexander, movimento e estudo de cena.

A Técnica de Alexander ensina o ator a usar o corpo sem estresse nem tensão. Alunos do primeiro ano não atuavam com alunos do segundo, terceiro ou quarto, porque cada ano tinha seus objetivos específicos e era um grupo separado. O primeiro ano tinha como foco a descoberta. Encenamos uma peça de Shakespeare chamada *Péricles*.

Eles queriam ver o que tínhamos a oferecer. Foi dirigida pela grande atriz, hoje já falecida, Marian Seldes. Podíamos fazer o que quiséssemos. Para o projeto seguinte, recebíamos um papel completamente diferente de quem éramos, um papel para o qual ninguém nos escalaria. Interpretei uma personagem chamada Lily em *Ah! Wilderness*, de Eugene O'Neill. Ela era totalmente modesta, andava com passos muito contidos, tinha uma voz única, que mal dava para ouvir, sempre tímida. Sou tímida, mas essa não é a impressão que passo. Minha voz é muito intensa, grave e forte. Era um papel para o qual ninguém me escalaria. Esse era o método da Juilliard. Uma estrutura baseada e embebida no poder da transformação. Eles escolhiam o material. Eles escolhiam as peças e os papéis que achavam ter valor.

Passar o dia inteiro na faculdade, morar em um apartamento péssimo, ter traumas e questões de ansiedade não diagnosticados e estar sozinha em Nova York, fazia-me sentir sobrecarregada. Pegava no sono na aula o tempo todo. Minha amiga Michelle vivia me acordando. Quando grandes atores iam à escola se apresentar, eu fingia estar muito animada, me sentava na fileira da frente nesses eventos e não demorava muito para minha cabeça tombar, minha boca se abrir e meus olhos começarem a revirar. Michelle acenava diante do meu rosto energeticamente, fazendo com os lábios: *Acorda, porra!!!* Ela parecia brava.

Era difícil ouvir e assistir aos atores convidados brancos, às palestras de dramaturgos brancos, aos projetos de brancos, aos personagens brancos, uma abordagem europeia do trabalho, do discurso, da voz, do movimento. Todos estavam voltados para nos moldar e esculpir em perfeitos atores brancos. Estava implícito que eles eram o padrão. Que eles eram os melhores. Sou uma atriz preta retinta de voz grave. Não importava o quanto eu me esforçasse, quando saísse para o mundo, seria vista como uma mulher preta retinta de voz grave. Meu Deus, quando saísse de lá para o mundo, eu seria chamada para trabalhos baseados em… mim. Tive que aceitar isso. E, admito, existem algumas peças clássicas e contemporâneas nas quais nunca quis atuar mesmo!

A única outra pessoa negra no meu grupo era Cedric Harris. Havia na Juilliard apenas trinta negros no total de 856 alunos inscritos em todas as disciplinas: teatro, música e dança. Nós nos chamávamos de Bancada Negra. Eu fazia parte dessa convenção. Todo mês de janeiro tínhamos nossa celebração de Martin Luther King Jr., um programa de variedades. Diria que até hoje é um dos melhores trabalhos feitos por artistas que já vi. Em dança, música e teatro. Obras criativas eram montadas para homenagear a história negra, a autonomia negra… nós… eu. Tudo estava incluído, desde danças zulus até grandes óperas e música gospel. No nosso cotidiano, não tínhamos permissão de apresentar algo que não fosse ópera, balé ou clássicos europeus. Ponto-final. Até que fomos orientados a NÃO nos apresentarmos nas celebrações de MLK.

Se atores entrassem na Juilliard e já estivessem trabalhando, eram veementemente incentivados a parar. Jazz, gospel, sapateado, dança moderna e qualquer material étnico estava na lista de proibições. Quando criamos a celebração de MLK, exploramos tudo o que constava nessa lista. Foi nossa forma de rebelião. Disseram-nos que arruinaríamos nosso instrumento. Bem, nossas almas também eram nosso instrumento.

Pouquíssimos membros do corpo docente compareciam. Nós nos sentíamos racial e individualmente castrados por uma filosofia fundamentada no apagamento de quem éramos e em dar à luz alguém artisticamente aceitável. Alguém que os brancos pudessem entender. Nossa paixão e vontade de nos apresentar, porém, se equiparava à falta de reconhecimento que recebíamos pela nossa contribuição para a faculdade. Em outras palavras, a ignorância deles nos fez trabalhar mais por nós mesmos e pelo nosso ofício.

Juilliard me forçou a entender o poder da minha negritude. Passei muito tempo da minha infância a defendendo, sendo ridicularizada por ela. E também durante a faculdade, tentando provar que era boa o bastante. Eu me compartimentalizei. Durante meu tempo na Juilliard, estava com raiva.

Sempre recebia a tarefa de fazer o discurso de abertura da celebração do MLK, e Laurie Carter, que era negra e uma das reitoras, sempre dizia: "Arrase! Fale o que você pensa."

Era a legitimação de uma voz calada por trauma, vergonha, insegurança. Ali estava Laurie, que encontrou um espacinho dentro de mim que ainda tinha vida e esperança, e o libertou.

Na primeira cerimônia, que ocorreu no Avery Fisher Hall, subi ao palco e contei uma história. Era a história de um escravizado no Caribe. Ele estava sempre fugindo. Era um homem forte e grande que não queria ser controlado. Toda vez que fugia, era capturado e espancado. Depois disso, fugia outra vez. Por fim, para contê-lo de uma vez por todas, decidiram matar outro escravizado. O corpo dele foi colocado nas costas do fugitivo. Amarram bem apertado. Obrigaram-no a trabalhar o dia inteiro, sob o sol quente, e à noite com o corpo nas costas. Obrigaram-no a dormir e correr com o corpo nas costas. Até que começou a se decompor. O homem grande e forte perdeu o apetite. Seu corpo foi infectado pela carcaça, começou a enfraquecer, e ele morreu. Perguntei: "Quantas pessoas negras nesta plateia se sentem como se tivessem um corpo amarrado às costas? Quantas estão tentando viver e lutar em uma sociedade que nos põe para baixo e está mais interessada em nossa morte do que em nossa vida?"

Silêncio. Eu estava falando a minha verdade. Era uma verdade carregada da dor de tudo que havia sido despejado em mim, consciente e inconscientemente. De repente, como um elefante sendo massacrado para ter as presas roubadas, eu estava reagindo, lutando pelo meu espaço.

Todo ano, eu tentava me encaixar em cada projeto e personagem. Achava que era o que eu devia fazer. Espartilhos e perucas europeias gigantescas que nunca se encaixavam sobre as minhas tranças. Ver meus colegas maravilhados com aquelas fantasias lindas e imaginando como a vida devia ser incrível nos anos 1780. A minha vontade era gritar: "Que merda!!! Sou diferente de vocês!! Se voltássemos a 1780, não poderíamos existir no mesmo mundo! Eu não sou branca!" O objetivo totalmente vergonhoso dessas atividades era óbvio: fazer cada aspecto da sua negritude desaparecer. E como eu poderia fazer isso? E, o mais importante, POR QUÊ??!!! Nenhum dos meus colegas precisava ter um dialeto urbano, sulista ou jamaicano perfeito para ser considerado excelente. "Eu sou NEGRA!!! Sou retinta com lábios carnudos, nariz largo e coxas grossas. Sou Viola!!"

A manifestação sempre fez parte da minha vida. Quer fosse ficando de joelhos ou rezando em silêncio. E Deus intervinha. No meu segundo ano na Juilliard, a faculdade estava oferecendo uma bolsa de estudos de 2.500 dólares para um aluno interessado em realizar um curso de verão que o fizesse crescer como artista, que o ajudasse a se desenvolver, que liberasse algo dentro de si. Precisávamos escrever uma redação de cinco páginas expondo as motivações. Escrevi sobre estar perdida. Que não havia como extravasar a paixão quando pediam que eu atuasse em papéis que não apenas não tocavam meu coração, mas que também não eram escritos para mim. Contei sobre o peso e o escopo distorcido da formação eurocêntrica. Consegui a bolsa de estudos.

Minha amiga Kris World, que cursava dança, ia à África todo verão com Chuck Davis, um coreógrafo de danças tradicionais africanas da North Carolina School of the Arts. Todo ano ele levava um grupo de pessoas, nem todas artistas, para um país diferente do continente africano, a fim de estudar a dança, a música e o folclore de diferentes povos. Naquele verão, ele ia à Gâmbia, no oeste africano, para estudar os povos uólofe, diola, mandinga e sosso.

A preparação, a viagem e a experiência na África causaram uma mudança cataclísmica na minha vida. Abriram um buraco no meu ser.

Tomei todas as vacinas necessárias antes da viagem. Queria comer tudo o que visse quando chegasse lá sem ter que me preocupar. Contei os dias, tomei o ônibus de Providence para o aeroporto JFK e voei com o grupo — composto exclusivamente de mulheres, e a maioria não atuava. Uma era enfermeira. A outra era professora. A terceira ficava meio isolada, parecia irritada. Ela se sentou e se encolheu. Não como se fosse dormir, mas encolhida de dor. Chorava e olhava pela janela. A quarta era uma enfermeira jamaicana muito gentil, mas extremamente tímida. E havia eu e Kris World. Eu só faltava pular no meu assento de tão animada!

Chegamos à Gâmbia após uma longa escala em Amsterdã. Era noite. O aeroporto era pequeno e não tinha área para retirada de bagagem. As malas simplesmente eram colocadas em uma grande pilha. Homens africanos fortes, de uniforme e com armas semiautomáticas estavam por toda parte. Encontramos nossas malas e saímos. Foi amor à primeira vista. Potente como um primeiro beijo ou uma excelente sessão de oração. O ar tinha um cheiro diferente. Tons de laranja, azul e roxo pintavam o céu enquanto o sol se punha. Um fraco toque de incenso misturado à brisa do oceano. A África me esperava.

Ficamos no Bungalow Beach Hotel, à beira-mar. Para nós, era como se fosse o Four Seasons, mas estava mais para um Motel 6. Kris World e eu dividimos uma suíte.

Cara, estava quente. Até hoje, quando está calor pra caramba, digo que está "quente como a Africa". Era tão úmido que minhas roupas íntimas levavam três dias para secar depois de lavadas. Acordávamos às cinco da manhã e nos encontrávamos na praia. Chuck nos ensinava sobre o povo que encontraríamos naquele dia e nos ensinava alguns passos de dança. Rezávamos e corríamos para o mar, com roupa e tudo. Depois, voltávamos para o hotel e nos trocávamos. Chuck tinha contratado várias pessoas como motoristas, "embaixadores". Eles nos pegavam no hotel e nos levavam para os chamados *compounds*. No carro, ríamos e cantávamos. O motorista nos ensinava uma canção do povo dele. O primeiro povo foi o mandinga. Os mandingas são o povo de Alex Haley, celebrado autor de *Negras raízes — A saga de uma família* e *A autobiografia de Malcolm X*. Passamos a maior parte do tempo com eles. Fomos ao *compound*, que era um aglomerado de quatro ou cinco casas de adobe nas quais membros de uma família viviam. Aprendemos sobre os tambores djembê, os tambores falantes... eles são chamados assim porque imitam os sons da fala.

Entrávamos na área aberta do *compound* e a família trazia todas as cadeiras disponíveis. Eles nos cumprimentavam como se fôssemos parentes que não viam há muito tempo. Havia alegria, animação! As crianças corriam para nos abraçar. Em seguida, vinham os tamboreiros, todos homens. A complexidade de cada papel que eles desempenhavam era surreal. As mulheres entravam no círculo prontas para uma dança chamada *lenjeng*, que imita o movimento de pássaros voando. Kris sussurrou no meu ouvido: "Elas estão se preparando para se soltar!"

Uma mulher entrava e começava a dançar. Ela usava uma *lapa* (saia) enrolada no corpo e um turbante. Enquanto sorria com uma alegria contagiante, seus pés batiam e os tambores seguiam o ritmo. Ela batia os pés e devagar, mas com determinação, seus braços subiam e os pés deixavam de bater para pular. Logo, parecia que ela estava voando. Outras mulheres começavam a ulular e mais uma mulher pulava para dentro do círculo, ficando cara a cara com a primeira. Elas se encaravam com muita intensidade, então seguravam a cabeça uma da outra e voavam juntas. A terra inteira parecia se mover. Poeira girava ao nosso redor. Estávamos testemunhando algo divino.

A dança continuaria por horas. Mais mulheres se juntavam. Algumas jovens, outras velhas. Quando terminavam, sentavam-se no chão e massageavam os pés umas das outras e ululavam. Enquanto tudo isso acontecia, entoavam uma música repetidas vezes que dizia, em tradução livre: "Eu não vim aqui por comida. Minha barriga está cheia. Eu não vim aqui por comida. Vim por muito mais."

Eu a cantei tanto que se tornou uma oração. Eu estava ali por… algo. Eu clamava por algo.

Cada um de nós tinha que ficar de pé diante do grupo, cantar e dançar o *lenjeng*. Também tínhamos que aprender uma série de frases.

"Sumole" — Olá, como você está?
"Ibije" — Estou bem.
"Kon te na te" — Como vai sua família?
"Te na te" — Eles estão bem.
"Kara be" — Estou aqui.
"Kara jon" — Eu te vejo.

A propósito, tínhamos que cumprir todo esse ritual de cumprimentos ao começar uma conversa com alguém. Mesmo que só tivéssemos parado para pedir uma manga! Isso os deixava felizes. Serem vistos, se sentirem valorizados. A África me deixou zonza de alegria. Cada cheiro, som, cor afetavam meus sentidos de maneira apaixonante. Nenhum tom de amarelo, verde ou azul era igual aos que eu conhecia. Pessoas dedicadas à arte têxtil produziam a própria tinta. Eles faziam *lapas, kufi* (chapéus), *grad boo boos* (vestidos). Sem remorso algum, lindas peles retintas ficavam mais escuras sob o sol. Toda criança tinha muitas mulheres para cuidar delas. A tranquilidade com a qual as pessoas serviam umas às outras… O cabelo crespo, cacheado, a complexidade dos rituais, inúmeras linguagens.

Fomos a uma cerimônia de escolha do nome de um bebê. Depois de sete dias de nascido, o bebê recebe um nome. A taxa de mortalidade infantil era tão alta que os pais esperavam sete dias antes de nomear a criança. O bebê geralmente estava abaixo do peso, mas com certeza viveria depois que passasse da primeira semana. Esperávamos no *compound* até que os pais saíssem com o bebê da pequena casa de adobe. Havia mulheres amamentando crianças enquanto esperavam para celebrar.

Era um dia nublado e as mulheres estavam sentadas, rindo juntas. Tinham cabaças, grandes tigelas de madeira, diante delas e baldes com um pouco de água. Quando os pais saíam da casa, as mulheres paravam de amamentar e colocavam seus bebês no chão sobre um pedaço de pano. Voltavam a cobrir os seios com a roupa, viravam as tigelas dentro do balde com água, pegavam dois galhos e começavam a tamborilar nas cabaças em uníssono. Com orgulho. Com uma irmandade profunda. Presenciar aquilo tirou nosso fôlego! Kris World e eu vínhamos de uma instituição que nos oferecia uma formação clássica para nos tornarmos *auteurs* e estávamos testemunhando um espetáculo diante de nossos olhos. Aquilo era genial. Era arte! A expressão nascendo da necessidade de ter rituais para lidar com a vida. Quando terminavam, simplesmente baixavam os galhos, desviravam as cabaças dentro dos baldes com água, pegavam os bebês e voltavam a amamentar.

A abordagem acadêmica que tínhamos na Juilliard não se conectava ao trabalho da nossa vida. A ela faltava a verdadeira potência do talento artístico, aquilo que muda a humanidade. A arte tem o poder de curar a alma.

Eu precisava de cura. Antes de viajar para a África, tinha descoberto que meu relacionamento não era o que eu pensava. Aquele tempo todo David tivera outros relacionamentos. Eu estava arrasada. Minha irmã Anita me consolou, totalmente confusa com a minha frustração.

— Bem, o que fez você pensar que estava em um relacionamento monogâmico?

— Porque estávamos, Anita! Eu morava no apartamento dele.

Silêncio.

— Morava com ele ou só ficava lá nos fins de semana, quando não tinha aula?

— Anita!! Já faz anos que estou com ele — disse eu, ainda chorando.

— Viola! Se não houve conversa sobre exclusividade no relacionamento, então não era exclusivo. Sinto muito. Você só pensou que era porque... Espera aí, você o ama?

Anita era bem pragmática. Amável e lógica. A sinceridade dela me fez voltar para a realidade — e doeu pra caralho.

— É óbvio que eu o amo, Anita.

— Como você sabe? Viola, quantos namorados você já teve? Você não sabe o que é amor.

Queria ter tido aquela conversa antes de começar a namorar. Não sabia que o amor, na verdade, tinha que servir às duas pessoas envolvidas, estabelecer limites e comunicação. Achei que tudo isso acontecesse naturalmente na relação.

Na África, aos 25 anos, senti minha vida ao mesmo tempo começando e terminando. Eu estava em um momento intermediário. A África era um elixir. Comíamos arroz jollof todos os dias fora do hotel e nos *compounds*. O prato era feito de arroz, peixe branco, batata-doce branca cozida no chão, com um molho vermelho picante sobre o peixe. Custava cinco dalais, o que equivalia a cinquenta centavos de dólar. Levávamos nossa própria tigela e eles a enchiam por cinquenta centavos, não importava quão grande fosse. Minha avidez da infância não passara. Nunca me sentia totalmente saciada, então pegava a maior tigela que encontrava. Mulheres armavam uma loja improvisada do lado de fora do hotel. Em geral, comíamos com as mãos. Quase nunca havia talheres. Espremíamos o óleo de palma da comida com a mão direita e a colocávamos na boca. A mão esquerda era usada para... bem... se limpar depois de ir ao banheiro. Isso não dava muito certo para mim.

Fomos a uma luta africana que mais parecia uma peça de teatro. Os participantes marchavam por um campo com tamboreiros logo atrás deles, e a plateia jogava moedas. Depois de fazer isso por algum tempo, eles lutavam. Os uólofes tinham uma dança chamada "dança da tartaruga", que era equivalente ao *twerk*. As mulheres se agachavam com o traseiro na direção dos homens e rebolavam, balançavam e se moviam bem rápido, acompanhadas não apenas por tambores, mas por balafons, que eram precursores dos xilofones, e corás, semelhantes a violões.

Tambores feitos de couro de cabra e batiques eram verdadeiras obras de arte. Esculturas eram esculpidas em mogno e geralmente eram presenteadas como oferenda às divindades tradicionais.

A África era como o parquinho de Deus.

Descobri que a mulher que viajara conosco e parecia estar sofrendo, realmente estava mal. Ela tinha perdido a irmã e a mãe em um intervalo de semanas. Não conseguia sair do luto. Estava consumida pela dor. Ela foi à África em busca de conforto, respostas. Assim como todos nós. A enfermeira tímida tentava sair de sua zona de conforto. Era tão tímida que se sentava nos fundos quando íamos ao *compound*. Eu nunca a notava lá, de tão discreta que era. Às vezes, ela chorava quando pediam que dançasse, mesmo no nosso círculo de reza matinal.

Mas era inegável o encantamento sobrenatural que estava acontecendo em Banjul, Bakau e Serekunda, na Gâmbia, no oeste da África. Era inegável a transformação que estava em andamento. De repente, a ansiedade que sempre existiu no fundo do meu estômago desapareceu por completo. Eu me sentia quase inebriada. Minha pele ficou viva.

Um dia, um grupo de garotas trançou meu cabelo. Enquanto o faziam, elas riam, davam risadinhas. Não deviam ter mais que 15 anos, e eram nove delas. Estavam muito interessadas em saber mais sobre minha irmã Danielle e nosso relacionamento. Não queriam saber da Juilliard, de Nova York, de ser atriz. Não queriam saber sobre o que eu queria me tornar. Queriam saber sobre mim. Apenas sobre mim. Elas davam gritinhos, riam, batiam palmas quando eu contava o detalhe mais irrelevante a meu respeito, como o dia em que Danielle nasceu.

Um dia, fomos ao *compound* mandinga e um grupo de mulheres apareceu com a maquiagem mais engraçada de todas, usando roupas e sapatos grandes demais para elas e carregando tambores djembê. Chuck explicou que eram comediantes. Fiquei fascinada. Elas riam, faziam caretas e tocavam tambores muito alto, mas mal. Quando tinham a atenção de todos, elas falavam alto, gritavam, ficavam animadas e soltavam risadas exageradas. As pessoas foram se reunindo ao redor delas até que houvesse uma multidão de mulheres se abraçando, aplaudindo, rindo e soltando a voz para cantar: "Eu não vim aqui por comida. Minha barriga está cheia. Eu não vim aqui por comida. Vim por muito mais!"

Então começavam a passar uma cabaça com mingau dentro. Tinha gosto de mingau de pasta de amendoim. Todo mundo remexia o conteúdo, comia um pouco e passava adiante. Essas "comediantes" eram, na verdade, mulheres inférteis.

Na Gâmbia, ter filhos é a maior das bênçãos. Quando alguém é infértil, a crença é que Deus não ouviu o mais profundo desejo dessa pessoa e passou direto por ela. A intenção era fazer o maior barulho possível para que Deus pudesse ouvi-las lá do Céu e enviasse bênçãos. O barulho parou e olhei ao redor, para o rosto de mulheres sorrindo, gargalhando, gritando em desespero maníaco. Estavam tentando acordar Deus.

Eu chorei. Apesar dos papéis que costumo interpretar, não sou de chorar. Mas ali eu chorei. Chorei de novo quando vi uma mulher que parecia a minha mãe dançando na chuva, no casamento da filha. Ela fazia a dança *lenjeng* e parecia voar. Chorei quando muitas das pessoas que conhecemos nos *compounds* foram ao hotel para que nos apresentássemos para elas. Recebíamos comida. Elas davam gritos de alegria, riam, choravam diante de tudo o que apresentávamos, por mais que não falassem inglês. Interpretei Topsy de *The Colored Museum*, de George C. Wolfe. É uma personagem que se imagina em uma festa com Martin Luther King Jr.; Nat Turner bebendo champanhe do sapatinho de Eartha Kitt, Malcolm X tendo uma conversa existencialista. Então, a festa fica tão cheia que o piso começa a tremer, as paredes a se mover, e a sala inteira se ergue do chão e sai rolando e rolando até que desaparece, dentro da cabeça dela.

"Sim, menino! Isso mesmo. Tem uma festa acontecendo bem aqui, porque estou dançando ao som da música que nasce da minha loucura. É por isso que, toda vez que ando pela rua, meus quadris balançam de um lado para o outro, porque estou dançando ao som da MINHA loucura! E todo esse tempo achei que tínhamos desistido de nossos tambores. Mas eles ainda estão aqui. Eles estão aqui. No meu jeito de andar, no meu vestido, no meu estilo, no meu sorriso e nos meus olhos. Estão dentro de mim, me conectando a tudo e a todos que já existiram. Então... querido, não tente me rotular ou me definir, porque não sou quem eu era há dez anos ou há dez minutos. Sou tudo isso e mais. E por mais que eu não possa viver na dor de ontem, não posso viver sem ela."

Eles foram à loucura!!!! Eu havia perdido cada partícula de potência e crença no meu trabalho desde que entrara na Juilliard. Na Gâmbia, em meio ao meu povo, eu a reencontrei. Encontrei a festa dentro de mim. A celebração que precisa acontecer para combater a dor e o trauma da memória. Descobri que não há como criar sem usar a nossa essência.

Por dois anos, tinha pensado que a regra fosse se apagar e se negar. Era o que eu estava fazendo. Perder a voz, o discurso, o jeito de andar, o rosto... perder a negritude. Perder e enterrar a essência do que faz você ser *quem é* e criar algo sem alegria, mas cheio de técnica.

Depois daquele rugido estrondoso da plateia, Chuck acalmou a todos e nos chamou para formar um círculo de reza. Fizemos uma oração em agradecimento. Agradecemos a eles pela hospitalidade, pela sabedoria. Agradecemos pelo amor e dissemos que nunca os esqueceríamos. Eles choraram, gritaram e começaram a choramingar. Então, começaram a dançar e a pegar os tambores, ali mesmo no hotel. Era, ironicamente, a festa sobre a qual falei em meu monólogo. Estávamos todos pingando de suor. De repente, vi a expressão de Kris World mudar. Ela gritou: "Viola, olha!" A multidão se abriu e nos fundos da sala estava a enfermeira tímida! Eu nem sabia que ela estava ali. Ela veio entrando no círculo, dançando!!! Fazia a dança que aprendemos com os diolas, e perfeitamente!! Estava quase em transe e continuou dançando até estar na frente de Chuck Davis. Ele a encarava, e ela dançou e dançou até que suor e lágrimas rolassem pelo seu rosto.

Fui embora da África seis quilos mais magra, quatro tons mais retinta e tão mudada que eu não poderia voltar a ser o que era.

Sentia-me sempre tão deslocada na Juilliard porque não estava à vontade dentro de mim. Lutava contra uma ideologia sobre o que era um ator, tudo vinha das profundezas da supremacia branca. O conceito dos "clássicos" sendo a base de tudo. A questão é que eu estava na terra dos clássicos. Na África, existe o equivalente de cada instrumento "clássico" conhecido pela humanidade, e são mais antigos do que qualquer instrumento europeu. Havia uma proficiência "técnica" conectada aos tambores, à dança, à música, à contação de histórias. Por que interpretar personagens negros é "limitante", enquanto atores brancos são "versáteis" ao interpretarem personagens brancos? Por que tenho que ser pequena, magra e mais clara do que uma sacola de papel pardo para ser considerada atraente? Estou interpretando uma personagem. Não é pornografia. Fui alimentada com mentiras por dois anos, e a pior parte é que acreditei nelas porque não conseguia combatê-las.

A África exorcizou esses demônios.

Quando voltei, ninguém me reconhecia. Apresentei meu espetáculo solo no meu terceiro ano com tudo o que aprendi na Gâmbia. Eu podia fazer o que quisesse e queria usar a mim mesma. Foi uma verdadeira catarse. Não carregava mais o peso do discurso, da voz e de tudo que me ensinaram e que estava me sufocando. Eu me guiava pela frase: "Pare de fazer amor com o que está te matando."

Um ano depois, Mark Schlegel trabalhava em uma agência bastante conceituada na época, a J. Michael Bloom. Todos queriam fazer parte dela. Eles representavam os maiores nomes: Tom Hanks, Alec Baldwin, Wesley Snipes, Ethan Hawke, Sigourney Weaver, Kathleen Turner e Macaulay Culkin. Tinham todo mundo. Também era a agência do momento, provavelmente o equivalente à William Morris, CAA e UTA nos dias de hoje. Mark foi assistir a *The Journey of the Fifth Horse* quando interpretei uma mulher russa mais velha. Era parte fantasia, parte realismo. Eu usava uma maquiagem pesada. Ele me viu naquele papel e deixou uma mensagem no escritório da Juilliard, dizendo que queria marcar uma reunião comigo.

Eu me encontrei com ele. Mark disse que adorou meu trabalho, que via algo em mim.

— Viola, você se destacou. Seu talento e seu poder se destacaram. Queria me encontrar com você.

Nosso encontro foi de sinergia, destino, um momento perfeito. Às vezes, a atmosfera dos encontros entre atores e agentes é algo na linha *O que você pode fazer por mim? Você é um agente importante. Consiga audições para eu trabalhar. Me faça ganhar muito dinheiro*. Mas ali estava alguém que tinha me visto de verdade, que tinha visto meu talento, minhas possibilidades. Ele me apresentou aos seus colegas da agência e disse:

— Queremos fechar um contrato com você.

— Tudo bem, vamos lá.

Fora para isso que eu havia entrado na Juilliard. Eles me contrataram antes mesmo que eu me formasse. Quando cheguei às audições no fim do quarto ano, já não tinha mais que me preocupar em encontrar um agente. Amigos da faculdade me disseram: "Você devia ter esperado até depois de ter feito suas cenas, assim provavelmente teria mais opções."

Eu só precisava de um agente. A relação entre agente e ator é como um casamento. O agente tem que "entender" você. Eu era retinta, não vestia 36, não era considerada "bonita". Depois de todas as dificuldades e tribulações passadas na Juilliard por esses motivos, pensei que seria justo ter um agente que me "enxergava". Aquele agente seria a força motriz da minha carreira, meu defensor. Recebi talvez 22 ligações com propostas depois das minhas cenas — o que era um bom número, embora algumas pessoas tenham recebido sessenta —, mas nunca me arrependi de ter assinado contrato antes de fazê-las.

Existe nas redes sociais uma oposição direta entre a fantasia e a realidade do que é ser um ator. A maioria dos atores não quer ser artista, quer mesmo é ser famosa. Muitos acreditam que se forem bonitos, jovens, se tiverem um ótimo agente, então *voilá!* É um mercado bem mais instável do que parece. Não há palavras para descrever o que ocorre quando a sorte encontra o talento. E quanto a mim? Eu só queria trabalhar. Não queria voltar para Rhode Island. Para mim, isso seria o mesmo que a morte.

Finalmente faltavam apenas duas semanas para que eu me formasse na Juilliard. As últimas duas semanas seriam o salto para minha nova vida. Depois de quatro anos honrando meu ofício, era o fim. Toda dor, alegria, sofrimento, todos os triunfos, e de repente... a exatas duas semanas do dia da graduação... acordei enjoada!

[illegible]

[illegible] mesmo [illegible]

[illegible]

[illegible]

CAPÍTULO 15

O DESPERTAR

Garota, acorde! Garota, volte para a sua luta! Garota, recupere o seu poder! Garota, comece a agir como se fosse a filha de um Rei e houvesse sempre uma coroa na sua cabeça. Mesmo doente, eu ainda era Dele! Mesmo morta, eu ainda era Dele. Você sabe quem eu sou?

— Sarah Jakes Roberts

Todo mundo tem segredos. Todo mundo. Acho que a diferença é que ou morremos com eles e deixamos que nos devorem, ou os colocamos para fora, lutamos com eles (ou eles lutam conosco) até que… nos reconciliamos. Segredos são o que nos engole.

Sempre houve um segredo que era como o prego no caixão para mim… É uma memória que está fresca na minha mente, como se tivesse acontecido ontem, mas mesmo assim… está bem distante.

Duas semanas antes da formatura, acordei enjoada e ali eu já soube. Estava grávida do homem que namorava havia sete anos. Eu me lembro de tirar minhas fotos profissionais naquela semana e de ir assistir ao filme *A Bela e a Fera* no cinema e tudo o que pensava era: *Estou grávida.* Não sabia que diabos fazer a respeito daquilo. Era uma emoção muito mais forte que o medo. Foi como se todas as decisões irresponsáveis que tomei tivessem culminado naquilo. Desde que tinha iniciado minha vida sexual, o que aconteceu tarde, não sabia o que estava fazendo. Sim, você pode aprender a prevenir uma gravidez, mas... e a amar? Como ser regrada e responsável, estar no controle, estabelecer limites? Meu Deus, até mesmo garantir que teremos dinheiro para comprar camisinha ou pílula anticoncepcional? Sentia que o único compromisso inegociável que eu tinha era com a minha carreira, e ela sugava TODA a minha energia. Os demais aspectos da minha vida me sufocavam. E agora... estava grávida.

Lembro-me de ir a uma clínica perto da Juilliard. Fui bem cedinho e tive que cancelar a primeira consulta porque tinha comido. Voltei no dia seguinte. Lembro-me de entrar em várias salas. Uma para me cadastrar e pagar. Uma para fazer outro teste de gravidez. Outra para vestir a roupa cirúrgica. Cada sala parecia uma cena saída de um filme de Stanley Kubrick na qual você está muito perto da morte. Houve alguns médicos muito gentis que me colocaram na mesa cirúrgica, e então eu apaguei.

Acordei aterrorizada. Acordei como se tivesse sido atacada. A dor era enorme! Maior do que qualquer dor que já tinha sentido na vida. Eles tinham me avisado que eu poderia sentir dor, mas, cara... Existe "o que é dito", "o que você ouviu" e como é de verdade, e aquela dor NÃO ERA o que pensei que seria. A sala de recuperação tinha um monte de poltronas reclináveis posicionadas em círculo. Havia almofadas enormes em cada poltrona para conter o sangramento da cirurgia. Cada uma delas era ocupada por uma mulher e havia pelo menos umas 12 dessas poltronas. Eles nos deram suco de maçã e biscoitos. Ao meu redor, mulheres vomitavam em baldes e gritavam ou gemiam de dor. Uma mulher gritava: "Eu não podia ficar com esse! Eu não podia! Já tenho cinco e não tenho dinheiro nenhum!" Outra garota, que parecia ter uns 15 anos, gritava: "MAMÃE!!!! MAMÃE!! Eu quero minha MAMÃE!!!" E quanto a mim? Eu só chorei... e vomitei... e chorei até que a dor passasse. Fui para casa e sangrei muito por duas semanas. Caí em uma depressão que mudou a minha vida.

Minha nossa, lembro-me de ligar para o meu namorado, gritando com ele: "Onde você está? Por que não está aqui?" Para ele, o que eu tinha feito fora errado, e mesmo assim a chance de que ele não desse apoio para o bebê ou para mim era enorme. Não havia recursos financeiros ou emocionais — nada. Mais uma vez, tive que contar com um milagre para passar por obstáculos imensos e impactantes. A vida sempre pediu que eu contasse com milagres. Meu namorado enfim foi para Nova York ficar comigo por um dia, e depois foi embora. Foi um lembrete perfeito de que, por mais que eu tivesse pensado que havia evoluído e me tornado uma mulher madura, ainda não tinha chegado lá. Não havia como escapar dos acidentes terríveis da vida que podem fazer você paralisar por completo.

Os grandes coágulos de sangue me lembravam o tempo todo de que eu acabara com uma vida, e eu definitivamente, sem dúvidas, sabia que era uma vida... que eu trocara pela minha. Tente lidar com o peso dessa merda!!!

Minha mãe teve o primeiro filho aos 15 anos, e eu queria que minha vida fosse diferente. Aquele bebê não se encaixava nos meus sonhos. E quem eu era sem eles? Quanto maior o sonho, mais rapidamente a vergonha daquela pequena Viola do terceiro ano desapareceria. Quanto maior o sonho, mais pessoas não me chamariam daqueles nomes dos quais eu fugia. Quanto maior o sonho... mais digna eu poderia ser.

Eu me sentia quase desesperada para explicar isso a Deus e receber seu perdão... para ser expurgada.

Tenho um amigo judeu ortodoxo moderno. Ele me contou que um de seus rabinos disse o seguinte: "É inútil procurar um sentido. Em vez disso, pergunte-se: *O que aprendi com isso?*"

O que aprendi com tudo isso? É impossível passar pela vida livre de cicatrizes. Impossível!! É como um ringue de boxe emocional, e você passa por um round, quatro rounds ou quarenta rounds, dependendo do seu oponente. E, caramba, se seu oponente for você mesmo... você passará por quarenta. Se for Deus, mal passará por um, porque Papai do Céu vai vencer você pelo cansaço! Ele muda de forma. Você acha que está lutando com ele, gritando, dando socos, implorando por ajuda. E então ele o deixa frente a frente com... VOCÊ mesmo.

Anton Tchekhov, o grande dramaturgo russo, disse uma vez: "Enquanto você ri histericamente, sua vida está desmoronando." É a definição do que é viver.

Meu jantar de formatura, quando terminei o curso na Juilliard, foi alegre e animado. Cedric, um dos meus melhores amigos, que se formou também, se sentou comigo no chão do quarto dele e comemos pés de porco em conserva bebendo cerveja. Chupamos até a cartilagem, os ossos de porco ricos e gordurosos cheios de vinagre. Em voz alta, proclamamos aos risos que nunca contaríamos a ninguém sobre esse jantar. Tínhamos acabado! Vencido uma guerra artística, emocional e esmagadora de egos e almas.

Eu me formei na Juilliard. E vou dizer o seguinte. Eu fora uma criança pobre e agora era uma adulta pobre. Tinha um agente figurão e... nada aconteceu. Fazia testes, recebia ligações, e então outra pessoa conseguia o trabalho. Ou eu sequer chegava a fazer testes, porque era jovem demais, velha demais, retinta demais, pouco sexy. Enquanto isso, a vida continuava. Tinha aluguel para pagar. Conta de telefone, passagem de metrô, comida, empréstimos estudantis. Toda a dura realidade sobre a qual não havia pensado. Bem, eu havia, sim, mas não entendia o peso disso tudo. A essa altura, dividia um apartamento com seis outros estudantes da Juilliard, e eles também estavam penando. Por fim, um conseguiu muitos comerciais e uma novela. Outro foi chamado para um trabalho importante fora da faculdade, mas, quando acabou voltou a fazer testes. Um saiu de Nova York, e o outro ainda estava na faculdade.

Tive dois grandes momentos de epifania. O primeiro foi que estávamos vivendo a realidade dos artistas. A mentalidade dominante nas redes sociais é a de que você precisa ser uma mulher segura e empoderada.

Tem que ligar para o seu agente e dizer a ELE quais papéis você quer ou, diabos, escrevê-los para si mesma. Imploro a jovens atores que não façam isso.

Os atores privilegiados são aqueles que falam e são ouvidos. Eles são entrevistados porque chegaram ao topo da carreira e seus depoimentos são o tempo todo compartilhados nas redes sociais. Nós os consumimos e, sem ter a possibilidade de observar a realidade do ramo da atuação, aceitamos essas informações como verdadeiras. Se você chegar ao auge quando jovem e receber um salário de seis dígitos: Você. É. Privilegiado. Isso não é uma crítica. Meu Deus, todo mundo adoraria viver essa realidade. Mas a batalha é definida pela falta de escolhas, e o ator que faz o comercial de uma seguradora de carros para ter um plano de saúde tem tanta integridade quanto alguém que não aceita esse trabalho para esperar pelo papel que lhe trará um Oscar.

Uma atriz já me ligou eufórica porque o comercial dela foi selecionado e ela se qualificou para ter um plano de saúde básico para si e para toda a família. Ela tem dois filhos, um com problemas de saúde. A vida acontece enquanto sua carreira acontece. A vida é difícil. Percebi que minha felicidade não está atrelada apenas à satisfação artística, mas à satisfação com a vida. Eu devia 56 mil dólares em empréstimo estudantil. Meus miomas estavam crescendo. Eu sangrava por semanas a fio. Estava muito anêmica. Tive alopecia areata. Acordei e o cabelo do lado direito da minha cabeça tinha caído. Meu couro cabeludo estava liso como bumbum de bebê. A reação imediata seria ir ao médico. E eu teria ido, se tivesse plano de saúde. Eu ia a clínicas baratas, mas miomas, anemia e alopecia requeriam cuidado especializado. Tratamento com ginecologistas e dermatologistas. Levaria anos para eu ter dinheiro para pagar um plano de saúde.

Meu outro momento de epifania foi perceber o poder, a potência e a força vital provenientes da combinação tóxica entre colorismo e machismo. Quase todos os papéis para os quais fiz teste eram de mães que sofrem com dependência química. Fiz testes para alguns papéis em produções de baixo orçamento que pediam uma mulher negra, mas sempre descrita como tendo pele clara. Sempre! Outros testes eram para novelas; e eu me via sentada na sala de espera junto com modelos.

Comédias românticas negras estavam sendo produzidas. Havia programas incríveis na TV que mostravam a garota negra bonita que tinha autonomia e era rica. Mas nenhuma daquelas mulheres se parecia comigo. Um agente me disse qual era a palavra que todos os produtores de elenco usavam no telefone: "intercambiável". Isso significava que, mesmo que você fosse um pouquinho retinta, precisava ter o corpo menos curvilíneo, traços mais clássicos (leia-se: mais brancos). E eu não era assim.

O que torna isso ainda pior é que esse tipo de declaração não era feito apenas por executivos brancos, mas também por artistas e produtores negros. Você começa a adotar a ideologia do "opressor". Isso vira a chave para o sucesso. Culturalmente falando, muitos acreditam nessa ideologia e adotam a crença de que se você for negra, é mais feia, mais difícil, mais masculina e mais maternal do que suas colegas de pele clara. É a mentalidade racista do colorismo, a qual muitos ainda se recusam a reconhecer.

Na minha jornada para encontrar meu caminho, o melhor papel não era o maior objetivo. Ser garçonete para pagar as contas até que aquele papel incrível surgisse não era o objetivo. Eu precisava viver: esse era o objetivo. Isso foi antes dos serviços de streaming. Os estúdios não estavam produzindo grandes papéis para atores negros, pelo menos não para atores com o meu tom de pele. As probabilidades eram: um papel incrível, ou um bom cachê, ou um bom perfil, ou apenas um trabalho. Você não ganha destaque se não trabalhar.

Eis a verdade: se você pode escolher entre fazer um teste para um excelente papel e para um ruim, você é privilegiado. Isso significa não só que você tem um ótimo agente que pode lhe abrir portas, mas também que preenche os requisitos para ser considerado para o papel. Nossa profissão, a qualquer momento, tem uma taxa de 95% de desemprego. Apenas 1% dos atores ganha 50 mil dólares ou mais por ano, e apenas quatro em cada 10 mil são famosos, e nem vamos definir o que é fama aqui. Esses quatro entre os 10 mil são as histórias que chegam à mídia. Escolher papéis, largar agentes, ganhar bem menos do que colegas do sexo masculino. Nunca se arrepender dos papéis que aceitou. E por aí vai.

Quem tem escolhas tem recursos. E as necessidades de um ator de pouco mais de 20 anos não são as necessidades das outras pessoas. Plano de saúde, hipoteca e filhos não são a prioridade da maioria dos jovens de pouco mais de 20 anos. Mesmo assim, há pessoas que almejam ser atores e não sabem que não devem dar ouvidos aos depoimentos dos privilegiados. Daqueles que são extremamente talentosos, mas também extraordinariamente sortudos. A sorte é um monstro esquivo, que escolhe quando sair de sua caverna e atacar seu alvo. É um negócio de privação.

Para cada ator que alcança a fama, existem milhares que fizeram exatamente a mesma coisa e não conseguiram chegar lá. A maioria dos atores que conheci na Juilliard, na Rhode Island College, no Circle in the Square Theatre e na competição Arts Recognition Talent Search não está mais no ramo. Acho que posso citar seis que continuaram, e a maioria você não conheceria. Isso não tem a ver com o talento deles, é a natureza desse meio. Acredite em mim quando digo que a maioria era bonita e talentosa, e alguns tinham agentes incríveis. É um jogo de uni-duni-tê que envolve sorte, networking, destino, tempo de carreira e, às vezes, talento.

Você faz testes de acordo com o nível em que está. É difícil perceber em que momento sua jornada para o topo foi mais fácil, mas a verdade é que não há facilidade. Mesmo que você faça o que a pessoa sortuda fez, há 99% de chance de as coisas não darem certo para você. Apenas mais ou menos 4% dos atores filiados ao sindicato Screen Actors Guild and American Federation of Television and Radio Artists (SAG-AFTRA) ganham o suficiente para ter direito a um plano de saúde, e isso significa que precisam ganhar pelo menos 20 mil dólares por ano. Essa é a nossa realidade.

Em nossa sociedade, há o pensamento muito difundido de não aceitar nada que esteja "abaixo" de você. Essa mentalidade é algo difícil de se manter nesse ramo. Aqui está uma pergunta melhor: você quer ser ator ou quer ser um ator famoso? Se quer ser famoso, como o grande Alan Arkin disse, terá dificuldades. Se quiser ser ator, dará um jeito. Tome cuidado com atores que dizem que vivem recusando trabalhos e nunca escolheram fazer uma temporada de teatro recebendo apenas 250 dólares por semana para se sentirem realizados. A fama é inebriante.

Aos 28 anos eu estava acordando para a realidade. Estava me conscientizando do que significava ser uma mulher adulta, cuidando de mim mesma, mas também explorando como era me sentir realizada no meu ofício. Eram coisas completamente opostas. Eu também era uma grande farsa em alguns aspectos. Por um lado, estava paralisada. Tinha muito medo de procurar pela cidade e acabar encontrando um trabalho "só para pagar as contas". Tivera tantos trabalhos assim no passado, e a ideia de ter que equilibrar isso com os testes estava pesando demais. Além disso, como eu fazia testes para teatro, cinema e TV, precisava de espaço para ensaiar. Passei anos me preparando no ônibus, no metrô e em pórticos de entrada de prédios. Eu precisava de espaço apenas para me concentrar no trabalho. Naquele primeiro ano, tudo era difícil e claustrofóbico. Tive momentos não de fome propriamente dita, mas de dificuldades. Era a realidade de ser uma atriz profissional.

Meu aluguel custava apenas 250 dólares, e às vezes era difícil conseguir até mesmo esse dinheiro. Mas eu queria ser excelente no que fazia, apesar de não saber como pagaria as contas. E por falar nelas, eu usava muito o telefone, gastava centenas de dólares e tinha contas altíssimas. Isso foi antes do celular, quando era necessário pagar por ligações de longa distância. Comia asinhas de frango todos os dias. Três xícaras de arroz branco no restaurante chinês custavam um dólar e vinte centavos. Metade disso custava sessenta centavos. As asinhas de frango custavam três dólares, e eu as comprava quando podia. Do contrário, minha proteína era arenque seco, salgado e defumado, que eu comprava nos mercados espanhóis. Dormia em um futon no chão do quarto que dividia com minha amiga Pilar. Toda a minha vida tinha sido de dificuldade e sobrevivência. Eu me sustentava desde os 17 anos. O fato de ser difícil, uma merda, não era novidade, mas o maior problema era conseguir manter a esperança e continuar acreditando em mim. Depois, encontrar uma comunidade artística que me apoiasse, enquanto eu lutava com todas as forças para sobreviver. Atuar era uma escolha, talvez uma escolha masoquista.

Meu primeiro trabalho quando saí da faculdade foi como atriz substituta de Danitra Vance, que interpretava a personagem Marisol em uma peça de José Rivera no Public Theater, fundado por Joseph Papp. Danitra foi a primeira mulher negra no *Saturday Night Live* e criou uma esquete famosa chamada "That Black Girl". Era uma paródia do programa de Marlo Thomas nos anos 1970, *That Girl*. Danitra era extraordinária. Ela escrevia, cantava, atuava. Quando cheguei para ser sua substituta, ela tratava um câncer de mama em metástase.

Danitra ia à quimioterapia durante o dia e à noite fazia o espetáculo. Os tumores haviam se espalhado para a coluna. Eu não sabia disso até conversarmos um dia no camarim, e ela tirou a blusa. Foi a primeira vez que vi uma cicatriz de mastectomia.

Eu ganhava 250 dólares por semana e adorava. Nunca atuei ao longo das quatro ou cinco semanas em que trabalhei, mas tive uma conexão com Danitra. Lembro-me de ajudá-la a se mudar e de ouvir suas histórias. Eu adorava ouvir histórias. Quando soube que ela estava morrendo, liguei para ela e sua voz estava muito fraca.

— Como você está? — perguntou ela.

— Estou bem — respondi.

Eu ia reclamar sobre conseguir papéis e manter um fluxo de trabalho estável, mas tudo parecia irrelevante naquele momento.

— Como você está? — perguntei.

— Com raiva.

Silêncio.

— Do que você está com raiva, Danitra?

Eu só queria que ela falasse. A voz dela estava muito fraca e rouca. O câncer havia se espalhado e não havia nada que os médicos pudessem fazer. Ela estava morrendo.

— Estou com raiva disso. Estou com raiva de estar morrendo.

— Danitra, eu sinto muito.

— Eu sei. Eu te amo. Estou cansada. Preciso desligar.

Um amigo em comum, Tommy Hollis, me contou uma história sobre Danitra. Ele disse que assistiu a uma performance dela chamada "The Feminist Stripper". Ela subia no palco e começava a se despir. Havia música tocando, e ela fazia piadas enquanto tirava a roupa. Todo mundo rolava no chão de tanto rir e a aplaudia. Ela chegava às roupas de baixo e ficava de costas para a plateia, provocante, antes de tirar o sutiã. Então se virava e revelava a cicatriz da mastectomia; um grande X feito de fita a cobria. A reação era de silêncio coletivo, uma quietude implacável no ambiente. Todos foram forçados a encarar a mulher que estava naquele corpo, e não apenas o corpo em si. Tommy contou que seu coração quis sair pela boca e que nunca esqueceria aquela experiência.

Ela morreu mais ou menos dois meses depois. Suas últimas palavras foram: "Vão pra rua festejar."

Morte, vida adulta, responsabilidades. Todas as coisas que nunca estudei na faculdade e sobre as quais ninguém fala. E em meio a tudo isso, o trabalho e os testes aos poucos começaram a aparecer. Não há páginas ou capacidade de memória suficientes para explicar os testes. O produtor de elenco contratado liga para um agente de acordo com as necessidades do filme, do programa de TV ou da peça em questão. Caso você se encaixe na descrição, se tiver a visibilidade que o projeto requer e se a sua agência for poderosa o bastante, será chamado para um teste.

Naquela época, quase todos os papéis para os quais eu me encaixava eram de mães com alguma dependência química. Meu agente me enviava outros. Papéis de atriz negra descrita como "bonita" ou "atraente". Eu usava maquiagem, arrumava meu cabelo e nunca conseguia os papéis, mesmo que os produtores fossem negros. Aceitava os trabalhos que me eram dados. Voltei à Trinity Rep e atuei em duas peças. Fui trabalhar no Guthrie Theater com a famosa diretora JoAnne Akalaitis em uma peça chamada *The Rover*, de Aphra Behn. Voltei à Trinity Rep para atuar em *Um conto de Natal*, de Dickens, e em *Red Noses*, de Peter Barnes. Foi durante *Red Noses* que recebi uma ligação do meu agente em Nova York a respeito de *Seven Guitars*, de August Wilson. O incrível Lloyd Richards ia dirigir. Fiquei muito animada. A peça seria exibida na Broadway, mas, antes seria desenvolvida no Goodman Theatre, em Chicago, na Huntington Theatre Company, em Boston, no A.C.T. (American Conservatory Theater), em São Francisco, e no Ahmanson Theatre, em Los Angeles. Estrearíamos um ano depois no Walter Kerr Theatre, em Nova York.

Estudei o roteiro à exaustão. A personagem era Vera. Ela tinha levado um fora do namorado, Floyd Barton, que, enquanto estava na cadeia, gravou uma canção que virou um sucesso. Agora ele estava saindo da prisão e me queria ao seu lado. Era uma linda cena de mágoa, dor, saudade, amor. Era eu. Não foi preciso muito para me conectar àquela parte de mim mesma. Estava bastante nervosa para o teste, mas ao mesmo tempo muito empolgada. Era algo importante. Peguei o trem para Nova York. Já tinha tudo memorizado. Na época, não decorava todas as falas da maioria dos testes de teatro porque as cenas tinham muitas páginas.

Uma audição de TV/cinema costumava ter uma página ou duas. Uma audição de teatro podia ter nove, dez ou mais. Quando eu recebia o roteiro de última hora, precisando estudar o personagem, a peça e o contexto, às vezes sobrava pouco tempo para decorar o texto. Mas aquela foi uma das raras ocasiões em que eu sabia as falas de cor. Desde o início, elas faziam parte de mim.

Lloyd Richards, o diretor, era um homem baixinho e calado. Ele tinha dirigido a produção original de *O sol tornará a brilhar*, com Sidney Poitier, Ruby Dee, Diana Sands e Glynn Turman. Eu queria muito aquele trabalho. Nunca fui uma atriz supercompetitiva, nem tinha coragem de admitir quando queria alguma coisa. Deixava a vida me levar. Ficava feliz em dizer simplesmente: “Oi! Isso, meu nome é Viola Davis e sou atriz.” Mas, naquele dia, eu queria o trabalho. E a produtora de elenco, Meg Simon, queria que eu conseguisse. Ela me vira entrar e sair de testes para muitos papéis ao longo dos anos, sem nunca conseguir nada. A audição começou e eu me sentia bem, mas não incrível. Era uma cena que terminava com um monólogo sobre como Vera estava raivosa por ter sido deixada e como Floyd lhe fazia falta. Começava com raiva e aos poucos se transformava nela se lembrando do quanto sentia falta dele, do seu toque.

Houve um silêncio.

Lloyd sorriu para mim e disse em tom suave:

— Quero que você repita a cena. Desta vez, gostaria que pensasse que ela não quer lidar com esses sentimentos.

Ele estava me pedindo para segurar a emoção até que eu não pudesse mais, como naqueles momentos da vida em que você tenta comunicar um pensamento a uma pessoa querida e, de repente, uma grande onda de mágoa e vulnerabilidade emerge e a surpreende. Então repeti a cena. Foi um momento mágico. O momento que requer preparação, mas também sorte, destino, Deus. É ali que tudo se alinha. Terminei a cena e Lloyd disse:

— Obrigado.

Peguei o trem de volta para Providence depois de falar com meu agente e anunciar: “Acho que fui muito bem.” Tenho a tendência de subestimar meu desempenho em testes. Às vezes, você acha que fez um ótimo teste, recebe um retorno ótimo, mas não consegue o papel. Ou descobre que foi bom, mas não excelente. Ou descobre que, aos olhos do produtor, do diretor, você foi simplesmente péssimo. É como disse Whoopi Goldberg: “Fui mal muitas vezes. Fui bem algumas vezes e fui ótima apenas de vez em quando.”

No dia seguinte, descobri que tinha conseguido o papel. Chorei. Só chorei duas vezes ao saber que tinha conseguido um papel. Mas caramba, caramba. Foi o primeiro trabalho realmente grande da minha carreira, e fiquei feliz demais.

Quando fui escalada para *Seven Guitars*, eu tinha entregado meu apartamento em Nova York. Nunca estava em casa. Estava sempre viajando. Esse é outro aspecto do ramo sobre o qual ninguém fala. Estar longe de casa ou não ter uma. É levar uma vida de nômade. A casa onde colocam você se torna seu lar até não ser mais.

A primeira parada em Chicago foi muito difícil. As temperaturas chegavam a três graus abaixo de zero. Passei minhas folgas no sofá com o aquecedor no máximo, mais um aquecedor portátil e um cobertor enorme por cima de mim. E eu ainda tremia. Trabalhando em Chicago, minhas alegrias eram a Michigan Avenue, ir ao supermercado, malhar durante o dia e atuar à noite. Eu estava feliz. Senti que estava crescendo e mudando de uma forma surpreendente. Eu me sentia independente e segura.

Seven Guitars teve uma temporada longa. Fomos da Chicago congelante para a Huntington Theatre Company, em Boston, que naquela época tinha problema com ratos. Dá para acreditar? Estávamos relaxando na área comum e um rato passava correndo! Caramba. O grande ator sul-africano Zakes Mokae entrou para o elenco — e na época não sabíamos, mas ele estava nos primeiros estágios do Alzheimer. Ele era um homem lindo, mas não conseguia lembrar as falas de seu personagem. A coisa ficou tão ruim em Boston que a produção posicionou quatro pessoas com o roteiro em vários pontos perto do palco, prontas para gritar as falas. E falo sério, gritar mesmo.

Até que ele passou a levar o roteiro para o palco... durante a apresentação... com a plateia presente. Foi uma situação cruel e difícil, que resume o dito popular de que "o show não pode parar". Também ilustra o pensamento de que tudo pode acontecer em cena quando se está ao vivo no teatro. É uma preparação que desafia a compreensão. E as coisas só pioraram. Quando chegamos a São Francisco, Mokae tinha sido dispensado, o que foi de partir o coração. E um ator chamado Roger Robinson, que era maravilhoso, foi contratado.

Quando você está numa produção pré-Broadway, o roteiro vai sofrendo alterações. Ainda há mudanças no texto, ensaios. Quando estávamos no A.C.T., em São Francisco, a peça tinha quatro horas de duração e nos apresentávamos nove vezes por semana em vez de oito. Durante o dia, ensaiávamos por oito horas. Estávamos exaustos. Nesse tempo, aprendi a difícil lição do que significa ser um grande produtor. A energia e a saúde do ator devem ser a prioridade. Ninguém do elenco vinha dormindo o suficiente. Nós literalmente pegávamos no sono no palco. Dormi no set enquanto esperava para subir no palco durante um ensaio técnico. Acordei assustada, sem saber onde estava. Mas também havia momentos bons, especiais e inesquecíveis. Tommy Hollis, que já faleceu, interpretava o personagem de Red Carter na peça. Ele era um verdadeiro homem do campo. Eu o amava.

Passávamos horas conversando à noite. Falávamos sobre tudo. Reclamávamos do espetáculo. Conversávamos sobre os comentários das pessoas que tinham ido assistir. Falávamos dos medos, esperanças, sonhos. Ele me fazia sanduíches de pescoço de porco com molho picante. Isso mesmo. E eu comia. Ele deixava sanduíches de peru com farofa de pão de milho e calda de cranberry na minha porta. Anos mais tarde, depois do 11 de Setembro, tentei ligar para ele como sempre fazia, mas ninguém atendeu. Alguns dias depois, tentei ligar para todas as pessoas que conhecia em Nova York pedindo que alguém fosse ao apartamento dele. Enfim, Roger Robinson foi até lá. Ele disse que dava para sentir o cheiro do corpo de Tommy em decomposição quando chegou à porta. Foi preciso chamar o porteiro para abri-la. Tommy estava morto havia uma semana. Ele era uma alma linda e conflituosa. Fiquei arrasada.

Quando chegamos a Los Angeles para apresentar *Seven Guitars* estávamos em êxtase. Ai, meu Deus. Todo mundo foi ver o espetáculo — Halle Berry, Angela Bassett, todo mundo. O caminho até lá foi um saco. Mas quando saímos de Los Angeles e chegamos a Nova York, em um dia chuvoso no fim de março de 1996, tínhamos uma máquina em perfeito funcionamento. Muita coisa nesse ramo é anticlimática.

Não é tão glamoroso quanto as pessoas pensam, e é bem mais solitário. Mas, cara, Broadway? Faz jus a tudo o que se acredita que esse ramo pode ser. Satisfaz tanto a parte glamorosa quanto a profissional. Satisfaz a comunidade e a camaradagem. É um sonho. Mais que o Oscar. Mais que o Emmy. Cada um desses tem seu lado negativo. A Broadway é tudo o que se imagina; faz jus a cada pedacinho do sonho.

Houve momentos na minha vida que fizeram jus às expectativas, como adotar minha bebê — o amor que você tem por um filho (mesmo quando ele o enlouquece) é tudo, perfeição absoluta, na minha opinião. Tudo bem, esse é o número um. O número dois: me casar. Eu amei! Não tive nenhum estresse. Por isso fiz três cerimônias de casamento com meu marido. Cada uma delas está entre os dias mais perfeitos de toda a minha vida. Ganhar um Oscar, um prêmio da Screen Actors Guild — alguns momentos perfeitos. Mas estrear na Broadway, no dia 28 de março de 1996, certamente fez jus às expectativas. Foi perfeito. Foi tudo o que sonhei.

Quando era uma garotinha que sonhava em ser atriz, eu dizia: "Quero que as pessoas joguem flores para mim no palco." Aquela noite de estreia de *Seven Guitars* na Broadway foi muito além de fantástica pra caralho. Foi como se alguém me desse uma grande injeção de adrenalina e da droga mais feliz do mundo. Há flores no camarim. Você ganha presentes. E então entra em cena! Nunca vou muito bem na noite de estreia na Broadway. Estou sempre nervosa demais. Mas não importa. Quando a peça estreia, os críticos já assistiram. E todas as críticas saem depois da noite de estreia.

Eu me lembro de estar muito nervosa devido à ansiedade por tudo que aquilo envolvia. Esperar pelas críticas e pela forma como a peça será recebida gera essa sensação. Principalmente quando você trabalhou no espetáculo por um ano, desenvolvendo-o, fazendo cortes, substituindo atores… etc. *Seven Guitars* era exatamente isso, sete personagens em harmonia. Vera chega ao seu monólogo final. Ela fala sobre uma visão que teve depois de enterrar Floyd "Schoolboy" Barton, o amor de sua vida: "(...) Tentei chamar o nome de Floyd, mas nada saía da minha boca. Parecia que ele havia começado a andar mais rápido. A única coisa que posso fazer aqui é dizer adeus. Acenei para ele e ele subiu aos céus."

Um texto chocante e que eu sabia que afetaria meus pais, que acreditavam em mitos, espíritos e rituais. Era uma peça em que não apenas poderiam ver meu trabalho, mas que tinha uma escrita que era sobre ELES. Ao fim da noite de estreia de *Seven Guitars* na Broadway, quando estávamos todos no palco e as luzes se acenderam, câmeras de televisão focadas no meu rosto, todos usando smokings e vestidos de gala de pé gritando e aplaudindo estrondosamente, vi MaMama e papai. Meu pai estava chorando, aplaudindo, olhando para todo mundo, e eu sabia que seu coração batia forte no peito. Ele estava lindo, com um smoking preto; sempre conseguia se arrumar bem. Minha mãe batia palmas descontroladamente. Eu os hospedara em um hotel em frente ao teatro, e eles estavam muito felizes. Era um Best Western, mas para eles era como o Four Seasons. Ter minha família e amigos lá foi tudo com que eu sonhara.

A festa aconteceu no grande salão de festas no Marriott Marquis. Halle Berry, Laurence Fishburne e outros atores maravilhosos que sempre admirei estavam lá.

Todo mundo vai à Broadway. Havia um interfone em cada camarim. Após cada apresentação, o gerente de palco lá embaixo dizia pelo interfone: "Vanessa Redgrave está aqui para ver o elenco de *Seven Guitars*. Denzel e Pauletta Washington estão aqui para ver o elenco. Barbra Streisand está aqui para ver Viola Davis, Rosalyn Coleman, Ruben Santiago-Hudson, Michelle Shay, Tommy Hollis e Keith David." Todo mundo vai se encontrar com você. Literalmente. Perdi a conta de com quantas pessoas falei — produtores, diretores, agentes — enquanto atuei em *Seven Guitars*.

Mas antes da noite de estreia, temos que botar a mão na massa. A recompensa do trabalho vem depois. Lloyd Richards era muito bom em organizar tudo, em transformar os atores numa companhia. Ele não se importava com quem tinha o nome anunciado na fachada, com quem era o ator principal; a atuação enquanto um negócio não lhe interessava. Ele acreditava que levava muito tempo para um elenco se tornar uma companhia de atores sincronizados. Somente no último ensaio em Nova York, quando nos reuniu no palco, foi que falou sobre sua experiência e como era incrível trabalhar conosco. Ele enfim nos olhou intensamente e disse, após uma longa pausa: "Agora vocês são uma companhia!" Lloyd representava os últimos vestígios da mentalidade vanguardista. Uma mentalidade que de fato se tornou rara.

Tudo foi merecido. *Seven Guitars* foi uma etapa significativa do meu crescimento como atriz. Fez diferença para então tomar a decisão de me tornar atriz, depois trabalhar para ser a melhor profissional possível, e enfim pôr à prova tudo o que eu aprendera. Também me ensinou muito sobre a vida. Não há palavras para descrever "a porta do palco". É a porta do teatro por onde o ator sai depois da performance. Geralmente, as pessoas da plateia esperam ali para falar com você. Isso não acontece quando você faz televisão ou cinema.

Muitas vezes só encontramos os fãs ou críticos quando vamos ao supermercado ou ao shopping. No teatro, você fica cara a cara com eles toda noite. Aprendi sobre a generosidade de outros atores, o comprometimento e o apoio da comunidade. E também já conheci o outro lado. A crueldade e a inveja sem limites em um ramo de muita corrupção. A inveja é a mais cruel das emoções. E o que a torna tão cruel é a falta de domínio.

Apesar do lado bom e do ruim, fui indicada para os prêmios Tony. Eu assistia à premiação todo ano. Corria para a escola no dia seguinte e perguntava a todo mundo: "Você assistiu à cerimônia do Tony ontem à noite?" Mas quase sempre ficava sozinha nessa; geralmente só eu e meu amigo do ensino médio, Angelo, é que víamos. Bem, lá estava eu recebendo uma indicação para um Tony. Fiquei sabendo ao conferir a caixa postal do meu telefone. Isso foi na época em que precisávamos pagar para ouvir nossas mensagens. Custava uns seis ou dez dólares por mês. Podíamos ligar de qualquer número a qualquer hora e ouvir nossas mensagens. Na manhã das indicações do Tony, fui a Rhode Island relaxar. Mais tarde, chequei minhas mensagens e havia uma do meu agente, Mark Schlegel, pedindo que eu ligasse de volta. Quando liguei, ele disse:

— Viola. Você foi indicada ao Tony!

Eu vibrei. Estava em um telefone público. Vibrei! Peguei um ônibus até a casa dos meus pais e entrei gritando:

— FUI INDICADA PARA O TONY!

Meus pais e minhas sobrinhas começaram a gritar:

— Uhuuu, tia!

Eles não sabiam o que aquilo significava, mas estavam felizes por mim. Pularam ao meu redor. Em um mundo e em um ramo em que as amizades se transformam, mudam, em que confiança, amor e lealdade são efêmeros, essa lembrança se destaca como uma pérola.

Mark, meu agente, me disse:

— Viola, você tem pais incríveis.

Essa afirmação me chocou.

— Tenho?

— Tem, sim — confirmou ele. — Eles são incríveis.

Perguntei por que ele estava dizendo isso.

— Estou neste ramo há algum tempo e já vi muitos pais de atores. Eles acabam se importando mais com eles mesmos do que com os filhos. Seus pais não são assim nem de longe. Eles só querem te ver voar. Estão felizes por você.

Foi uma semente plantada que me fez olhar para os meus pais sob uma luz totalmente diferente. Essa observação me acordou.

Minha primeira premiação foi a do Tony. Eu lembro que Nathan Lane a apresentava. Savion Glover, de *Bring in da Noise! Bring in da Funk*, dirigida por George C. Wolfe, se apresentou. O elenco de *Rent* também. Minha irmã Dianne foi comigo e ficou dizendo: "Uau! Meu Deus! Não acredito nisso. Não acredito. Não acredito que estou aqui." Vimos a excelente Zoe Caldwell ganhar por *Master Class*, e Audra

McDonald pela mesma peça. No meu mundo, eu havia conseguido, o que quer que isso significasse. Eu tinha conseguido apenas por estar na companhia das duas.

Assim como o cinema, em que há prêmios precursores antes do Oscar, o teatro também tem. O Outer Critics Circle Awards, por exemplo, o Drama Desk, o Drama League e o Theatre World Awards para Atuação Revelação na Broadway — ganhei este e fiquei feliz demais. Não precisei ouvir as previsões de quem ganharia. Isso foi antes do Google, dos sites sobre prêmios e de pessoas desconhecidas ganharem destaque avaliando as melhores atuações. Não havia palpites de influenciadores com pouco conhecimento do que fazemos enquanto artistas. Com exceção, é óbvio, dos críticos da época: John Simon, Frank Rich, Vincent Canby. Mas eles tinham bagagem e senso estético. Eram bons tempos.

Essa alegria renovada era como uma espécie de gangorra. Minha irmã Danielle teve o primeiro filho aos 17 anos. Todos tentamos mantê-la no caminho certo, mas ela entrou na adolescência e começou a se rebelar. Na época, nenhuma de nós estava por perto. Ela chamou o primeiro filho de Derek. Um lindo bebê. Meus pais ainda viviam na pobreza e ajudei de todas as formas que pude enquanto vivia em Nova York, pagando o empréstimo estudantil, equilibrando minhas despesas; aquela garotinha com catarro escorrendo do nariz e correndo para salvar a própria pele sempre sentiu que tinha uma grande responsabilidade. Eu era movida pela necessidade de salvar todo mundo. Sentia que, se eu salvasse quem quer que fosse, teria encontrado meu propósito, e era assim que as coisas deveriam ser. Quem consegue sair retorna para resgatar os outros.

Meus pais agora estavam morando na Parker Street, no apartamento do primeiro andar. Um salário baixo como ator na Broadway é de 1.500 dólares por semana. Quando cheguei à Broadway com *Seven Guitars*, eu ganhava 2.500 dólares por semana, além de um bônus de quinhentos dólares pela minha indicação ao Tony. Parecia dinheiro de verdade, ainda mais somando a esse valor o cachê por outros trabalhos. *Seven Guitars* ficou em cartaz por um ano em várias cidades, o que é uma longa temporada para um espetáculo. Quando estávamos na estrada, eu ganhava 1.500 dólares por semana e fui alojada no que, na época, pareciam apartamentos muito bons. Quando chegamos a Nova York, era cada um por si. Precisei encontrar outro lugar para morar, já que havia entregado meu apartamento no ano anterior.

Procurar um lugar para morar em Nova York é uma tarefa angustiante, capaz de exaurir qualquer um. Encontrei um apartamento para dividir com mais três pessoas. Um dos meus colegas era um ator da Trinity Rep. Era um apartamento enorme no Upper West Side. Eu, mais uma vez, aceitei imediatamente porque estava na estrada e não queria passar pelo estresse de procurar um lugar para morar enquanto estreava na Broadway. Por sorte, não foi igual à minha experiência no apartamento de Susan. Mas, cara, pode acreditar que prendi a respiração ao abrir a porta.

A quantidade de dinheiro que minha família me pedia começou a mudar. Quando você está ganhando aproximadamente seiscentos dólares por semana e trabalha mais do que as outras pessoas da família, elas pedem vinte, 25 dólares. Quando você está na Broadway, pedem cem, duzentos dólares. A família começa a contar com o seu dinheiro, porque sempre acham que você está ganhando mais do que realmente está. Mais tarde, começa a entrar no território do "compre uma casa para mim, compre um carro para mim". Se você não toma cuidado, pode acabar cedendo, porque a necessidade é grande e muito verdadeira.

Perdi a conta de quantas ligações recebi me pedindo para pagar contas de gás e compras de supermercado. A princípio, eu enviava dinheiro para a comida — o que durava por dois ou três dias. Eles me pediam mais. Então comecei a fazer as compras eu mesma e mandava entregar, quando o serviço estava disponível. A necessidade é infinita. É esgotante. Você está no processo de cura, dando conta de tudo mesmo estando exausta. O sucesso é uma coisa maravilhosa, mas não é quem você é. A pessoa que é você é algo muito mais abstrato e emocional, mais etéreo, do que apenas o sucesso externo. *Seven Guitars* deu início a um efeito dominó.

Meu pai mudou consideravelmente. Ele ainda bebia muito, mas seus acessos de raiva pararam por completo. Um cavalheiro gentil e amável surgiu. Ele se dedicava a ajudar minha mãe, a atender às necessidades dela. Eles tinham conseguido a guarda dos filhos do meu irmão. John, o primogênito, nasceu com sintomas de síndrome de abstinência neonatal. A mãe dele, namorada do meu irmão, deu à luz enquanto estava na rua. Ela era usuária de crack e cocaína. A temperatura estava literalmente abaixo de zero, e ela estava se prostituindo quando entrou em trabalho de parto.

Os sintomas de abstinência do pequeno John eram tão severos que sentíamos que precisávamos segurá-lo com força ou ele ia tombar para fora dos nossos braços. Ele ficou no hospital por muito tempo. Eu chegava lá cedinho, às oito e meia ou nove da manhã, e encontrava meu pai, que já estava no hospital havia horas. Ele caminhava de Central Falls até Pawtucket, pegava o ônibus para o centro de Providence e andava o resto do caminho até o Hasbro Hospital. Era uma jornada pesada no auge do inverno, mas ele e minha mãe, principalmente meu pai, estavam lá todos os dias. Ele simplesmente segurava o bebê e continuava a sussurrar como ele era amado. O segundo filho do meu irmão, Daniel, nasceu alguns anos depois e meus pais conseguiram a guarda dele também. Meu irmão e a namorada não tinham recursos para ajudar.

O fardo deles se tornou o meu fardo. Eu não sabia como negar os pedidos por comida, dinheiro para pagamento de serviços. As necessidades eram enormes e começaram a aumentar. Eu não sabia que os problemas do meu irmão não eram problemas meus. Eu havia criado uma vida para mim e constantemente perguntava a Deus: *Quando vou poder aproveitar essa vida em sua plenitude?* Além disso, eu simplesmente não tinha todo aquele dinheiro.

O único indicador de que a temporada de uma peça está encerrando é a quantidade de ingressos vendidos. Se não vende, você está diante de uma temporada curta e, quando ela acabar, precisará do seguro-desemprego se não receber outra oferta de trabalho.

O valor oferecido como pagamento semanal não inclui os descontos com impostos e o pagamento do agente. Os agentes em geral recebem 10% de tudo o que um ator ganha, e o Tio Sam também pega a parte dele. Quando se trabalha no teatro, no cinema ou na TV, a produção paga os seus voos e a sua hospedagem. No teatro, escolhem a hospedagem e pagam um voo na classe econômica. No cinema e na TV, o voo é de primeira classe, a hospedagem é cinco estrelas e oferecem um subsídio por diária, os dois últimos variando de pessoa para pessoa. Tudo é baseado na influência, no potencial de bilheteria e nas habilidades de negociação do agente. Se um ator for abençoado e sortudo a ponto de conseguir um cachê de um milhão de dólares, desconte desse valor os impostos, os 10% do agente, os 10% do empresário, se tiver um, de 2% a 5% para um advogado, e pelo menos de 3 a 15 mil dólares por mês para uma assessoria de imprensa.

Por que um ator precisa de um advogado? O advogado sabe quanto dinheiro está em jogo. Legalmente, ele garante que tudo no seu contrato esteja com os termos corretos e, mais importante, eles têm a informação privilegiada de quanto outros atores do seu nível estão recebendo. O orçamento de um filme, seu papel e seus posicionamentos no ramo determinam o valor do seu cachê. A parte injusta de tudo isso é que você não necessariamente é pago de acordo com seu talento. Você é pago por "colocar pagantes nos assentos". A questão com a maioria das pessoas multirraciais é que seus filmes não são distribuídos e promovidos o bastante para garantir que haja quem ocupe os assentos, e isso mantém você trabalhando intensamente para conseguir um salário satisfatório.

O teatro é uma fera diferente. Nunca pensei em mim como alguém passando por dificuldades durante esse período. Embora, a certa altura, tenha feito uma peça em Newton, Massachusetts. Fiquei hospedada no porão inacabado da minha irmã em Pawtucket. Andava até o ponto de ônibus a meia hora de distância para ir a Boston. Sim! O ônibus de novo. Quando chegava a Boston, eu andava até a estação e levava mais trinta minutos no metrô até Newton, onde me apresentava em uma igreja.

A peça era *Jar the Floor*, de Cheryl West, dirigida por Woodie King Jr. Depois, *Coming of the Hurricane*, de Keith Glover, no histórico teatro negro Crossroads, em Nova Jersey. *God's Heart*, de Craig Lucas, no Mitzi E. Newhouse, no Lincoln Center. Em seguida, *Everybody's Ruby*, de Thulani Davis, dirigido por Kenny Leon. Eu apenas ia aonde o trabalho estava.

No início da minha carreira, quando fiz *The Rover* no Guthrie Theater, morei em Mineápolis por seis meses, e esse período foi um divisor de águas para mim. Eu tinha 28 anos e, quando voltei a Nova York, ao final da peça, tive uma epifania. Estava na sala de estar do apartamento que dividia no Brooklyn falando com minha amiga, Michelle O'Neil, colega de apartamento que conheci na Julliard. No meio da conversa, fiz uma pergunta aleatória:

— Por que será que só encontro caras babacas?

Ela me encarou e disse:

— Já parou para pensar que o problema pode ser você?

A princípio, pensei que aquilo vinha de uma mágoa que ela carregava por eu nunca dividir minha comida na faculdade. Eu reagia com hostilidade em relação a qualquer um que me pedisse comida, e ela era uma dessas pessoas. Mas ela falou com muita naturalidade. Essa foi uma daquelas verdades que são como o golpe de um martelo e que te deixam sem ar.

Eu me lembro de estar usando meu vestido preto curto, minha sandália plataforma estilo anos 1970. Na época estava com tranças e usava um colar de búzios. Eu achava meu visual marcante, com personalidade. Era original, autêntico, mas eram só roupas. Ela não estava olhando para isso. Estava olhando para mim. Eu estava fazendo um esforço enorme para não ser vista. Meu estilo era a minha distração. Graças ao destino, pouco tempo depois, meu amigo Gary, que vivia em Los Angeles, sugeriu que eu fizesse terapia porque ele estava fazendo e gostando. Eu disse que não podia pagar. Esse assunto pairava em todas as nossas conversas.

Só de pensar em remexer todas as merdas que tinham acontecido na minha vida e me conectar comigo mesma... era quase como limpar debaixo de nossas camas no 128, temendo que ratos aparecessem e nos mordessem. Minha última lembrança dos ratos era do nosso porão depois de uma enchente terrível. O lugar ficou embaixo d'água e todos os filhotinhos da nossa cachorra, Cocoa, morreram. Ela tentou nadar, choramingando para salvá-los. Toda vez que tentávamos pegá-la, ela rosnava, mordia e pulava de volta no porão alagado, procurando os filhotes. Quando a água abaixou, eles foram encontrados mortos e parcialmente comidos pelos ratos. Eu tinha medo de ser consumida, afogada, deixada, abandonada. Me livrar de toda a minha bagagem era como ter que passar por uma cirurgia de grande porte com alta probabilidade de ser fatal.

Outro obstáculo para fazer terapia era o fato de que eu não conseguia encontrar uma forma de entrar na televisão e no cinema. O plano de saúde da Screen Actors Guild cobria dez sessões de terapia por ano. Tenho certeza de que meus agentes ficavam decepcionados por eu não conseguir nada nas telas. A princípio, pensei que fosse por conta do meu cabelo. Tinha começado a fazer meu próprio cabelo para economizar. Comprava cabelo cacheado da loja His and Her Hair, em Los Angeles. Era cabelo crespo cacheado, só que mais macio e longo. Comprava, mandava entregar e me sentava na frente da televisão, trançando-o no meu próprio cabelo. Era muito cabelo para trançar. Quando terminava, parecia um black enorme com cachos abertos. Eu amava! Era a minha cara, mas não sei se o mercado de trabalho concordava comigo. Pensando bem, dava para ver os olhos deles se arregalarem quando eu entrava na sala. Eu simplesmente ignorava porque, sério, não sabia o que mais poderia fazer a esse respeito. Não podia ser outra eu.

Certa vez, fiz teste para o filme *Irresistível paixão*, de Steven Soderbergh. Meus agentes gravaram uma fita minha para o teste. Lembro que a essa altura eu estava tão cansada de fazer teste atrás de teste para TV e cinema que apenas disse as falas. Não coloquei nenhum sentimento nelas. A personagem era Moselle, que era muito séria e estava cansada. Então toda a fala era: "Sei onde ele está? Não. Ele não está em casa." Eu também não tinha nenhuma esperança de conseguir aquele papel porque interpretaria a namorada de Don Cheadle.

Nunca conseguia os papéis de namorada, mesmo se fosse a namorada aparecendo sem o namorado. Era quase como se existisse um tipo chamado "garotas que ninguém deseja". Fiz o teste e esqueci o assunto. Esqueci principalmente porque odeio ser gravada. Os testes são bem mais potentes ao vivo. Enfim, esqueci o assunto. Três semanas depois, meu agente ligou e disse:

— Sabe aquele papel para o qual você fez teste, aquele do filme do Steven Soderbergh?

Meu Deus. Esperei pelo feedback negativo; a propósito, com certeza, sem sombra de dúvida, você vai receber feedbacks negativos ao longo de sua carreira se for ator. Esperei meu agente dizer que eles acharam que a droga do meu cabelo era muito volumoso.

— Sim — respondi, com uma vozinha infantil.

— Bem, você conseguiu o papel — disse ele.

Fiquei em choque. Em choque. Eram três dias de trabalho em Los Angeles e Detroit. Minhas cenas eram com Jennifer Lopez, Don Cheadle e Isaiah Washington. Fiquei em choque. Dancei pelo meu apartamento. Eu ia ganhar bem mais que mil dólares por dia. Compare isso ao cachê do teatro. Então pode imaginar minha animação. Perguntei a Steven mais tarde o que me fez conseguir o papel e ele disse:

— Foi a combinação de calma com aquele cabelão.

Bum! O bendito cabelo serviu para alguma coisa.

Pouco depois, consegui um papel em um filme chamado *Máquina de guerra*, que foi gravado ao mesmo tempo que *Irresistível paixão* em Los Angeles! Quando se consegue um papel na TV ou em um filme, é como um efeito dominó. De repente, as mesmas pessoas que não escalaram você antes olham e dizem: "Onde é que você estava?"

Cheguei a Los Angeles para gravar os dois projetos. Para *Máquina de guerra*, raspei o cabelo. Lembrando disso hoje em dia, isso me faz pensar: *Como é que é?* Mas meu papel era de uma mulher no Exército e eu queria ser autêntica. Sempre quis ser autêntica.

Fiquei hospedada no Sportsmen's Lodge, em Los Angeles, e me sentia solitária pra caramba. Eles me deram um carro, mas morria de medo de dirigir. Era um medo absurdo. Tinha os maiores ataques de pânico atrás do volante. Por sorte, o estúdio onde gravávamos ficava no fim da rua do hotel, então não precisava dirigir muito longe. Trabalhei com Cary Elwes, Kelsey Grammer e Olympia Dukakis. Sim. Pensei que finalmente tinha rompido a barreira para ser uma atriz que trabalha e ganha o próprio dinheiro.

Malhava todos os dias. Comia muito bem e tinha encontrado uma terapeuta que morava na rua de cima. Eu a amava — bem, pelo menos o tanto que alguém consegue amar a pessoa que revira as suas entranhas. Ela me dizia que eu não conseguiria atravessar a rua se ela não estivesse coberta de mijo e merda. Eu tinha normalizado o mijo e a merda. Ela também dizia: "Viola, e se você não mudasse todas as partes de si mesma das quais não gosta? E se permanecesse como você é? Seria feliz assim? Ainda seria capaz de se amar?" Foi quase um momento como o que tive com outra terapeuta, anos depois, que me disse para eu deixar que a minha versão mais nova me abraçasse. Meu Deus, o SAG pagava a ela cem dólares por hora para me dizer aquilo? Levei o maior tempo do mundo para responder àquela pergunta com palavras, e um tempo ainda maior para responder a mim mesma.

Ainda me sentia estranha. Ainda tentava me encaixar — não sei onde —, me sentir bem. Só queria me sentir como a pessoa que estava destinada a ser. Ainda estava fugindo daqueles meninos. Ainda estava olhando nos olhos enojados e cheios de ódio dos meus algozes e sentindo que eles representavam o consenso geral de que eu não tinha valor.

Terminei *Máquina de guerra* e mudei meu cabelo. Nessa época, a Universal contratou um profissional para fazer meus apliques. Gravei minha cena de *Irresistível paixão* com Don Cheadle e Isaiah Washington e me senti como uma atriz de verdade, respeitada. O cabelo, a maquiagem, o trailer e o set me deixaram sem palavras. Sem plateia, como haveria no teatro. Sem ensaios. Sem passar semanas com outros atores tentando opções diferentes, vendo o que funciona e o que não funciona. Sem tempo para estabelecer confiança. O cinema e a TV exigem que você se prepare e se jogue com tudo. Quando o filme está pronto, você assiste a si mesmo. Eu adoro, mas a armadilha disso é a autocrítica que você faz nesse momento. Ninguém se assiste na vida real, a qual nós, como atores, imitamos. Nós apenas... vivemos.

Eu estava tentando conectar o começo do sonho até chegar àquele momento. Eles me colocaram em um robe com estampa de oncinha. Tive que fumar um cigarro. Eu me lembro de ser apresentada a Jennifer Lopez. Nos demos muito bem. E ela disse que também era seu primeiro grande trabalho.

Tinha que terminar outra parte da minha cena em Detroit com Jennifer algumas semanas depois. A cidade estava congelante. Fiquei numa suíte de hotel enorme. Eu me lembro de olhar ao redor boquiaberta. Então, ironicamente, não consegui dormir na cama do hotel. Era uma ótima cama king size, mas meio que afundava no meio. O quarto estava frio e ficava muito escuro com as luzes apagadas. Tive flashbacks da minha infância. Imagens de colchões encharcados de urina e quartos frios porque o aquecimento fora cortado. Acabei dormindo no sofá; deixando as luzes acesas à noite. Eu não dormia, mas filmar era incrível. Jennifer queria que eu pegasse carona com ela. Conversamos sobre todo tipo de coisa e vibramos juntas. E então acabou.

Pouco depois, eu já tinha ganhado o suficiente para bancar um plano de saúde. Meu mioma estava tão grande que eu parecia estar grávida de seis meses. Estava tão anêmica por conta dos sangramentos constantes que adormecia de pé no metrô. Também desenvolvi o péssimo hábito de comer amido de milho. Assim como muitas pessoas do Sul, minha mãe comia isso na infância. Mais tarde, descobri que era por causa de uma doença chamada picamalácia, ou alotriofagia, causada por baixos níveis de ferro. Os sintomas são desejo por texturas estranhas como gelo, borracha e até amido. Era um hábito constrangedor que eu estava sempre tentando esconder. Por fim, tomei a decisão de remover meus miomas. Fiz a cirurgia de remoção no feriado de Ação de Graças daquele ano. Eram nove miomas, e eram enormes.

Minha mãe foi ficar comigo em Nova York. Lembro que o residente-chefe entrou no quarto com cinco outros residentes.

— Muito bem. Esta paciente fez uma miomectomia. Hum... — Ele olhou para a minha mãe sentada ao meu lado. — Hum... senhora, poderia, por favor, sair do quarto?

Minha mãe, sem perder tempo, disse bem alto:

— Não.

Ele ficou em choque.

— Você ouviu o que eu disse: não. Sei dos meus direitos. Você pode falar o que quiser, mas vou ficar aqui.

Ele não disse uma palavra sequer, nos deu as costas e saiu.

Minha mãe sussurrou para mim:

— Vahla, seu pai e eu vimos um programa uma noite dessas. Disseram para nunca deixar ninguém sozinho no quarto com o médico. Não dá pra saber o que ele vai fazer.

Tenho certeza de que ela estava pensando na vez que o médico quis quebrar minhas pernas quando eu tinha 2 anos. Ela ficou do meu lado e comeu toda a minha comida porque eu tinha pouco apetite. Um dia, minha amiga Michelle passou no hospital para me visitar, e minha mãe estava lá sentada.

— Vahla, você não vai comer? Me dá aqui.

Michelle, que estava tentando engravidar, perguntou:

— Sra. Davis, a senhora se lembra de quando deu à luz?

— Lembro — respondeu ela, comendo um monte de peru com molho. — Dianne custou 25 dólares. John custou 25. Vahla custou 25. Deloris foi cara. Custou trinta.

A essa altura, estávamos rindo.

— O que você quer dizer, mãe? — perguntei.

— Vahla! Foi quanto tivemos que pagar à Srta. Clara Johnson, a parteira.

— Mas, mãe, Michelle queria saber como é dar à luz.

— Não lembro de dor nenhuma. — Ela falava baixo. — Mas meus pais mentiram para mim sobre a dor quando eu tinha 15 anos e tive seu irmão. Disseram que não ia doer. Eles mentiram pra mim. Não me lembro da dor depois disso. Tudo isso que as pessoas fazem agora, dizendo o que você pode ou não fazer. O que você pode ou não comer. Meeeerda. Não fiz nada disso e tive seis filhos.

Foi a primeira vez que senti o peso da operação que acabara de fazer. Os tumores benignos que foram removidos formariam um tecido cicatricial e aderências. Eu teria uma pequena janela de tempo depois da recuperação para ter um bebê, ou ficaria infértil. Não tinha um parceiro na época e já estava no começo dos meus 30 anos. De novo, o lembrete de que a vida seguia em frente enquanto minha carreira acontecia. Apenas afastei aquele pensamento. Eu tinha tempo, não é?

Pouco depois da minha recuperação, consegui um trabalho decisivo no Williamstown Theatre Festival, em Massachusetts. Interpretei o papel de Ruth em *O sol tornará a brilhar*, de Lorraine Hansberry. Antes disso, eu tinha ido a Los Angeles para gravar *Louca terapia* com Courteney Cox e David Arquette. Richard Benjamin, que dirigiu *Máquina de guerra*, me escalou. Como eu disse, conseguir um trabalho na TV ou no cinema cria um efeito dominó de relacionamentos e conexões.

Enquanto estava em Los Angeles, Steven Bochco me chamou para um teste para *City of Angels*. Foi vendido como um drama com elenco inteiramente negro. Blair Underwood estava escalado para o papel principal. Steven Bochco foi o criador de *Chumbo grosso* e *L.A Law*. Fiz um teste ótimo, mas recebi o feedback de que não era adequada para o papel. Eles disseram: "Hã… ela era ótima, mas muito excêntrica, muito diferentona." Na realidade, eu não era bonita o bastante. Essa era a história da minha carreira naquele momento. Então esqueci o assunto e voltei para casa no Harlem, onde estava morando na época.

Interpretei Ruth em *O sol tornará a brilhar*, com Kimberly Elise como Beneatha, Gloria Foster no papel de Mama e Ruben Santiago-Hudson (que escreveu o roteiro de *A voz suprema do blues*, de August Wilson) era Walter Lee. Jack Hofsiss dirigiu.

O Williamstown é um evento teatral de verão ao qual os atores vão para se legitimar ou voltar a trabalhar. Acontece no campus da Williams College. Todos os atores ficam em dormitórios ou casas. A ideia é usar o mínimo possível de recursos externos e focar apenas no ofício. Fiquei nos dormitórios. Amava passar tempo e conversar com os atores à noite. Estava fazendo terapia e tinha sessões por telefone uma vez por semana. Minha terapeuta sempre dizia: "Você não é mais pobre. Não é mais aquela garotinha sem sapatos ou água quente em casa."

Durante *O sol tornará a brilhar* um dos meus colegas de elenco, Joseph Edward, que interpretava Bobo, me fez uma pergunta impactante:

— Por que você não tem alguém na sua vida? Você parece tão inteligente. É uma mulher gentil. Por que não tem alguém na sua vida?

Joseph e eu tínhamos uma grande amizade baseada em transparência e respeito.

— Não sei.

Quase chorei quando ele me trouxe essa questão.

Foi uma pergunta que penetrou na minha alma. Uma pergunta que me recusava a fazer a mim mesma. A essa altura, já tinham se passado alguns anos desde a minha cirurgia. Eu estava sozinha, mas não solitária, ou assim pensava. Eu me sentia bem se não pensasse demais.

— Você já orou para pedir que alguém apareça na sua vida?

Foi o que ele me perguntou em seguida. Ele só me encarava. Foi um momento importante para mim. Eu respondi:

— Não, mas estou trabalhando em mim. Estou fazendo terapia. Tenho que colocar as coisas em ordem antes de convidar alguém para entrar na minha vida e me amar.

Silêncio.

Então ele disse:

— Quero que você faça o seguinte.

Eu estava tão sensível por não ter alguém em minha vida que prestei muita atenção.

— Você sabe o que quer? — perguntou ele.

— Sei, eu sei o que eu quero.

— Tem certeza de que sabe o que quer? Você precisa ter certeza do que quer.

— Joseph, tenho certeza do que eu quero — insisti. — Sou uma mulher adulta.

— Tudo bem, quero que você faça o seguinte: quando for deitar à noite, fique de joelhos e peça a Deus exatamente o que você quer.

Eu não tinha ninguém na minha vida, mas não tinha resposta para esse conselho.

Ele continuou:

— Apenas faça sua lista para Deus. As coisas mais insignificantes e as mais importantes.

Estava cética de que aquele conselho mudaria minha situação.

— Entendeu? — perguntou ele.

— Sim, Joseph.

— Você vai fazer?

— Vou. Vou fazer isso.

— Tem certeza?

— Sim, vou fazer.

Então ele disse:

— Você precisa ser muito específica.

— Uhum. Farei isso.

Não costumo orar à noite. Pelo menos, não até aquele momento. Fui para a cama naquela noite e me lembrei das palavras de Joseph. Pensei: *Não vou ficar de joelhos*. Depois de vinte ou trinta minutos na cama, pensei: *Tá bom!* Levantei. Fiquei de joelhos. Eu me lembro em detalhes de como comecei a oração:

— Deus, você não ouve falar de mim há muito tempo. Sei que está surpreso. Meu nome é Viola Davis. — Continuei assim, repetindo meu nome, já que Deus e eu não nos encontrávamos havia muito tempo. — Sou Viola Davis. Neste momento, estou no Williamstown Theatre Festival. Um amigo meu me disse para orar e pedir o que eu quero. Acredito em Você. Vou acreditar que Você vai me dar e vou pedir o que eu quero.

Pensei numa lista e a compartilhei com Deus. Falei que queria um homem negro e grande, que fosse ex-atleta, de preferência jogador de futebol americano, porque amo jogadores de futebol americano.

— Quero muito que ele seja negro, mas ele não *precisa* ser negro, Deus. Quer dizer, na verdade, quero muito, muito que ele seja negro, Deus. E amo homens sulistas, amo homens do campo, da terra. Deus, então quero alguém bem rústico. E não quero ser pressionada para engravidar, então quero que ele já tenha sido casado antes de me conhecer e já tenha filhos, então isso já estará resolvido. Quero alguém que confie em Você e te ame, Deus, porque assim ele vai se reportar a alguém: a Você, Deus.

Nenhum dos homens com quem namorei se reportavam a ninguém. Eles só faziam e diziam o que queriam. E eram completamente indisponíveis emocionalmente, e isso eu falei também.

— Quero que ele seja emocionalmente disponível e entenda meu trabalho como atriz. — Eu estava me levantando e, antes que pudesse voltar para a cama, falei: — Prometo que vou começar a ir à igreja.

E pensei: *Se você me der o que quero, é capaz de a igreja explodir quando eu entrar lá.*

Depois dessa última negociação, falei:

— Amém.

Isso foi quase no fim da temporada de *O sol tornará a brilhar*. Descobri que tinha conseguido o papel em *City of Angels*, mas quase não voltei a Los Angeles para aceitá-lo. Eles estavam me oferecendo um papel regular, mas só me pagariam 5.600 dólares por episódio e só me garantiram dez episódios. Cinco mil e seiscentos dólares por episódio parece muito dinheiro, mas depois de descontados os impostos da cidade de Nova York — porque eu ainda morava lá —, os impostos de Los Angeles e os impostos federais, sobravam 2.200 dólares. A maioria dos atores ganha pelo menos três vezes mais que isso em seu primeiro trabalho como personagem regular em série. Mas a rede de TV não estava convencida de que o drama com um elenco inteiramente negro pudesse mesmo dar certo, então Bochco teve que usar o próprio dinheiro. Por isso o salário baixo.

Meu agente recebia 10% do meu pagamento após os descontos dos impostos. Precisei me mudar e morar em Los Angeles por sete meses. Tive que alugar um carro e um apartamento. Precisei pagar aluguel em Nova York e em Los Angeles porque os canos do meu apartamento em Nova York tinham estourado e o teto cedera, então não conseguiria sublocá-lo para ninguém. Mas decidi aceitar o papel em *City of Angels*, embora não fosse um trabalho lucrativo e exigisse que eu me mudasse para Los Angeles, que é uma cidade tão cara quanto Nova York.

Com três filmes — *Louca terapia, Máquina de guerra* e *Irresistível paixão* — e trabalhos na TV que nunca viram a luz do dia, eu me mudei para Los Angeles para começar em *City of Angels*. Apesar do salário ruim, ainda era o mais alto que eu já havia ganhado, e aceitei porque nunca tinha conseguido um papel fixo na TV. Era uma chance de trabalhar com Steven Bochco e Paris Barclay, que era o diretor negro figurão do momento.

Morei no Oakwood Apartments em Marina Del Rey por um mês, porque era perto do Culver Studios, onde gravávamos. Tive que me mudar de lá porque não conseguia pagar e meu crédito era uma porcaria. Eu tinha parado de pagar meus empréstimos estudantis quando saí da faculdade e tentei correr atrás do prejuízo, mas minha pontuação de crédito não estava subindo. Consegui meu primeiro cartão de crédito, mas era um daqueles que funcionava como cartão de débito, e meu limite de crédito era o dinheiro que eu colocava na conta. Não podia alugar um carro ou um apartamento. Por fim, consegui que minha irmã fosse fiadora de um apartamento barato na Vermont Avenue. Também era um Oakwood Apartment, mas custava apenas 1.500 dólares por mês. Minha amiga Patrice me ajudou a encontrá-lo.

Liguei para ela chorando um dia porque enfim tinha me cansado de tanta dificuldade. Estava cansada de ter que andar e pegar ônibus, e de toda a solidão e do estilo de vida nômade. Só queria encontrar minha casa. Não encontrar uma casa, mas a minha casa. Um santuário seguro que fosse calmo, afetuoso, estável… e cheio de amor. Tinha superado correr de valentões, a pobreza, ser uma estudante de teatro, procurar trabalho, a jornada para trabalhar com teatro e cinema em Los Angeles. Estava pronta para chegar a algum lugar.

CAPÍTULO 16

DESFRUTANDO A FELICIDADE

A fama é uma névoa. A popularidade é um acidente. Dinheiro ganha asas. E apenas uma coisa permanece... CARÁTER.

— Horace Greeley

Eu me mudei para Los Angeles algumas semanas depois de fazer minha oração para Deus. E três semanas mais tarde conheci Julius no set de *City of Angels*. Julius Tennon estava interpretando o anestesista Dr. Holly. Eu era a enfermeira Lynette Peeler. Estávamos trabalhando em uma cena, uma transfusão de sangue. Ele era muito gentil, mas estava brincando na hora errada, com a agulha durante a cena. Acabou furando o dedo, mas não foi nada grave. Quando a cena terminou, eu estava no bufê comendo um bagel. Eu já me despedira e dissera "prazer em conhecê-lo", mas ele voltou ao bufê do set e me disse:

— Fiquei sabendo que você não conhece ninguém em Los Angeles.

— Não, não conheço ninguém aqui — respondi. — Não gosto desta cidade. Fico tão nervosa aqui e...

— Eu entendo. Você já foi ao Píer de Santa Mônica? Vou te levar lá!

— Não, nunca fui.

— Vou levar você. Aqui está meu cartão. Me liga. Não quero que você fique sozinha aqui.

Eu pensei: *Ai, meu Deus, ele está me dando o cartão dele.* Esperei que não fosse um retrato dele sem camisa. Isso era muito comum em Los Angeles. Todo homem me entregava um cartão dizendo: "Sou ator. Talvez possamos fazer alguma coisa juntos depois do trabalho." Os cartões desses caras tinham fotos deles mostrando o tanquinho e o peito definido. Sempre os jogava no lixo. Julius me deu um cartão em que ele estava de camisa. Isso era bom.

Conversamos. Ele era grande. Lindo. Eu achava Julius lindo. Ele me disse que era do Texas, que costumava jogar futebol e "tenho dois filhos e um neto". Quando me deu seu cartão, pensei: *Ah, ele é tão gentil. Preciso dar um jeito na vida. Meu score de crédito está baixo. Não suporto dirigir. Estou nervosa. Como vou dirigir até ele e então ir para outros lugares? Não posso fazer isso.*

Estava lutando para sobreviver, lutando para viver em Los Angeles, lutando para alugar um carro para comprar comida e chegar no set na hora. Não sabia andar na cidade. Havia coisas demais acontecendo. Na minha cabeça, estava completamente perdida. Minha vida estava uma zona. Não conseguia pensar em nada além de me sentar no meu quarto no apartamento em Marina Del Rey e entrar numa espiral de estresse. Não conseguia nem pensar no Píer de Santa Mônica.

Finalmente liguei para ele após seis semanas, depois que fui à terapeuta. Era um lugar para onde eu conseguia dirigir sem precisar pegar a rodovia.

Minha terapeuta perguntou:

— O que há de novo na sua vida?

— Conheci uma pessoa muito legal no set.

Ela ficou bastante animada.

— Ah, é? Quem?

— Ele é muito, muito legal. Muito bonito também. Mas não sei, deve ter algo errado com ele.

Eu estava exausta. Meu relacionamento de sete anos tinha acabado e eu me esquecera daquela oração, que mais parecia um pedido feito para uma estrela cadente.

— Liga pra ele.

— Não, não vou ligar porque ele provavelmente não presta.

— Viola, ligue para o homem. Ligue para ele. Você não sabe se ele é legal ou não. Você não sabe quem ele é, mas ele é alguém que deu abertura. Viu que você estava solitária. Para mim, ele parece legal.

Não admiti para ela que não tinha ligado para Julius por *minha* causa, porque eu não tinha controle da minha vida. Voltei para o meu apartamento e levei um tempão para encontrar o cartão dele. Liguei. *Ai, meu Deus.* Esperei que ele nem se lembrasse de mim porque já fazia muito tempo.

— Oi, Julius.

— Eeeei, Viola! Como você está?

— Você se lembra de mim?

— Lembro, sim. Como você está? É tão bom ouvir sua voz.

Depois daquela ligação, minha vida simplesmente melhorou. Em nosso primeiro encontro, fomos ao Píer de Santa Mônica, a um restaurante chamado Crocodile. Tudo pelo que eu havia orado, a lista toda, todinha, foi atendida. Julius era um ex-jogador de futebol de Austin, Texas. O jeito dele era o que eu chamo de "homem do campo". Tinha dois filhos e me convidou para ir à sua igreja.

Quando perguntou "Como você está?", respondi que estava com dificuldade, e senti que ele me ouviu. Ele imediatamente me convidou para a vida dele, dizendo: "Quero que você venha ver onde trabalho em Santa Mônica." Nunca um homem havia me convidado para a vida dele. Os homens com os quais eu saía queriam ir ao meu apartamento com segundas intenções. Ele disse:

— É um bom lugar para trabalhar. Você deveria ver as réplicas de antiguidades. É um lugar lindo. E depois talvez a gente possa comer alguma coisa no meu restaurante favorito.

Ele parecia muito animado com a Prince of Wales, uma loja chique de Santa Mônica que vendia lindas reproduções de móveis antigos. Celebridades visitavam essa loja. Ele amava o lugar onde trabalhava. Tinha um imenso orgulho de lá.

A produção de *City of Angels* estava preparando sua divulgação e eu precisava ir a uma sessão de fotos. Ainda sou tímida, mas pelo menos hoje consigo lidar com a divulgação de lançamentos. Na época, não conseguia de jeito algum. Sabia que seria útil ter alguém ao meu lado, e eu tinha um convite extra. Sabia que ninguém mais aceitaria, então liguei para Julius. Ele pareceu muito feliz por eu ter ligado. Nervosa, falei:

— Tudo bem. Bom, na verdade, estou ligando porque preciso que alguém vá comigo a um evento de *City of Angels*, uma divulgação. Quer dizer, pensei se você gostaria de ir comigo…

— Sim, quero ir com você ao evento!

— Ai, meu Deus.

— Quando você quer que eu te busque?

— Ah, não, não, não quero que venha me buscar.

— Vou te buscar — afirmou ele.

— Não preciso que você me busque. Posso ir até lá. Vou pegar um táxi.

— Você não precisa pegar um táxi. Vou te levar.

— Não. Não quero que você me busque. Estou falando, não quero.

Depois de uma longa pausa, ele disse:

— Tudo bem. Sim, tudo bem.

Mas eu conseguia sentir que a conversa o deixara desconfortável. Combinamos o encontro, eu desliguei, e então Phylicia Rashād me ligou. Tinha feito *Everybody's Ruby* com ela no Public Theater, em Nova York, e ela estava na cidade, hospedada em um ótimo hotel. Ela queria me ver na mesma noite do evento de *City of Angels*.

— Ah, Phylicia. Também quero te ver — falei, realmente disposta a retomar o contato.

Combinamos de nos encontrar no hotel para um drinque. Então me lembrei do evento e de que Julius estaria comigo. *Merda*, pensei, *vai soar pretensioso se eu ligar para ele dizendo que Phylicia Rashād, com quem acabei de trabalhar em Nova York, quer se encontrar comigo...* Mas liguei e perguntei se ele queria ir comigo até ela.

— Phylicia Rashād! Sim. Quero ir. — Além de não fazer com que me sentisse pretensiosa, Julius disse algo que me lembrou do motivo pelo qual amo pessoas do campo. — Sabe, vou usar meu terno branco. Vou usar meu terno branco com uma calça preta. É um terno branco muito bom.

O encontro foi perfeito. Fomos ao evento e paramos para encontrar Phylicia. Depois ele disse:

— Vou te levar para casa. Até. Sua. Porta. Da. Frente. — Na minha porta da frente, Julius apertou minha mão e disse: — Você é uma mulher linda. Eu me diverti muito com você. Você é muito amável.

— Eu me diverti com você também — falei.

— Descanse um pouco.

Entrei no apartamento. Julius foi embora.

Vinte minutos depois, meu telefone tocou. Era ele.

— Só quero repetir que me diverti muito com você. Você é uma mulher encantadora.

— Você já está em casa?

— Não, estou no Ralph's descendo sua rua. Eu me diverti muito.

Mais vinte minutos e o telefone tocou outra vez. Era ele.

— Só queria te informar que cheguei em casa. Estou em casa agora. Você é uma mulher muito amável. Eu me diverti muito.

— Também me diverti com você, Julius.

— Bem, descanse um pouco.

Naquela noite, houve um terremoto às quatro da manhã. Logo depois disso, meu telefone tocou de novo. Era Julius.

— Só liguei para saber se você está bem.

Pensei: *Uma coisa com a qual não vou precisar me preocupar é se esse homem vai me ligar. Não preciso ficar imaginando onde ele está.*

É verdade, minha vida apenas melhorou depois que conheci Julius. Ele me ajudava de todas as formas possíveis. Se eu perguntasse: *Como alugo um carro? Como faço isso? Onde é este e aquele lugar?*, ele tinha as respostas. Podia ser qualquer coisa. Ele era um companheiro de verdade. Nós nos demos bem. Era amor no melhor sentido da palavra. Estávamos juntos todo santo dia. Ele me convidou para a igreja de novo, e, quando fui, ela não explodiu.

Todo dia era uma festa. Quando Julius e eu celebramos nosso primeiro Dia de Ação de Graças juntos, cozinhamos, comemos à beça — uma panela inteira de molho — e bebemos não sei quantas garrafas de vinho. Entrávamos na jacuzzi no meu apartamento toda noite, exceto quando estávamos trabalhando ou estava chovendo.

Nós ríamos e brincávamos de fazer cócegas toda noite. Não pergunte. Prefiro pensar que estávamos felizes ao ponto do êxtase, e que essa felicidade trouxe à tona as nossas crianças interiores. Nós fazíamos Tae Bo juntos, brincávamos no sofá e víamos TV por horas. Não passávamos um dia sequer longe um do outro. Então *City of Angels* foi renovada para uma segunda temporada, e Julius disse:

— Vee, você deveria vir morar comigo. Assim podemos dividir o aluguel. É um apartamento de dois quartos e dois banheiros que custa apenas 850 dólares por mês. Podemos dividir meio a meio. Vai ser bem mais barato.

Eu pagava 1.500 dólares de aluguel, então, tirando o amor, pensei: *É um bom negócio*. Eu me mudei e meu aluguel passou a custar 425 dólares. Tudo melhorou. Minha vida se abriu. Eu estava sendo transportada para a vida adulta. Vindo de uma infância de traumas, eu precisava de uma transformação radical. Eu não aprendera a existir no mundo. Não aprendera o que poderia me ajudar a crescer ou a viver melhor. Aprendera a fugir de tudo. Aprendera a me esconder e lutar. Eu não aprendera a amar e permanecer em um lugar.

Assim que Julius entrou na minha vida ela melhorou porque criei uma família com ele, com alguém que me amava. Não era mais apenas definida pela família que me criara e pelas minhas memórias da infância. Julius e eu criamos este novo capítulo na minha vida, a partir de uma folha em branco. Eu podia criar minha própria família, e podia fazer isso intencionalmente com o que eu havia aprendido.

O que ganhei por *City of Angels* rendeu muito mais porque agora tinha uma vida com Julius. E enquanto estava morando com ele, também consegui um papel em um filme. Era *Inocência marcada*, estrelado por Elisabeth Shue, Conchata Ferrell e Ann Dowd. Era um filme produzido pela Oprah Winfrey Presents. Também consegui uma peça que seria muito importante, porque me levaria ao meu primeiro prêmio Tony.

É como Oprah disse: "Sei com certeza que nos tornamos aquilo que pensamos de nós mesmos." Com esse capítulo da minha vida, não queria mais pensar na pequena Viola fugindo. Queria correr na direção da alegria, de mãos dadas com Julius. Queria me sentir viva. Queria me tornar… eu mesma.

Julius é e era um protetor e um ótimo parceiro de vida. Ele é motivado por seu amor por mim e por um intenso desejo de proteger nossa vida. Vejo isso nele mesmo agora, depois de 21 anos. Com nós dois, assim como com qualquer ser humano, as feridas, os obstáculos e arranhões ainda são ameaças. Pedacinhos do passado vêm, memórias que ainda carregam algum peso e poder. Elas aparecem em sonhos cheios de ansiedade. Aparecem no Dia de Ação de Graças, quando cozinho comida demais e ele limpa tudo rapidinho. Mas é uma questão de reconhecer o trauma da minha infância, estar consciente e não deixar que isso me controle. Toni Morrison, em *O olho mais azul*, diz: "O amor nunca é melhor do que o amante. Quem é mau ama com maldade; o violento ama com violência."* O amor de um homem que coloca você em primeiro lugar, que é evoluído e sempre quer o seu melhor; essa é a potência do amor de Julius.

Um dia, indo para casa depois de uma gravação até tarde da noite de *City of Angels*, eu estava exausta, tentando dirigir para ficar acordada e chegar em casa mais rápido. Tinha comprado meu primeiro carro de um amigo de Julius, um Volvo 1986 dourado, que me custou 2.500 dólares. Era como um tanque. Estava dirigindo tão rápido para sair da autoestrada 101 e entrar na Van Nuys que a polícia me parou. Nunca

---

* MORRISON, Toni. *O olho mais azul*. Trad. Manoel Paulo Ferreira. São Paulo: Companhia das Letras, 2019.

havia sido parada pela polícia. Meu cu trancou! Tradução: eu estava morrendo de medo. O policial acendeu a lanterna e disse:

— O que está acontecendo?

— Bem, policial. Estou cansada. Acabei de ficar 18 horas em um set. — Então comecei a mostrar a ele meu roteiro. — Estou nessa série, *City of Angels*, de Steven Bochco. Eu sei que estava dirigindo rápido…

— Você não estava apenas dirigindo rápido — interrompeu ele —, você avançou um sinal vermelho!

Fiquei chocada. Não sabia que tinha avançado um sinal vermelho. Comecei a me desculpar veementemente:

— Caramba! Sinto muito. Eu vim de Nova York. Estou sobrecarregada aqui. Você quer ver meus documentos?

Ele assentiu.

— Bem, me deixe ver.

Então ele me deixou ir embora. Levei menos de cinco minutos para chegar em casa. Enquanto andava para o nosso apartamento, Julius saiu pela porta. Estava meio sonolento, com um olho aberto. Um braço dentro do casaco, que ele tentava vestir, e a outra mão segurando um taco de beisebol. Dei um pulo.

— Julius! Aonde você vai?

— Eu estava indo encontrar você! Está tarde. Diabos, você ligou do set, mas já faz um tempo. Pensei que tinha acontecido alguma coisa. Ia enfiar este taco no rabo de alguém.

Julius tinha todo um sistema de segurança quando se mudou para o nosso apartamento. Quando dirigia para dentro do condomínio fechado, eu precisava manter a porta do carro trancada e o motor ligado até que o portão se fechasse atrás de mim, e só então dirigia para dentro da garagem. Se estivesse sendo atacada ou seguida, deveria tocar a buzina e ele sairia com o taco para acabar com a pessoa. Esse era o plano. Um dia, cometi o erro de chegar tarde e toquei a buzina sem querer. Parei rápido e literalmente contei até três quando Julius saiu de casa como um urso-pardo. Sem camisa e de calça de pijama, segurando o taco com força e pronto para lutar. Ele rosnava alto!

— Julius!! Não!! Foi um acidente! Apertei a buzina sem querer.

— Eu ia acabar com a VIDA de alguém!!!! — disse ele.

Fazia pouco tempo que Julius e eu estávamos juntos quando soube de *King Hedley II*. Eu não pretendia participar da peça.

Falei para Julius:

— Não é o papel da protagonista. A personagem não fica muito tempo no palco, embora tenha um breve monólogo. Talvez isso esteja abaixo de mim. — Julius ficou em silêncio, só me encarando. — O que acha, Julius?

Ele me encarou por mais um tempo. *City of Angels* tinha acabado depois de duas temporadas de 13 episódios cada. Quando as gravações da primeira terminaram, voltei para Nova York para fazer *Os monólogos da vagina*. *City of Angels* seria cancelada depois da segunda temporada, e eu tinha feito apenas dez episódios da temporada nova.

Julius ficou me encarando. Por fim, ele disse:

— Bom, o que eu acho é o seguinte: você está desempregada. Precisa aceitar o papel. É o que você tem que fazer.

Eu me acabei de rir e aceitei o papel.

Assim, fui Tonya em *King Hedley II*, de August Wilson.

Nós nos apresentamos no Kennedy Center antes de estrear na Broadway. Eu lembro que, em Washington, D.C., na estreia no Kennedy Center, Julius disse:

— Você vai ganhar o Tony.

Aquilo foi profético, porque eu realmente ganhei. Joan Allen apresentou a categoria e eu chorei descontroladamente. A experiência foi perfeita, primeiro no Virginia Theater, depois no Kennedy Center, e em seguida, na Broadway. Tendo a chance de trabalhar com Brian Stokes Mitchell, Leslie Uggams, Charles Brown, Monté Russel e Stephen McKinley Henderson.

Defino essa parte da minha vida — ir morar com Julius — como crescer. Comecei a economizar dinheiro, entrei com um processo contra minha locatária para consertar o apartamento no Harlem e sublocá-lo para que eu não tivesse que pagar dois aluguéis. Devagar, mas de maneira regrada, paguei minhas dívidas estudantis. Em três anos, tínhamos trabalhado e guardado dinheiro suficiente para comprar nosso próprio apartamento. Custou 299 mil dólares. Tínhamos uma ótima reserva em conta, então dissemos: "Vamos lá", e nos mudamos. Nós nos casamos naquele mesmo apartamento um ano depois, em 2003.

Minha maior descoberta foi que você pode, sem a menor dúvida, reescrever sua vida. Pode redefini-la. Não é preciso viver no passado. Descobri que não tinha apenas o ímpeto da luta dentro de mim, mas também amor. Quando nos conectamos, eu já fazia terapia, tinha amizades e momentos lindos suficientes na vida para saber o que é amor e como eu queria que minha jornada fosse. Quando fiquei de joelhos e orei a Deus por Julius, não estava apenas pedindo por um homem. Estava orando por uma vida que não fui ensinada a viver, algo que tive que aprender. Era isso o que Julius representava.

Também estava despertando para a dura realidade de que a vida, inesperadamente, atira imprevistos na sua direção. O golpe foi o atentado às Torres Gêmeas e, uma semana depois, a morte do meu amigo Tommy Hollis. Fiquei sem palavras. De alguma forma, a história que eu contava a mim mesma era que conseguiria tomar uma atitude que faria minha vida acontecer exatamente como eu planejara. É como Hedley diz em *Seven Guitars*: "O homem tem planos, mas Deus? Ele também tem." Bem, eu acreditava que Deus me amava o bastante para me aninhar e me proteger da dor. ESSE era o acordo. Cara… não fazia ideia de que a dor pode simplesmente continuar vindo.

Quando nos conhecemos, Julius me disse que eu nunca tinha experimentado a perda de um ente querido. Ele disse: "Vee, você ainda tem seus pais. Quando você os perde, é brutal. Especialmente se for a sua mãe." Ele havia perdido ambos. Quando a mãe dele faleceu, Julius ficou sentado com o corpo dela no necrotério por seis horas. Eu perguntei: "O que você ficou fazendo todo esse tempo?" Ele disse que chorou e conversou com ela. Riu, recontou certas memórias e dormiu um pouco. Essa imagem ficou gravada na minha mente. Quando contei a ele sobre a minha vida e como meus pais tinham que criar os netos, ele disse: "É como na minha casa. É brutal. Acaba com sua saúde. Minha mãe foi de uma saúde boa à debilidade em pouco tempo enquanto cuidava do pai dela."

Ele me aconselhou a fazer planos funerários para eles, porque, quando o momento chega, ninguém sabe o que fazer nem tem dinheiro para o enterro. Fiquei em silêncio, sabendo que a vida acontece, não há botão de pausa, nenhum editor que mude o resultado para algo que se encaixe em seu coração. Então fiz o plano funerário.

Durante esse tempo, a parte da minha infância que se curou por completo foi minha relação com meu pai. Comecei a entendê-lo com maior compaixão, como uma pessoa, enquanto contemplava sua transformação, tornando-se o patriarca para seus netos. Ele havia começado a mudar, quase imperceptivelmente, quando eu estava na faculdade e meus sobrinhos nasceram. Começou a ser a pessoa que mantinha as coisas em ordem, até mesmo um pouco demais, na casa e na família. Meu pai mudou radicalmente — agora era dócil, amável. Toda vez que conversávamos, ele dizia: "Eu te amo tanto, filha. Te amo tanto." A transformação veio quando ele teve que assumir a guarda dos meus sobrinhos no início dos anos 1990. Em algum lugar ali havia um coração, um coração muito frágil. Comecei a ter vislumbres dele nos momentos em que meu pai estava sóbrio. Em algum lugar, lá no fundo, ele estava mesmo tentando mudar. Acho que meu pai apenas se cansou da raiva, do ódio, como resposta para sua dor interna. Ou você se entrega a essa dor em um tipo de suicídio emocional ou acaba com ela. O que acho que ele entendeu? Que era amado. Que precisávamos dele. Que ele importava. Acho que a tansformação foi a forma de ele pedir nosso perdão.

Naquela época, meus pais cuidaram dos três filhos de Danielle, um atrás do outro. Mais tarde, ela teria mais três. Meus pais não puderam adotar esses últimos. Alguns dos meus outros sobrinhos iam e vinham da casa deles. Pelo menos cinco dos filhos dos meus irmãos viviam com meus pais porque Anita, John e Danielle não conseguiam cuidar deles por conta de vícios e/ou problemas financeiros. MaMama e papai cuidaram deles como se fossem seus filhos. Aqueles cinco viviam com eles. Outros três iam e vinham. A tarefa diária de cuidar de crianças pequenas, mantê-las vivas e felizes, era maior que qualquer desafio. As brigas foram arrefecendo e minguando até desaparecerem de vez. Foram substituídas por uma tarefa maior que consumiu cada fibra do ser deles. Agora, papai ficava com minha mãe o tempo todo. Ele deixou para trás uma vida de abuso e agressões para viver por aquela mulher. Minha mãe acumulava problemas nos quadris e dores no nervo ciático.

Ele massageava as pernas e os pés dela. Cozinhava para ela. Cuidava dos netos. MaMama amava ir a Atlantic City. Quando queria ir, ela me ligava para que eu pagasse pela viagem, e ele a acompanhava. Uma vez, ela adoeceu enquanto estavam por lá. Recebi uma ligação estranha: "Vovó está doente. Eles estão voltando para casa", e descobri mais tarde que meu pai estava lá com ela, morrendo de medo de perdê-la, abraçando-a o tempo todo enquanto voltavam para casa de ônibus.

Quando comecei a testemunhar a transformação dele, tivemos conversas para encapsular cada momento. As primeiras mudanças ficaram evidentes quando eu era uma estudante dura. Mas aos poucos passei a ganhar dinheiro e comecei a fazer coisas por e com meus pais, de acordo com minhas finanças. Não era necessário muito para termos esses momentos juntos. Eu os levava para Nova York para ficar comigo, e eles amavam. Corri para reservar o hotel favorito de August Wilson em Nova York. Eles ficaram muito felizes. Ficaram comigo em meu apartamento de um quarto quando fiz *Intimate Apparel*, de Lynn Nottage, em Nova York, na Roundabout Theatre Company. Voei da Califórnia para os meses em que *Intimate Apparel* estava em cartaz e os convidei para ficar comigo várias vezes. Suas visitas eram apenas momentos de intimidade partilhados juntos. Eu gostava de levá-los para jantar. Quando atuava em *Law & Order*, os convidava para ficar comigo no hotel em que me colocavam. Eles amavam.

Quando eu ia de trem ou de ônibus buscá-los, eles estavam esperando por mim, sentados lado a lado. Quando me viam, agiam como se não me vissem há 15 anos. Tão felizes. Eles me faziam rir. Nós nos divertíamos demais. Antes que saíssem de casa, eu sempre dizia:

— Papai, mamãe, quando descerem do ônibus, não saiam do lugar. Eu estarei lá esperando por vocês ou chegarei uns dois minutos depois do ônibus. Não fiquem procurando por mim. Não façam isso, porque vão se perder.

Depois, eu os fazia repetir.

— Quando o ônibus chegar, temos que descer e ficar exatamente no lugar onde o ônibus nos deixou. Se você não estiver lá esperando, não devemos sair para procurar você — repetiam.

Na maioria das vezes, estavam sentados lá, no lugar, como instruído. Dava para ver que era necessário um esforço enorme para que ficassem parados.

Em outras ocasiões, eu encontrava meu pai perambulando.

— Papai, falei para você não ficar circulando por aí.

— Eu sei, filha. Eu sei. Mas estou tão animado. Amo Nova York. — E ele começava uma história, do tipo: — Você sabe onde mora o Lenny? Quando eu trabalhava no hipódromo, eu vinha a Nova York, e Lenny morava bem aqui na Forty-Second Street.

— Papai, isso faz quanto tempo?

— Uns quarenta anos.

— Tudo bem, papai. Não sei quem é Lenny. Não sei se o Lenny ainda está vivo.

Minha mãe sempre reclamava, pontual como um relógio:

— Ah, Viola, estou enjoada. Estou enjoada por conta do ônibus.

— Tentei dar comida à sua mãe para ela não enjoar... — dizia MaPapa, tratando-a como uma princesa.

— Tudo bem — eu respondia. — Bem, talvez a gente deva tomar um pouco de sopa.

— Não quero sopa nenhuma — retrucava minha mãe. — Quero asinhas de frango. Quero asinhas de frango apimentadas.

Eu ria e balançava a cabeça. Parte de mim começou a entender a importância do tempo. Eu estava tentando congelá-lo. Sobretudo aquele tempo passado no lar, pela quantidade de dedicação que minha carreira exigia.

Isso me fez transformar em meta de vida apreciar e valorizar esses momentos. Queria absorver cada parte do rosto, mãos, risos e histórias deles.

Fazíamos tudo o que eles queriam. Era ótimo passar mais tempo com meus pais naquela idade. Eu estava trabalhando de forma constante e, ao mesmo tempo, guardando dinheiro. Embora estivesse passando mais tempo com eles e vivendo essa relação completamente diferente, a situação da família ainda era um drama incessante — às vezes, havia 15 pessoas morando no apartamento deles. Os problemas familiares sempre estiveram presentes e foram transmitidos para as crianças, que viviam com eles para que não acabassem em abrigos institucionais de acolhimento para menores.

Meus pais eram mais velhos e tinham maiores necessidades. Eu enviava de trezentos a quatrocentos dólares por semana para que comprassem comida ou para qualquer coisa de que precisassem. Não tinha a obrigação de enviar, mas enviava mesmo assim. Recebi uma ligação a respeito de uma conta de gás de 3 mil dólares. Isso nunca tinha acontecido antes. Eu só tinha seiscentos dólares na conta.

Um amigo disse: "Se você estiver no fundo do poço, quem vai te ajudar, Viola?" Pensei que podia salvá-los. Pensei que meu dinheiro e meu sucesso poderiam salvar todos eles. Aprendi da maneira mais difícil que, quando há problemas mais profundos, dinheiro não resolve nada. Na verdade, ele aumenta o problema, pois tira a capacidade do indivíduo de ser responsabilizado.

Parte de mim sentia que minha mãe já fora responsabilizada por todo problema que não era dela. Eu queria acalmar aquela tempestade interna de culpa e raiva que existia nela.

Meu pai deixou de ser nosso terror para ser nosso herói. Perdoar é desistir de toda a esperança de um passado diferente. Dizem que a terapia bem-sucedida é quando você vive a grande descoberta de que seus pais fizeram o melhor que puderam com o que tinham disponível. Mesmo sem saber disso na época, eu não via o homem que era violento e abusivo. Eu via o homem que minha sobrinha Tiana, filha de Danielle, via.

— O vovô foi comigo no meu primeiro dia de aula, titia — ela me contou. — Eu estava chorando. Chorei sem parar, e ele disse: "Vai ficar tudo bem. Vai ficar tudo bem." Entramos na escola e eu ainda estava chorando baixinho. Antes que todos os pais fossem embora, ele sussurrou: "Você tem que ser corajosa." Concordei e falei: "É." Eu estava quase chorando de novo quando ele saiu. Não conseguia segurar o choro. Então, olhei pela janela e vi o vovô lá fora. Ele estava olhando para mim. Ficou lá um tempão olhando pela janela, acenando até eu ficar bem.

A essa altura da minha vida, tudo estava acontecendo ao mesmo tempo. Eu vinha conseguindo mais e mais trabalhos. Todos eles se misturam na minha cabeça agora. Fiz alguns pilotos que não deram certo. Estive em alguns programas de TV, como *Century City, Laws of Chance, Fort Pitt* e *The Traveler,* que foram ao ar por dois ou três episódios antes de serem cancelados. Fiz várias participações em *Law & Order: Crimes premeditados, Law & Order: SVU, Judging Amy* e dois filmes da franquia Jesse Stone — *Crimes no paraíso* 1 e 2 —, *Without a Trace: Desaparecidos* e *O desafio*. O trabalho não parava, e eu recebia o suficiente para melhorar de vida.

A maior mudança de vida nessa época foi me casar. Julius me pediu em casamento, mas não é uma história muito boa. Minha filha de 10 anos costuma dizer: "Mamãe, você estragou um pedido de casamento muito legal." Julius queria me levar para um lindo restaurante em Santa Mônica. Eu não sabia que ele ia me pedir em casamento. Pensei que ele queria ir a Santa Mônica só para comer, e eu não estava com vontade de ir. Ainda estava naquela de "Odeio-Los-Angeles" e para chegar a Santa Mônica era preciso dirigir por uma hora e meia pela Interestadual 405. Ele ficou dizendo:

— Vee, vai ser ótimo. Quando chegarmos lá, vai ser incrível. Podemos ficar namorando…

— Eu não quero ir!

Então ele acabou fazendo o pedido na nossa sala de estar. Percebi que ele estava muito nervoso com alguma coisa. Julius ficou de joelhos e disse:

— Você quer... você quer casar comigo?

Ele tinha comprado um anel. Estava muito nervoso porque já fora casado. Criara os filhos sozinho. Para mim, foi o mesmo que estar na Torre Eiffel. Foi absolutamente perfeito.

Decidimos escolher uma data para o casamento. Então ele disse:

— Vee, não pode ser no aniversário de ninguém, nem em um feriado, nem nada. Precisa ser uma data que só nós celebraremos. Será apenas o nosso aniversário de casamento.

— Ah, tudo bem, deixe-me pensar.

Pensei por algum tempo.

— Que tal 23 de junho? — perguntou ele.

— Vinte e três de junho, 23 de junho, 23 de junho. Espere aí. Não sei. — Analisei meu calendário mental, e então disse por fim: — Acho que está livre. Talvez, não sei. Não acho que é o aniversário de ninguém.

Nós nos casamos em 23 de junho... No aniversário da minha sobrinha Annabella.

Escolhi o dia errado. Droga! Todo 23 de junho nós ligamos para dar os parabéns e ela nos dá feliz aniversário de casamento. Tenho tantos sobrinhos, e eu sempre me lembrava dos aniversários, mas esqueci aquele.

Um ano depois, decidimos nos casar em nosso primeiro apartamento, diante de 15 pessoas. O pastor da nossa igreja celebrou a cerimônia. Minha família não estava lá ou porque estava trabalhando, ou porque não tinha dinheiro para a viagem de avião, e na época eu não tinha dinheiro para pagar as passagens deles. Além disso, decidimos nos casar no último minuto. Amigos próximos, a filha de Julius e dois dos netos dele compareceram. Tivemos um bolo de três andares da Sweet Lady Jane. Um lindo bolo branco, com cobertura de chantili e recheio de frutas vermelhas frescas. Não senti ansiedade, apenas pura alegria. Estava cheia de certeza. Tinha trabalhado em mim mesma naqueles sete anos fazendo terapia. Tinha 38 anos. Estava pronta. Fomos, um dia antes, de mãos dadas, à loja Express no shopping para comprar camisas de linho rosa. Naquela noite tive um pesadelo.

Nele, eu estava esperando o elevador, um elevador de vidro. Havia outras pessoas ao redor. A porta do elevador se abriu e todos entramos. Apertei o botão do 38º andar. E o elevador se parecia com o vagão do metrô, mas estava subindo. Eu me sentei, olhei para a frente e vi uma mulher de pé, segurando a alça do metrô. Ela se segurava, mas parecia adormecida ou morta. Suas tranças eram longas e ela era uma mulher negra retinta, mas estava cinzenta, pálida. Era eu! Era eu com a minha aparência de 28 anos!!! Eu me levantei e tentei acordá-la, mas não adiantou. Ela estava viva, mas... morta. Acordei.

Liguei para a minha terapeuta no dia seguinte para contar o sonho. Ela disse:

— Se casar é como morrer para si mesma. É um momento muito importante.

Pareceu a decisão mais fácil da minha vida. Aos 28, eu estava tentando acordar. Naquele ano me formei na Juilliard e iniciei minha carreira. Agora começava uma nova vida. Minha mente consciente absorvia esse fato, mas não meu inconsciente. Eu sempre parecia estar carregando o meu eu de 8 anos ou o de 28 anos, como se os chamasse para me ajudar. A menina de 8 anos sentia raiva por não ser reconhecida, e a mulher de 28 estava morta.

Julius e eu já estávamos juntos havia quatro anos. O casamento foi lindo. Tivemos um dia espetacular. Depois olhei para ele e disse:

— Nada parece diferente.

Tivemos outra cerimônia de casamento em outubro em Rhode Island, e foi fantástico! O Rhode Island Casino não é um cassino, mas uma linda casa construída nos anos 1890, com varandas amplas que davam a volta na casa toda, janelas enormes, gazebo nos fundos. Tivemos uma cerimônia com toda a minha família. A lista de convidados era para 85 pessoas, mas Mae Alice Davis decidiu convidar todo mundo que viu nos pontos de ônibus. Ela convidou todo mundo que achou que pudesse ter estudado comigo, todo mundo que sabia que me conhecia. Foram quarenta pessoas além das 85 originais. Laurie Rickell, minha melhor amiga do terceiro ano do fundamental, estava no casamento.

Minha família nunca fez uma celebração com todos juntos, uma cerimônia significativa e alegre. Minhas irmãs Deloris e Dianne se casaram, mas não fizeram festa. Deloris foi a Las Vegas, Dianne fez seus votos no cartório. Ninguém na família tivera uma cerimônia de casamento, e a maioria nunca estivera em um. Eu queria dar essa experiência de presente para eles. Foi por isso que fiz. Não precisava usar um vestido de noiva. Era só uma festa, mas comprei o vestido porque sabia que meus pais iam amar. Foi a festa mais incrível para qualquer um dos membros da minha família. Um dos meus professores da faculdade era um pastor ordenado e celebrou a cerimônia. Uma das minhas sobrinhas disse:

— Titia, escrevi um poema para você e o tio Julius.

Respondi:

— Você pode recitar o poema.

Minha irmã Deloris tinha um aluno que era um excelente cantor e queria cantar. As flores eram lindas e tivemos muitos tira-gostos e um jantar farto, com a melhor comida que você possa imaginar, com diferentes estações de bufê, com macarrão, salada, frango. Tivemos um open bar — perigoso, porque temos muitos alcoólicos na família. Um excelente DJ tocou. A única coisa que deu errado foi o fotógrafo. Nós (Julius) não queríamos gastar dinheiro com fotógrafo. Alguém nos deu a ideia de ter câmeras descartáveis nas mesas e deixar os convidados tirarem as fotos. Bem, acabamos com uma mistura de fotos bem-intencionadas e fora de foco; fotos do chão, do teto, de pés, de nucas etc. Para nós, isso quis dizer que a combinação de muito álcool com danças e divertimento foi o foco da noite, não as fotografias.

Embora eu não tivesse damas de honra, tivemos um ensaio de casamento. Algumas pessoas da minha família me acompanharam na entrada: minha sobrinha Annabella, cujo aniversário é no dia 23 de junho, minha sobrinha Tiana, minhas irmãs Anita, Deloris e Dianne. Minha irmã Danielle decidiu que não ia me acompanhar na entrada. E então meus pais toparam, lógico. Papai me acompanhou até o altar. Ele estava muito feliz. MaMama estava linda na cerimônia, em um conjunto com saia feito de renda. Quando perguntei no ensaio que roupa ela estava pensando em vestir, ela disse:

— Viola, comprei um conjunto no Exército de Salvação. Gastei dez dólares.

— Ai, meu Deus, mas, MaMama, é bonito?

— Muito bonito. Espere para ver.

Eu estava cruzando os dedos, pensando *Jesus, por favor. Jesus, atenda as minhas preces.*

No ensaio, tudo o que MaMama precisava fazer era andar até o altar. Deloris estava organizando, dirigindo:

— Tudo bem, Tiana, é a sua vez. É sua vez agora, Annabella. — E assim por diante.

Cada uma cruzava a nave ao som de "Ribbon in the Sky". Quando chegou a vez da minha mãe, Deloris a chamou e, depois de um longo tempo, minha mãe ainda não havia chegado ao altar. Pensei: *O que está acontecendo? Ela ainda está andando? Ela ainda está andando! Como é que ela pode ainda estar andando? Não é uma nave tão longa.* Eu nunca tinha visto algo assim. Era como se ela estivesse caminhando na corda bamba, bem, bem devagar, pé ante pé, como se fosse tropeçar. Estava andando devagar assim, provavelmente dando um passo a cada dez segundos.

Por fim, falei:

— Mãe, o que você está fazendo?

— Viola, estou tentando andar pela maldita nave.

— Mãe, você está andando muito devagar. A música vai acabar. Você precisa *andar.*

— Tudo bem — disse ela, enquanto indicávamos a velocidade certa.

Deloris deu a deixa outra vez, e então minha mãe saiu correndo pela nave! Correndo!

Falei:

— Tudo bem, isso é muito fácil, mãe. Não é difícil.

No fim, ela encontrou o ritmo certo, e a cerimônia passou num piscar de olhos. Julius e eu demos esse casamento de presente para a minha família. Foi um presente para mim também, porque amo casamentos. Pareceu um evento de 50 mil dólares, mas não nos custou nem 9 mil. Foi em Rhode Island, que tem restaurantes com algumas das melhores comidas que se possa imaginar.

Havia um enorme paralelo entre me acomodar nessa linda vida com Julius e me aventurar em outro mundo — em outro nível — que ainda não estava se manifestando, mas para o qual eu sabia que Deus vinha me preparando. Tanto que Julius e eu nos vimos querendo mais. Edwina Findley, uma atriz e amiga de uma amiga de Nova York, conseguiu uma peça na Califórnia e ficou conosco, porque estava tentando economizar dinheiro. Naquela época, estávamos morando em uma nova casa — depois do condomínio —, maior, com cinco quartos e cinco banheiros. Éramos apenas Julius e eu.

Minha amiga ligou e disse: "Ela é incrível. Se vocês a ajudarem, serão abençoados." Enquanto ela morou em nossa casa, plantou uma semente em nós. Já queríamos começar uma empresa de produção, era uma ideia assustadora, mas ela nos ajudou a olhar além, inspirou e nos encorajou a começar uma empresa — a JuVee Productions.

Talvez aquele sonho que tive na noite anterior ao meu primeiro casamento estivesse me preparando para a ascensão estratosférica que estava prestes a acontecer na minha carreira e na nossa vida. Recebi um trabalho após o outro e fui aceitando, porque é isso que atores assalariados fazem. Eu era a atriz que tinha cinco dias de trabalho aqui, ou um papel de estrela convidada ali, ou era a protagonista de uma peça. Eu não era o nome principal, mas o suficiente para ser considerada para papéis que poderiam me render algum dinheiro.

Estava em Nova York fazendo *King Hedley II* quando fiz teste para um filme chamado *Voltando a viver*, dirigido por Denzel Washington. A filmagem aconteceu logo após o 11 de Setembro. Literalmente na semana depois do atentado, tive que voar para Cleveland. Os aeroportos estavam vazios; parecia um filme de terror. Todo mundo estava preocupado de os seguranças pegarem nossas identidades, deterem-nas como se fossem escondê-las e fazerem perguntas capciosas. Foi um momento de aprendizado. Cheguei na congelante Cleveland e gravei o papel de Eva May em uma cena com Derek Luke. Acabaram sendo dois dias de trabalho porque alguém roubou o carro que estávamos usando na cena e Denzel exigiu que o produtor refizesse a casa que estávamos usando. Parecia muito suja.

Eu estava interpretando uma dependente de crack. No filme, faço a mãe desaparecida de Antwone Fisher. Ele passa boa parte da vida tentando achá-la para preencher as lacunas de sua trajetória. Por fim, alguém diz que sabe onde ela está e Antwone a encontra no clímax da cena. O roteiro não tinha muitas falas e, francamente, as poucas que fizemos pareceram artificiais. Quando estávamos prontos para gravar, eu as reduzira para talvez duas linhas.

Não conhecia Eva Maye pessoalmente, mas conhecia pessoas como ela. Eva era muito verídica para mim porque minha irmã Danielle caíra no vício. Vi ali o ser humano. Vi a mulher que fora castigada pela vida, cuja dor se tornara tão grande que escolheu o entorpecimento. Danielle era a mulher, mãe e irmã mais amável do mundo; a única pessoa que ela não conseguia amar era a si mesma.

Como em grande parte da minha carreira, eu tinha muito para expressar, mas pouco material. Aquela única cena mudou minha carreira enormemente. Fui indicada ao Independent Spirit Award por aquele papel.

Em pouco tempo, eu estava fazendo as malas para ir a Toronto gravar *Fique rico ou morra tentando*, com 50 Cent (ou Curtis Jackson). De novo, estava frio e, de novo, eu estava tentando dar o meu melhor com um material que simplesmente não estava desenvolvido. Eu não sabia como conseguir trabalhar nos materiais que já estavam desenvolvidos. Não aparecia nenhum! Todo ano, há sempre aqueles dois filmes excelentes que Hollywood produz. Se você não estiver em um deles, fica com o que sobra. Não há páginas suficientes para descrever o potencial de um bom material de apoio. É mais ou menos 80% do trabalho.

Atuar é uma forma colaborativa de arte. O ator precisa do diretor, do roteirista, do maquiador, do cabeleireiro, do cinegrafista e, por fim, da audiência. Você não pode atuar do seu quarto. A maioria das pessoas não entende o que fazemos. Não estou sendo condescendente, é a mais pura verdade. Até alguns atores não entendem. Quando assistem a um filme, não têm o repertório necessário para explicar o motivo de terem gostado ou não. Portanto, tudo se torna culpa do ator. Se o papel for menor do que eles imaginavam ou não for bem desenvolvido, é culpa do ator. Se a direção não for boa em uma cena, é culpa do ator. Não há uma abordagem cognitiva que direcione o trabalho de uma peça artística. Se você é aquele ator que está recebendo os restos, é muito difícil competir com atores que estão conseguindo papéis bem construídos. É assim que funciona.

De novo, essa profissão é uma teia emaranhada de artistas conseguindo trabalhos com base em lucro e influência, não em habilidade. Não faz sentido. Em projetos de filmes com atores negros, muitas das "estrelas" são músicos ou comediantes. São eles que atraem o público. Vendem álbuns por todo o mundo, então têm o apelo necessário. Ou são comediantes. Não estou criticando. Estou expondo os fatos. Os atores afro-americanos que temos não recebem, ou pelo menos não recebiam, material suficiente para ser influentes. Ou estão fazendo teatro em Nova York ou não têm nome nem rosto e estão tentando entrar no mercado.

E se há uma enorme quantidade de papéis para membros de gangues e mães periféricas e dependentes químicas, isso faz vários outros atores ficarem de fora. Poucos cineastas procuram atores negros formados para interpretar viciados em drogas. Esses atores ouvem que não são negros o suficiente. Estão lidando com uma indústria onde o talento fica em segundo plano. Já com atores brancos, o talento tem espaço para emergir por conta da simples quantidade e qualidade de material. Martin Scorsese não vai escalar Eminem se pode escalar De Niro.

Interpretei um monte de papéis do que chamo de "melhor amiga da mulher branca". Hollywood tem um caso de amor com esses papéis, mas eles também estão presentes em comédias românticas negras. E se você é uma atriz negra retinta, provavelmente será a melhor amiga em vez daquela que é desejada em filmes com atores negros... sem menosprezar as qualidades da melhor amiga nos filmes com atores brancos. De novo, não estou criticando. Trabalhei com atrizes fabulosas como Diane Lane em *Noites de tormenta*. Com Julia Roberts em *Comer, rezar, amar*. Todo papel oferece uma oportunidade para resolver problemas. Eu posso pegar um roteiro e descobrir uma maneira de fazê-lo funcionar, mesmo que não esteja pronto. Posso apontar o que está errado e pensar em como melhorar, se assim quiserem. Ou talvez não enxerguem o problema. Mas me esforço em cada trabalho para aprimorar o papel.

Fiz a série de filmes *Crimes no paraíso* com Tom Selleck. Qualquer trabalho para um ator é um bom trabalho, de verdade, mas alguns são muito bons, e aquele era o caso. Gravamos em Halifax, Nova Escócia, Canadá, e estava frio. Um dos indicadores de um bom trabalho é quando tudo funciona como que de maneira bem orquestrada.

Tom Selleck e o resto dos produtores tinham tudo sob controle. Além disso, pagavam bem e aquela parte do mundo é linda. É como se Deus tivesse pincelado tons de amarelo, azul e laranja pelas árvores. Havia belas paisagens do oceano e das montanhas cercando a cidade. Ironicamente, eu amava porque me lembrava de Rhode Island. Quando um lugar me lembrava de casa, eu me sentia segura e tranquila. Quando isso não acontecia, a ansiedade mostrava sua face feia. Halifax é pequena e tem muitos frutos do mar.

Tom é um homem ótimo. Senti que ele me respeitava. Nunca me senti sobrecarregada pelo trabalho ou confusa com o cronograma. Havia sempre muitos risos no set e um excelente serviço de bufê. Sinceramente, a comida era boa. Fiz alguns dos filmes da série *Crimes no paraíso* e as pessoas os amavam. Para um dos últimos que fiz, voei de Vancouver, onde estava gravando *The Andromeda Strain*. Eu estava no set um dia quando minha irmã ligou.

— Viola, você está sentada? — disse ela.

Ai, meu Deus!

— Alguém morreu, Dee?

— Sim — confirmou ela, séria.

— Ai, meu Deus! Quem?

— Dwight.

Dwight Palmisciano era o pai de Derek, Daryn e Tiana, os três filhos de Danielle. Ele tinha 28 anos. Dwight, Danielle e Tiana estavam dormindo no apartamento dos meus pais. Era por volta de uma hora da tarde. Dwight estava roncando muito alto e erraticamente. Tão alto que Danielle tentou acordá-lo, em vão. Tiana, que na época tinha 3 anos, acordou e começou a sacudi-lo. Danielle pediu que ela fosse acordar o vovô e a vovó. Tiana correu para o quarto deles e disse: "Vovó, vovô, o pescoço do papai está roxo!" E então a confusão se instaurou.

Meus pais correram para o quarto e tentaram reanimá-lo. Danielle ligou para a emergência e meus pais o colocaram deitado no chão. Minha irmã Anita morava no andar de cima com as filhas, e elas desceram. Meu pai ficou dizendo: "Por favor, filho, acorde! Por favor!" Tiana ficou lá petrificada e fez xixi na calça. Minha sobrinha Breanna, que morava no andar de cima, estava gritando. Os paramédicos vieram e tentaram reanimá-lo. Mas ele já tinha partido. Dwight teve um aneurisma. Todos ficaram arrasados. Danielle teve a enorme tarefa de ligar para a mãe de Dwight. O que tornou tudo pior foi o fato de ela ter perdido outro filho algumas semanas antes.

Dwight era uma pessoa meio geniosa. Ele e Danielle se amavam muito, mas tinham problemas com algumas drogas e para manter o apartamento. Mesmo assim ele deu a Danielle alguma estabilidade e proteção. Quando morreu, uma parte dela se foi com ele. O pensamento que fica comigo, além da minha sobrinha molhando a calça, é algo que Danielle me disse. Quando viu o corpo dele no necrotério, ela subiu na maca e ficou deitada com ele, abraçando-o por horas. Não conseguia deixá-lo ir.

Outra camada pesada de dor tomou conta de nossa família. Veio como uma rajada de tiros. Mais uma tragédia para superar. E, de novo, a vida continua. Segue em frente. Passa por mortes, tragédias. Não espera que você se recupere ou se cure para então atacar de novo. Ninguém tinha dinheiro para enterrá-lo, exceto eu e Julius. O padre literalmente se recusou a fazer o discurso fúnebre até que recebesse. Julius estava em Los Angeles na época e eu, em Nova Escócia.

Minha irmã Deloris me disse mais tarde que estava com Tiana um dia e comprou para ela um *honey bun*, um pão doce dinamarquês, e a menina disse: "Era assim que papai me chamava, de Honey Bunny."

Enquanto isso, a vida seguiu e trouxe de volta um velho problema. Embora tivesse feito cirurgia de mioma anos antes, ele estava crescendo outra vez. Acabei sendo forçada a usar anticoncepcional em dose baixa para controlar o sangramento. A certa altura, estava usando dois absorventes internos do maior tamanho possível e dois externos, além de trocá-los constantemente. Nessa época, atuava em *Intimate Apparel* e tive que sair de cena durante o intervalo. Do nada, deixei uma trilha de sangue do palco até o vestiário e sequer estava menstruada.

No meio da confusão do mioma e da minha carreira decolando, a vontade de ter um filho permeava cada parte da minha vida. Toda criança que eu via despertava o desejo. Cada anúncio de gravidez ou de adoção incitava essa necessidade crescente. Viver pela minha carreira não era suficiente porque aos poucos eu estava vendo as limitações disso. Chegava a uma cidade para um trabalho e... nada. Há solidão, isolamento, conectar-se com pessoas com as quais você não se conectaria, mas faz isso só porque elas estão ali.

Nessa época, estava muito envolvida com a igreja. Era ajudante e ia duas vezes por semana para a Oasis Christian Church. Era uma igreja que Julius tinha frequentado anos antes de começarmos a namorar. Ele trabalhava na segurança. Nós a amávamos por sua vibração e autenticidade. Sempre senti que os sermões eram acessíveis. Fui batizada lá. Na noite do meu batismo, Julius se sentou nos fundos porque fora correndo do trabalho e havia acabado de chegar. Eu perguntara a ele alguns dias antes:

— Hã... Julius? O que faço no meu cabelo? Vou estragar meu entrelace.

— Vee! Não se preocupe com essa merda. Só coloque uma touca de natação na cabeça.

— Julius... sério? Uma touca de natação? Você quer que eu seja batizada usando uma touca?

— Vee. Deus não está olhando para a sua touca! Ele só quer seu coração.

Foi isso. Fui batizada de touca na cabeça... diante de muitas pessoas. E, sim, houve algumas risadas carinhosas, mas foi uma experiência inesquecível. Julius bateu palmas e gritou, e depois saímos para comer. Eu me senti renascida, renovada ainda no mesmo corpo, mas de espírito transformado. Eu estava oficialmente diferente. Eu mudara. Todo mundo que me conhecia e passara tempo comigo me encarava e exclamava: "Caramba, Vee! Você está ótima e parece muito feliz. Você mudou!" Diziam: "Uau, Vee... Julius mudou sua vida." Sim, ele mudou, mas eu também mudei minha vida e Julius foi a recompensa; minha paz foi a recompensa.

Foi o tipo de mudança que a gente não nota até que alguém diz. É como Rudolph, a rena, fugindo de casa porque se sente indesejado e crescendo durante o caminho. Agora ele tem uma galhada. Aquele traço característico que o fez ser banido, seu nariz vermelho, agora pode salvar o Natal e se torna seu trunfo. Bem, minha galhada tinha crescido. Eu criara uma vida, um lar. Era independente e podia cuidar de mim mesma.

Bem nessa época, quando Julius e eu estávamos prestes a nos casar, consegui dois grandes trabalhos seguidos. Fui escalada para *Longe do paraíso*, dirigido por Todd Haynes, e *Solaris*, dirigido por Steven Soderbergh. Gravei *Longe do paraíso*, em Nova York, e *Solaris*, em Los Angeles. A melhor parte de *Longe do paraíso* foi gravar com Julianne Moore e Patricia Clarkson. Amo garotas de atitude. Amo mulheres autênticas e corajosas que se orgulham de quem são.

Solaris foi só diversão. Éramos um elenco bem pequeno que se conectou: George Clooney, Natascha McElhone e Jeremy Davis. Soderbergh é provavelmente o diretor mais tranquilo com o qual já trabalhei. Relaxado como se estivéssemos nos encontrando em um restaurante à beira-mar para comer sanduíches e tomar cerveja. Relaxado. E como ele é relaxado, nós relaxamos.

George era e é o mais gentil dos seres humanos. Na estreia de *Longe do paraíso*, Julius e eu o vimos e contamos a ele que estávamos casados. Ele ficou muito feliz por nós e disse:

— Escuta, quando estiverem prontos, venham para minha casa na Itália. Vocês podem ficar lá de graça, e vou enviar alguém para pegar vocês no aeroporto.

O quê?

— Estou falando sério. Sei que muitas pessoas fazem promessas vazias, mas é verdade. A casa é linda. Será meu presente para vocês.

Julius e eu ficamos sem palavras.

Não sabíamos como ligar para ele e pedir. Isso foi antes de Julius e eu ficarmos muito bons nesse aspecto. Ele até dissera ao nosso agente para entrar em contato com seu assistente. Quando enfim ligamos, eu tinha feito *Syriana: A indústria do petróleo* com ele e entre as cenas perguntei sobre a promessa da casa. Ele me disse para escolher uma data e ligou para o assistente.

Bem, quando Julius e eu chegamos a Milão, voando sobre os Alpes Suíços, ficamos de queixo caído. Um carro nos buscou e, quando chegamos à casa, senti que estava em *O grande Gatsby*. Os altos portões de ferro. O caminho de ladrilhos conduzindo à porta da frente, onde fomos recebidos por funcionários com guarda-chuvas, pois estava chovendo. Tentamos pegar nossas malas, mas disseram que iriam pegá-las. Paramos na entrada daquela casa de 22 quartos dos anos 1800, com afrescos no teto, escadas de mármore e grandes cadeiras estofadas. Ficamos diante dos funcionários, que eram uma família — marido, esposa e o filho deles, de 11 anos. Eles perguntaram o que gostávamos de comer. Julius e eu? Comer?

Julius disse:

— Que gentil! Gostamos de peixe e frango.

Eu falei:

— Amo macarrão! Amo sorvete e pizza... e berinjela!

A resposta deles foi apenas:

— Tudo bem.

Quer dizer... sério. Aquela mulher ia cozinhar para a gente.

— Hã... então onde a gente deve dormir?

— Vocês podem escolher qualquer quarto da casa.

O quê?!

— Qualquer quarto? — perguntamos.

Eles disseram que éramos os únicos hóspedes.

Julius e eu fomos olhar cada um dos quartos e nos instalamos no maior, com cama de dossel e lareira. Tinha vista para o Lago de Como, a igreja, os Alpes. O banheiro estava abastecido. Havia vaso sanitário e bidê. Os funcionários disseram que o café da manhã não tinha um horário certo, mas para o resto das refeições eles tocariam o sino. Bem... Julius e eu nos vestíamos cedo toda manhã e nos sentávamos na beirada da cama, em silêncio, esperando, como o cão de Pavlov, que aquele sino tocasse, tentando parecer dignos ao sairmos correndo para a comida.

Porque, deixe-me dizer o seguinte, a primeira refeição foi em uma sala construída com grandes pedras do chão ao teto. Havia uma enorme adega com vinhos com centenas de garrafas. Eles tinham arrumado a mesa com velas e pão. Então serviram uma refeição de quatro pratos que estava além de qualquer coisa que eu já experimentara. Cada prato era acompanhado de um vinho diferente, apresentado antes de servirem a refeição para que provássemos. A comida era pura arte. Julius e eu nos emocionamos. De verdade.

Julius ficou dizendo:

— Vee... como vamos retribuir? Isso aqui é bom demais. Você acredita que ele nos deu esta viagem? George é... ele é especial.

Eu não conseguia falar.

Nós nos exercitávamos na parte da propriedade chamada de Factory. Era uma casa separada que tinha mais cinco quartos e uma garagem cheia de carros e motocicletas. Havia um bar e uma academia equipada com tudo que havia de mais moderno. Havia a excelente música que George deixara. Todo dia e toda noite apresentavam uma experiência culinária diferente. Uma noite, a cozinheira fez pizza no forno a lenha. Perdi a conta de quantas comemos. Nem por um segundo nos sentimos menos que em casa. Descobrimos que George tinha o menor quarto da casa. Espiamos e consolidamos nossa opinião de que ele era inigualável. Fizemos viagens para Veneza, Florença, Milão. Queríamos dar gorjeta para os funcionários, mas George foi enfático em dizer que não deveríamos... várias vezes.

Voltamos para casa renovados.

Mas o que foi que falei sobre a vida? Ela nunca para. Sempre temos esperanças de que tudo aconteça a nosso favor. Pelo menos é assim que as histórias se desenrolam nas telas. Podemos viver a vida buscando prazer e ótimos momentos, e podemos vivê-la esperando tragédias e tristeza. A vida existe em algum lugar no meio disso.

MaPapa teve um ataque cardíaco, bem grave, enquanto eu estava gravando o filme *A história de Fantasia Barrino*, em Nova Orleans. Ele estava sentado comendo e caiu gritando o nome da minha mãe. Eles o levaram para o hospital correndo. No dia seguinte, ele fez uma cirurgia para colocação de quatro pontes de safena. Fiquei bastante nervosa. Não podia ir até lá, mas fiquei o tempo todo no telefone com meus familiares, pesquisando tudo a respeito de ataques cardíacos, da recuperação de cirurgia e da expectativa de vida.

Ficamos desesperados quando pensamos que alguém que amamos está morrendo. Na verdade, sequer levamos a sério fatos que contradizem nossa necessidade de ter a pessoa amada viva. No dia seguinte, ele acordou da cirurgia e ficou muito feliz por estar vivo. Ele ficou dizendo: "Ah! Estou tão feliz de ver vocês! Ah! Eu amo tanto vocês." Voltei para casa por um curto período de tempo depois que ele fez a cirurgia. Queria vê-lo. Um dia, fazendo compras com minha irmã, meu celular tocou. Eu raramente atendia ligações.

Hoje em dia as pessoas dizem: "Viola, estou ligando há dois anos e você nunca atende." Não sei por que atendi daquela vez. Deve ter sido Deus. O médico me ligou para dizer que viram lesões no fígado dele e que tinham certeza de que era câncer. Enquanto se recuperava, ele sentiu uma enorme dor nas costas. Primeiro, acharam ser câncer no fígado, mas era um câncer no pâncreas que havia entrado em metástase, espalhando-se para o fígado, para os pulmões e para os rins. Foi diagnosticado em maio. Meu pai, que tinha acabado de se recuperar da cirurgia cardíaca pela qual passou tranquilamente, estava morrendo.

Deloris e eu ficamos em silêncio. Uma das coisas que ela disse foi: "Viola, papai vai morrer naquele apartamento horrível em que eles moram, infestado de ratos e baratas."

Eles não quiseram morar em outra cidade. Não conseguimos um lugar novo para eles em Central Falls porque muita gente morava com eles. Sério!!! Naquela época, havia 14 pessoas vivendo em um espaço de 18 metros quadrados. Havia apartamentos melhores em Central Falls, mas não para 14 pessoas. MaPapa era a pessoa exigente da casa. Sempre disse que queria que fossem apenas ele e minha mãe. Queria uma vida mais tranquila, mas amava aquelas crianças, principalmente o bebê mais novo de Danielle, James. Sempre dizia: "Filha, eu amo esse bebê."

Tentamos arrumar outros lugares para eles morarem, mas sempre havia muita coisa acontecendo naquela casa. Crianças demais, amigos, outros dependentes químicos entrando e saindo, itens sendo roubados. Era um campo minado. Eu simplesmente não conseguia arrumar para eles um lugar melhor para viver. Queria que eles viessem morar comigo, mas não vinham ou não podiam deixar as crianças. Então, o que fizemos foi comprar camas, eletrodomésticos, comida, pagar despesas e as contas de telefone. A vida deles era um caos enorme, tentando criar todos aqueles netos: crianças fora de controle; os amigos deles entrando e saindo todas as horas da noite. Eu sempre estava tentando mobiliar o apartamento.

Os móveis mais lindos e os melhores eletrodomésticos quebravam. Eu ajudava. Minha irmã Deloris ajudava. Minha irmã Dianne ajudava. Mas havia necessidades demais, pessoas demais. Agora, a vida do meu pai ia acabar aos 70 anos.

Deloris estava chorando e disse palavras que provocaram uma cura em mim.

— Viola, papai não fez nada na vida.

Pensei: *Demos a eles viagens para a Jamaica. Eu paguei passagens de avião para eles irem à Califórnia, a Atlantic City.*

— Quais eram os sonhos dele? — perguntou minha irmã, em prantos. — Quais eram seus desejos? Ele só estudou até o quinto ano.

O que ficou nítido para mim, enquanto ele morria, foi que *nós* éramos o seu sonho; seus filhos e netos eram seu sonho. Para uma geração inteira de pessoas negras, nós éramos o sonho. Éramos a esperança delas. Éramos o bastão que elas passavam enquanto afundavam na areia movediça do racismo, da pobreza, das leis de Jim Crow, da segregação, da injustiça, dos traumas familiares e dos problemas.

Deloris e eu tivemos que contar a ele. Precisei reunir coragem para contar. Fomos à casa dos meus pais, e eu não consegui falar nada. Não conseguia contar a ele. Mas ele já sabia. Naquela época, meu pai se desculpava com minha mãe repetidas vezes.

— Mae Alice, todas aquelas coisas que fiz com você no passado, você sabe que sinto muito. Não sabe?

— Sei disso, Dan — dizia ela.

E ele repetia:

— Sinto muito.

Ele estava finalizando todas as pendências.

Eles tinham ficado juntos por 48 anos.

Meu pai não queria ir para uma casa de repouso. Não queria ir para o hospital. Eu estava cuidando de tudo, e ao mesmo tempo estava de luto.

Falei com minha mãe:

— MaMama, se você o levasse para uma casa de repouso, ele ficaria mais confortável. Eles têm tudo, podem ajudá-lo a sentir menos dor.

— Ele não quer ir. Ele não quer ir — disse ela.

Meu pai deitava no sofá-cama e gritava de dor. Estava pesando 39 quilos, e era uma visão horrível. Era um sofá-cama no meio da pequenina cozinha. Ele não podia nem queria ser tirado dali. Estavam tentando administrar os cuidados paliativos, lidar com a dor em casa. Ele estava morrendo em agonia, em um apartamento lotado. Estava tão magrinho que a enfermeira não conseguia achar sua veia. Tiveram que dar morfina líquida. Enquanto ele morria, como se nada pudesse piorar, alguém roubou a morfina dele. Havia pessoas demais entrando e saindo da casa, e o vício em drogas corre na minha família. A demência havia chegado. A boca dele estava seca. A cada cinco minutos ele se sentava e gritava:

— Mae Alice!

— Dan!!! Estou bem aqui!!! Me diga o que você quer.

Mas ele só ficava sentado ali e ela o abraçava.

Fiquei lá porque queria. Como morava a 4 mil quilômetros de distância, não sabia como era o dia a dia deles. Vi tantas pessoas entrando e saindo do apartamento — "amigos" de pessoas que eu não conhecia. Papai estava coberto em excrementos, que minha mãe e meu sobrinho limpavam, mal tomava água, gritava de dor às vezes. Havia caixas empilhadas do chão ao teto porque minha irmã Anita se mudara de volta para lá. Literalmente não havia nem espaço para sentar. De tão amontoado.

A situação do meu pai estava tão ruim que enfim liguei para minha mãe uma manhã e disse:

— Ele tem que ir para uma casa de repouso. Eles podem cuidar da dor dele. Sei que ele não quer ir, mas precisa.

— Viola, eu já... eu já liguei para eles. Já tomei a decisão — disse ela, soando extremamente exausta.

— Tudo bem, estou a caminho — falei.

Dirigi até lá com minha sobrinha, que tinha passado a noite comigo. As pessoas da casa de repouso chegaram, carregaram-no até a ambulância. Todos nós estávamos em prantos. Meu pai não estava mais em seu juízo perfeito. Os olhos estavam abertos, mas mortos. Segui a ambulância com o meu carro, com minha sobrinha e meu sobrinho. Quando cheguei, mamãe já estava lá, chorando sobre a cama de papai.

— Viola, a enfermeira me disse que preciso dizer a ele para ir. Não posso fazer isso. Não posso dizer a ele para ir. Não consigo. Não consigo.

— Tudo bem, mãe. Eu digo.

Eu sabia que ele ainda estava aqui por causa da minha mãe.

A respiração dele assumira o padrão de Cheyne-Stokes, o respirar dificultoso dos moribundos. A mão dele estava erguida. Pensando agora, sei que estava me dizendo para segurar a mão dele. Ele atingira aquele momento! Eu estava atordoada por testemunhar os últimos suspiros do meu pai. Não pensava mais nas brigas, no abuso, nas traições... estava pensando que aquele homem me dera a vida. Aquele era o meu papai, e eu o amava.

— Papai, está tudo bem se você for — falei para ele. — Você não precisa continuar sentindo dor, tudo bem? — Ele apenas continuou respirando... quase lutando por todo pedacinho de vida. — Deus ama você. Jesus ama você. Você fez um trabalho muito bom. Todos nós o amamos muito. Vou cuidar da mamãe. Vou cuidar de... — E nomeei todas as minhas sobrinhas e sobrinhos. — Você não precisa se preocupar com nada, papai. Tudo bem?

Ele chegou lá por volta de 12h05. Eu estava ao lado da cama dele às 12h10. Os médicos vieram examiná-lo e conversaram conosco. Foram muito solidários:

— Provavelmente levará mais um dia e meio, e então ele partirá.

Ele sobrevivera a uma cirurgia de ponte de safena apenas para morrer de câncer alguns meses depois.

Assim que os médicos disseram isso, a enfermeira veio, apontou para minha mãe e disse:

— Sra. Davis, pode vir conosco, por favor?

Eu a segui, junto com minha sobrinha e meu sobrinho.

A enfermeira disse:

— Sra. Davis, pode ficar de pé aqui, por favor? — E colocou um estetoscópio no peito do meu pai. Ela segurou a mão da minha mãe e disse: — Sinto muito, Sra. Davis, mas ele partiu.

Havia cinco enfermeiras atrás de mim, minha sobrinha, meu sobrinho, enquanto cada um de nós reagia de uma forma.

Meu sobrinho segurou a mão de papai e murmurou:

— Vovô, não.

Minha sobrinha chorou.

Mamãe segurou a mão dele e, olhando em seu rosto, repetiu:

— Ah, Dan. Ah, Dan. Ah, Dan.

Ele morreu às 12h31. Não durou nem meia hora na casa de repouso. Depois, tudo aconteceu rápido. Você tem uma vida inteira com alguém, memórias — boas, ruins, devastadoras, cheias de amor, todo tipo de lembrança —, e então se depara com um corpo.

A enfermeira disse:

— Sra. Davis, precisamos saber para onde enviar o corpo. Precisamos dessa decisão ou menos na próxima meia hora, porque ele vai começar a se decompor.

Foi quando Julius, o provedor e o protetor, entrou em ação. Ele já tinha passado por isso. Liguei para ele e contei que meu pai havia falecido. E sua resposta foi:

— Ai, meu Deus. Ai, meu Deus. Eu sinto muito. Eu sinto muito. Tudo bem, vou pegar o primeiro voo. Escute, vou te dizer o que você tem que fazer.

Ele me deu um passo a passo. Ele havia insistido que eu fizesse um seguro funerário para os meus pais no início do nosso relacionamento dizendo: *Você precisa fazer um seguro para seus pais. O jeito que a vida é, todo o estresse, Viola, estou te dizendo... Seus pais podem ir de uma saúde muito boa para uma muito ruim em pouco tempo. E quando acontece, acontece rápido, e ninguém tem como pagar. Faça um seguro porque, quando acontecer, você ficará devastada.* Eu tinha feito o seguro funerário para os meus pais por causa dele.

Quando papai morreu, Julius disse:

— Viola, ligue para o seguro, diga a eles que seu pai morreu, onde o funeral será feito, o endereço do necrotério, e eles pagarão tudo imediatamente.

— É simples assim? — perguntei entre soluços.

— É simples assim.

Viola, que era a mais tímida, tinha a maior ansiedade social, costumava ter a voz mais baixinha, de repente estava na funerária com a mãe, preenchendo a certidão de óbito, dando toda a informação necessária, escolhendo o caixão. Minha irmã Deloris escreveu o obituário.

— Deixa que eu faço isso, Viola — disse ela.

Depois, precisei comprar roupas para todos os meus sobrinhos. Ninguém tinha o que vestir em um funeral. Não estou falando de roupas boas, só de roupas limpas e apresentáveis. Eu tinha mais ou menos um dia para vestir dez pessoas e informar a maior quantidade de indivíduos possível que papai falecera.

O funeral foi devastador, mas eles fizeram um ótimo trabalho. Meu pai estava lindo. Antes ele estava tão doente, emaciado, mas eles o fizeram parecer ótimo. Isso soa macabro, mas me ajudou muito a baixar os olhos e ver meu pai, não o meu pai doente e moribundo, mas o meu pai. Escolhemos um terno juntos. Colocamos fotos de todos os netos no caixão. Enquanto o fechávamos, percebi que ele estava sem os sapatos. Fiquei bastante irritada. Pensei: *Demos as coisas dele para que vocês o vestissem. Por que ele está sem sapatos?* E então me dei conta: *Viola, ele não precisa de sapatos.*

Meu pai, que só estudara até o quinto ano, que não figurou em livros de história, exceto nos meus, teve uma volta para casa às avessas. Todos foram ao funeral dele. A polícia nos acompanhou com escolta de honra até o cemitério com não sei quantas viaturas e policiais, geralmente designados a pessoas importantes. Meu pai era importante a esse ponto para eles. Vivíamos na cidade desde 1965. Em funerais, não importa quanto você ache que conhece uma pessoa, no fim você vê um outro lado dela. As pessoas partilham memórias, histórias que você nunca ouviu. Tenho certeza de que havia memórias que o surpreenderiam. Quantas pessoas se mostram suficientemente vulneráveis para compartilhar como você as tocou? Isso é algo que nem sempre acontece quando estamos vivos.

Quando meu pai faleceu, parte do meu coração foi com ele, e nunca voltará. Sinto o mesmo em relação a Julius. Sinto o mesmo em relação a minha filha, minha mãe, minhas irmãs. É um coração. Eles estão completamente entrelaçados em meu espírito.

Lembro-me de assistir a um episódio de *Supergatas* em que Bea Arthur, que interpretava Dorothy, responde a uma pergunta de Rose, interpretada por Betty White:

— O que você quer do seu próximo marido? — pergunta Rose.

E Dorothy responde:

— Quero alguém com quem envelhecer.

Isso é o que a maioria das pessoas não quer. Elas querem a juventude. Querem a beleza. Quando você envelhece, muda. Muda fisicamente. Muda emocionalmente, e uma outra faceta bem diferente da sua vida aparece. Seu corpo desacelera, se aposenta; a morte se torna concreta demais. Muitas pessoas não estão dispostas a encarar a longa jornada. Não estão dispostas a encarar as mudanças que a jornada da vida traz — os sustos relacionados à saúde, a morte. Eu *quero* alguém com quem envelhecer. Entendo essas referências. Vi isso quando minha mãe teve que se sentar ao lado do meu pai em seu leito de morte. Aquilo é casamento. Aquilo é amor. Aquilo é comprometimento.

Descobri, semanas depois, quando tomei coragem para pesquisar como confortar quem está morrendo para que não sinta frio ou calor no fim, que a pessoa geralmente tem visões daqueles que fizeram parte de sua vida e já morreram. Isso ocorre porque precisam de permissão para partir. Você precisa validar isso. Precisa manter os lábios deles hidratados e lhes dar golinhos de água, caso consigam tomar. Mais importante que isso, o número um do conforto é... segure a mão deles.

Meu papai se foi.

Como a vida pode continuar depois disso? Por que ninguém está celebrando, honrando a vida de Dan Davis? Tudo o que ficou se repetindo na minha mente foi: *O propósito da vida é vivê-la.*

O propósito da vida é vivê-la.

CAPÍTULO 17

AÍ ESTÁ ELA

Você pode deixar algo para as pessoas ou pode deixar algo nas pessoas.

— Anne Lamont

Dúvida, o filme baseado na parábola de John Patrick Shanley, estreou em 2008, muitos anos após a morte do meu pai, e, embora tenha sido apenas duas semanas de trabalho, marcou minha transição de atriz de palco para atriz de cinema, de Hollywood. No teatro, o objetivo é o prêmio Tony. *Dúvida* me impulsionou para uma indicação ao Oscar. Tinha 42 anos quando consegui o papel.

Quando ouvi dizer que a peça seria transformada em filme, falei para o meu agente: "Eu adoraria fazer esse papel. Atuar com Meryl Streep. Meu Deus."

Li a peça e fiz o teste para o filme em Los Angeles, na Warner Brothers. Depois disso, recebi a ligação do meu agente dizendo que queriam que eu fosse para Nova York fazer um *screen test*, um teste de tela. Foi meu primeiro teste de tela na vida. Peguei um avião para lá, eles me colocaram em um hotel, fiz check-in e recebi a ordem do dia.

Quando você está filmando para a televisão ou para o cinema, todos os dias recebe a ordem do dia com o nome de todos os atores, da equipe, notícias sobre o tempo e uma lista do trabalho para aquela data. Ao lado do seu nome fica um número que indica sua função no elenco e a hora em que vai ser maquiado e estará no set.

Fiquei nervosa para o teste de tela de *Dúvida* quando vi o nome das seis atrizes na ordem do dia e os horários em que deveríamos estar no set. Estávamos divididas cada uma em blocos de 45 minutos: Audra McDonald, Sanaa Lathan, Taraji P. Henson, Sophie Okonedo e Adriane Lenox, que interpretara o papel na Broadway e ganhara o Tony pela atuação. Algumas dessas atrizes já estavam em Nova York, e outras tinham chegado de Los Angeles. Um carro veio nos buscar. Chegamos ao set, e cada uma teve que colocar uma peruca e um chapéu. Seis senhoras Miller estavam andando pelo set. Dava para ouvir cada teste e as pessoas aplaudindo no final. Todas soavam maravilhosas.

Sabia que havia conseguido o papel porque saí daquele teste com a certeza de que tinha ido muito bem. Depois que voltei para ter minha cabeça medida para a peruca, retornei ao hotel e adormeci. O telefone do quarto tocou; era minha empresária, Estelle, dizendo: "Viola, você conseguiu." Não há palavras para descrever o momento em que se ganha a loteria do teste. Parece uma sorte aleatória. Grande parte é talento e preparação, mas sorte também tem um papel importante.

Sabia que aquele era o momento. Se minha indicação ao Tony por *Seven Guitars* e o prêmio por *King Hedley II* foram meu desabrochar no palco, aquele seria o meu desabrochar no cinema. Aquele era um papel para superar tudo. Um papel para virar o jogo — Meryl Streep, Philip Seymour Hoffman, Amy Adams, com John Patrick Shanley dirigindo. Com certeza estaria no páreo para ganhar prêmios. E eu amo todos esses atores. Estava tão animada que andava por aí dando pulinhos.

Desliguei o telefone e ele tocou de novo. Era a assistente de direção responsável por organizar tudo. Ela disse:

— Viola, parabéns! Você tem um ensaio amanhã com Meryl Streep, Philip Seymour Hoffman e Amy Adams, mas primeiro um só com Meryl.

Desabei. Foi o que eu fiz. Comprei dois frascos de relaxantes homeopáticos na loja de produtos naturais e tomei um inteiro em menos de uma hora. Eu estava nervosa, aterrorizada. Há uma parte de mim que sabe que Meryl me odiaria por dizer isso. Ela é tão humilde quanto talentosa, e é tão gentil quanto completamente, 100%, NADA intimidadora. Ela é simplesmente considerada a melhor, e atuar ao seu lado atiça a maior fera que vive dentro de cada ator… a síndrome do impostor.

No dia seguinte, cheguei ao ensaio provavelmente meia hora mais cedo e fiquei ali sentada, encarando a porta da frente, esperando. Ela passou pela porta e disse:

— Oi, Viola. Sou a Meryl.

Eu paralisei. Ela disse que ia ao banheiro e falei:

— Quer saber? Também tenho que ir ao banheiro.

E a segui, embora não tivesse que ir de verdade. Fui porque ela estava indo. Nesse início, agi como uma boba, mas superamos isso.

Não estávamos filmando ainda, apenas ensaiando, e houve uma pausa nos ensaios por causa do feriado do Dia de Ação de Graças. Aquele foi um dos melhores, porque fui para casa em Rhode Island sabendo que eu tinha aquele trabalho. Peguei o trem e Julius foi de avião me encontrar lá.

Quando voltei a Nova York, Meryl e eu fomos filmar no Bronx, em uma casa. Amy, Philip e Meryl foram um dos melhores elencos com que trabalhei porque o ambiente era absoluta e completamente livre de ego. Todos estavam tentando compreender como fazer aquele trabalho. Tivemos excelentes conversas durante o ensaio: como é dar o seu melhor mesmo com a síndrome do impostor perseguindo e fazendo você se sentir fadado ao ostracismo por ter sido o escolhido. Meryl disse algo incrível que me ajudou a me livrar dessa sensação: "É, Viola, nós sabemos a verdade." O que ela estava dizendo é que sabemos a verdade do que significa estar nessa posição. Você não se torna presunçoso se ama o que faz. É uma grande responsabilidade, que costuma ser ignorada e mal compreendida.

Se houvesse uma imagem para definir atores que tiveram síndrome do impostor, sempre trabalhando para melhorar, ela estaria naquela sala, conosco tentando o tempo todo entender os personagens que devíamos representar, sem focar em mais nada e em mais ninguém. Entrávamos ali segurando o roteiro, esmiuçando-o, nos concentrando em estar 100% presentes uns com os outros, nos entregando por completo à tarefa. Philip sempre dizia: "Ai, meu Deus, tragam Brian F. O'Byrne", que fizera *Dúvida* na Broadway e fora fabuloso. Philip era sensacional porque tinha um enorme respeito pelos outros atores, esforçava-se e sempre criticava a si mesmo por seu trabalho. Aquela era a melhor sala para se estar. Quando você está em uma sala cheia de atores incríveis, você quer dar o seu melhor.

Eu não conseguia captar a Sra. Miller. A personagem não estava funcionando para mim. Eu não a entendia. Não sabia qual era a dela, simplesmente. Estávamos naquele espaço sagrado de processo artístico, e eu sabia que os outros atores me escutariam. Tentávamos resolver os problemas. Tentávamos entender. Ninguém dava as respostas para você. Esses são os atores que respeitam totalmente seu processo. Todo mundo estava falando e, embora eu fosse a atriz menos conhecida do grupo, não dava para perceber. Todos jogando no mesmo time. Espaço e tempo me foram oferecidos. Todos deram um passo para trás e me deram espaço. Meryl também recebeu espaço. Estávamos em perfeita sintonia.

Ainda assim, senti que precisava voltar a Los Angeles para trabalhar no roteiro antes de gravar, porque não conseguia entender aquela mulher. O que motivava a Sra. Miller?

Por causa da minha formação na Juilliard, sabia que minha tarefa como atriz era descobrir o que motivava a personagem. Estava usando toda a minha bagagem e não conseguia entender uma mãe que permitia que seu filho, que ela acreditava ser gay, estivesse com padres que o poderiam estar molestando. Eu não entendia. Via aquela cena como incrivelmente dinâmica, mas a verdade é que eu não a entendia. As leituras para repassar o texto tinham sido incríveis. Meryl era a melhor leitora dramática que eu já ouvira. Quando enfim repassamos o texto com os produtores, todo mundo ficou feliz, mas para mim, para o meu ritmo, para o meu padrão, sabia que não tinha entendido por completo a Sra. Miller.

Depois de três semanas de ensaio antes do início das filmagens, eu estava animada para voltar para Los Angeles e trabalhar mais no texto. Escrevi uma biografia de cem páginas sobre a personagem. Enfim desvendei a Sra. Miller quando um professor universitário com quem conversei disse: “Ela não tinha escolha, Viola. Estava fazendo a única coisa que sabia fazer.” Isso revelou toda a personagem da Sra. Miller para mim. Ela não tinha escolha.

Quando gravávamos no Bronx, minhas cenas eram com Meryl. Minha nossa, eu estava nervosa. Sou uma dessas pessoas que têm dificuldade para jogar conversa fora. Se você está trabalhando só com uma atriz por dia, no intervalo entre as cenas você simplesmente senta e conversa. Eu não tinha nada a dizer. Fiquei lá sentada, sorrindo.

— Como você está, querida? — perguntou ela.

— Muito bem, Meryl. E você, como está?

— Estou muito bem.

Meryl se sentava e lia o jornal ou tricotava. Ela é boa de conversa. Eu não. Eu só ficava ali sentada. Não conseguia pensar em nada para dizer.

Por fim, perguntei:

— Você quer chá? Vou ao bufê. Posso buscar chá para você. — Foi a única coisa que consegui inventar.

Gravamos a cena interna primeiro. Não há palavras capazes de descrever como é trabalhar com um grande ator. Você sequer tem que se preocupar se ele vai passar a bola para você. Não precisa se preocupar se ele vai dar tudo de si na cena. Meryl estava inteira ali comigo. A cena externa levou mais tempo porque estava chovendo. Quando parava de chover, nós repetíamos a cena. Enquanto chovia, nos sentávamos juntas e esperávamos. Ela sempre dizia:

— Ah, venha se sentar comigo. Vamos conversar. Sente-se aqui comigo.

No fim das contas, tivemos as melhores conversas. Sobre a vida, sobre os filhos dela e sobre o trabalho. Foi perfeito. Depois de um tempo, eu podia me inclinar e dizer: "Deixa eu te perguntar sobre isso ou aquilo. Você já fez tal coisa? Já fez isso para conseguir um papel?"

Estava dividindo a tela com Meryl Streep, que eu vira em ação por tantos anos em tantos papéis. Não havia palavras para descrever aquilo. No intervalo entre as cenas, ela dividia um chocolate comigo. Comemos *muito* chocolate.

Então terminamos o trabalho e foi uma experiência incrível. Mais tarde, fiz uma dublagem para corrigir uma fala cujo áudio estava difícil de ouvir por conta do ruído que havia no fundo. Quando voltei a Los Angeles, fiquei deitada no sofá por uma semana, comendo pão, todo tipo de comida que você possa imaginar, pensando: *Meu Deus, eu estou um caco*. Nos mudamos para a casa nova enquanto eu filmava *Dúvida*, e Julius por fim me perguntou:

— Por que você fica deitada assim? Comendo tudo isso?

— Não gostei do meu trabalho em *Dúvida*.

— O que tem de errado com ele?

— Só não está funcionando. Não está legal.

— O que Meryl estava fazendo na cena?

— Não sei. Eu não estava olhando para Meryl. A Meryl? Ela estava ótima. Eu não estava olhando para ela. Eu estava olhando para mim.

— Você tem que levantar — disse Julius. — Tire o rabo desse sofá! Não quero mais ouvir nada disso. Vamos para a jacuzzi.

Quando o filme estava prestes a estrear, fui selecionada como uma das dez artistas promissoras, dez artistas para ficar de olho, e convidada para a premiação do Hollywood Film Festival, em 2008. Na véspera da cerimônia, recebi vestidos em casa para experimentar. Fiquei superanimada. Mas estava sentindo cólica. Não sabia o que estava acontecendo e disse a Julius:

— Estou com cólica.

Eu estava experimentando vestidos para escolher qual usar na premiação, e aquela cólica irritante persistia. Enquanto experimentava os vestidos, olhando no espelho, a cólica piorou tanto que disse a Julius:

— Vou experimentar os vestidos mais tarde.

E fui para o quarto me deitar.

— Quer alguma coisa para diminuir a dor?

Disse que sim, então Julius me trouxe um Tylenol e eu me deitei. Depois de uma hora, a cólica estava pior. Eu não estava menstruada e me perguntei de onde aquela dor estava vindo. Pilar, minha velha amiga da época da Juilliard e colega de quarto naquela casa com oito pessoas no Brooklyn, me ligou para conversar e, quando atendi, ela perguntou:

— O que foi?

— Estou tendo cólicas terríveis.

A essa altura, eu já estava na posição de quatro apoios. A irmã de Pilar é médica, então ela sempre está superalerta.

— Peça para Julius levá-la para a emergência.

— Não, acho que não precisa. Talvez seja só o mioma.

Minha família inteira tinha problemas com miomas. Deloris, Dianne, Anita, minha mãe, todas nós tínhamos.

— Peça. Para. Julius. Levá-la. Para. A. Emergência!

Julius já estava no quarto e decidiu me levar.

Eu estava com um abscesso em uma das tubas uterinas. O médico veio com o diagnóstico e disse: "Precisamos operar imediatamente." Eu já tinha feito duas cirurgias para retirar miomas. Removi nove miomas cirurgicamente quando tinha uns 30 anos. Algum tempo depois, passei por outra cirurgia na qual 33 miomas foram removidos. Agora era uma trompa uterina. Minhas irmãs Dianne e Deloris chegaram a sangrar quase até a morte depois de dar à luz e cada uma teve que passar por uma histerectomia completa. Anita teve três filhos e nunca fez nenhuma cirurgia, mas suas cólicas menstruais eram fortíssimas. Parecia uma maldição de família. Eu estava anêmica. Tendo problemas nos órgãos reprodutores o tempo todo.

Não queria continuar nessa rotina de ter que correr para o hospital, sangrando durante a menstruação por longos períodos, às vezes por um mês direto. Pensei em como estava levando minha vida com Julius, e a minha carreira. Senti que naquele momento teria que fazer uma escolha de Sofia, uma decisão transformadora. Tinha cansado de sofrer. Quando estava quase sendo operada, falei para o cirurgião:

— Vou dizer uma coisa para você agora: não vou passar por isso de novo. Não vou mais fazer isso. Quando acordar, não quero que meu útero esteja aqui. Quero fazer uma histerectomia.

O médico começou a recitar todo um discurso...

— Essa é a minha escolha.

— Bem, mas e se... — começou ele.

Ele era um médico muito gentil, mas eu disse:

— Deixe-me falar mais uma coisa: se eu acordar e meu útero ainda estiver aqui, vou acabar com você. Tá bom? Vou acabar com você, porra.

O médico ficou horrorizado.

— Ah, tudo bem, Sra. Davis. Tudo bem, Sra. Davis. Tudo bem.

Julius estava rindo.

Mais tarde, o médico nos contaria que, quando me abriram, eu tinha muitas aderências, muito tecido cicatricial, mas meu útero estava em bom estado e provavelmente poderia ter sido mantido intacto. Mas um útero intacto e fertilidade são duas coisas diferentes. Enquanto a equipe cirúrgica trabalhava, ele disse que relembrou: "Estou falando, ela disse que vai acabar comigo!"

No dia seguinte, aconteceu o evento dos dez artistas para ficar de olho no Hollywood Film Festival. Não pude ir. Tinha sido operada depois de sentir aquela dor terrível do abscesso, passado por uma histerectomia parcial e fiquei internada no hospital por oito dias com uma infecção que eles drenaram através de um tubo no meu estômago.

Quando *Dúvida* estreou, as críticas positivas me impulsionaram para outro patamar. Foi além do que eu poderia ter imaginado.

Julius e eu comparecemos à cerimônia do Globo de Ouro e do Screen Actors Guild Awards. No evento do Screen Actors Guild, não pensamos que *Dúvida* fosse ganhar alguma coisa, porque fomos indicados em todos os prêmios naquela temporada, mas àquela altura não estávamos ganhando nada. Pensamos: *Este é um prêmio para o qual todos nós fomos indicados, mas vamos sair de mãos vazias.* Quando Meryl ganhou o Screen Actors Guild Award por *Dúvida*, surtamos. Depois disso, foi como se alguém tivesse ateado fogo na gente.

Em seguida, veio o Oscar. Minha primeira indicação ao Oscar, em 2009. Minha primeira vez me sentindo como a escolhida para alguma coisa. Aquela primeira indicação ao Oscar foi extremamente emocionante. É difícil explicar o que é a jornada de vida de um ator, os tropeços pelo caminho, a luta, o desemprego. Uma indicação ao Oscar dissipa tudo isso. Nas entrevistas, tudo isso é falado muito por alto. Minha vida como atriz assalariada, pegando o ônibus por três, quatro horas para chegar ao teatro em Newton, no porão da igreja, e trabalhando para ganhar trezentos dólares por semana. Uma indicação ao Oscar significa que você atingiu o sucesso. As pessoas esquecem tudo isso e veem sua vida ao contrário.

Mais de vinte mulheres negras foram indicadas ao Oscar desde que Hattie McDaniel foi a primeira a ganhar o prêmio, em 1939, por *E o vento levou*. Whoopi Goldberg e Jennifer Hudson também já tinham ganhado quando fui indicada.

Dois anos depois da minha cirurgia e da minha indicação ao Oscar, adotamos Genesis. Iniciamos o processo de adoção por causa de Lorraine Toussaint, uma atriz fantástica que é minha amiga. Ela me disse que decidiu adotar o filho porque não queria ter "atriz de séries" escrito em sua lápide. E Denzel sempre disse: "Ninguém leva os bens para o túmulo." Eu queria que minha vida fosse mais do que apenas trabalho.

O processo de adoção de Genesis foi longo. Durou quase um ano. Passamos por sete assistentes sociais, aulas, avaliações, inspeções da casa. Uma assistente social abriu a torneira da nossa pia e ficou lá entre 15 a vinte minutos com a mão debaixo da torneira para garantir que a água quente não passava de uma certa temperatura. Colocamos grades ao redor da piscina, cobrimos todas as lareiras, colocamos travas de segurança em todos os armários, nos preparando para ter um bebê em casa.

É incrível a quantidade de documentos, centenas de páginas nas quais você revisita onde foi criado, como era o seu lar na infância. Foi abusado? Quais foram as consequências desse abuso? Como você se sente a respeito de ter filhos? Como vai educá-los? Nós nos sentamos juntos por horas e conversamos com uma assistente social sobre tudo isso. Toda figura parental em potencial provavelmente deveria fazer isso, mas quando você decide adotar, precisa entender se está ou não pronto para acolher uma criança em sua vida.

Eu me senti mais confortável com os serviços sociais em Rhode Island do que em qualquer outro lugar porque muitos dos meus amigos eram assistentes sociais e eu tinha sobrinhos e sobrinhas que haviam passado pelo sistema de assistência social. Eu me senti confortável. O processo de adoção levou mais tempo, mas já sabia como aquilo funcionava. Não me importei com a dificuldade, assim como eu não ligava para os percalços de ser atriz. Obstáculos eram algo a que eu estava acostumada.

Crescer com insegurança alimentar, lavar minhas roupas à mão na água fria à noite, pendurá-las e usá-las na manhã seguinte mesmo que estivessem molhadas ou mesmo se eu tivesse feito xixi na cama — tudo isso foi difícil. Eu era uma mestra em dificuldade. Agora queria a alegria. Ela viria com a adoção de uma criança, e essa alegria valia mais que o sacrifício.

Eu visitava Genesis no lar adotivo em Rhode Island e a levava para passear. Íamos a vários lugares juntas. Eu a levava ao zoológico. Ela sempre chorava. Eu contava por quanto tempo ela chorava e era sempre o mesmo. Quando chegava em 25 segundos, ela parava de chorar e se divertia para valer. No lar adotivo, geralmente não é possível escolher, mas eu a identifiquei. Eu a conheci quando ela tinha mais ou menos cinco meses de idade. Tive que lidar com muita papelada antes de sequer conseguir vê-la. Assim que Genesis me viu, abriu um sorriso que parecia estar me convidando para ser a mamãe dela, como se tivesse me aceitado. Toda visita que eu fazia a ela, Genesis adormecia nos meus braços, agarrada a mim.

Quando enfim consegui levá-la de Rhode Island para Los Angeles, em 2011, foi incrível vê-la correr pela casa, destemida, exibindo uma personalidade grandiosa. Stacey Snider, uma das produtoras de *Histórias cruzadas*, deu um lindo chá de bebê em nossa casa, no qual Genesis, a mais fofa, foi o centro das atenções. Genesis era e é tudo para mim.

Enquanto eu trabalhava com Kerry Washington no crossover de *Scandal*, também conhecida como *Escândalos: Os bastidores do poder*, e *How to Get Away with Murder*, ela me perguntou se eu lera o livro *Pais e mães conscientes*. Kerry explicou: "Basicamente, Viola, o livro fala sobre como seu filho entra na sua vida para ensinar uma lição a *você*. Eles são totalmente diferentes de você e agem como um espelho."

Estava fazendo a peça de August Wilson, *Um limite entre nós*, quando fiz teste para *Histórias cruzadas*. Na época, me lembro de ver as pessoas falando sobre o romance de Kathryn Stockett e que a obra seria adaptada para um filme. Eu me lembro de ler o livro e pensar que era bom, mas havia uma enorme divergência entre o que pessoas brancas e pessoas negras achavam ótimo. E eu sou uma das últimas. Eu já sabia como seriam as críticas. Dei uma festa em casa e um amigo me disse que seu amigo estava me procurando porque queria que eu atuasse em *Histórias cruzadas*. "Não sei se quero fazer isso", falei. Eu me lembro de pensar: *Ah, mas quer saber, vai ser um filme grande. Talvez eu possa fazer isso dar certo.*

Eu só pensei: *Vai ser incrível e com ótimos atores.* Já tinha trabalhado com Octavia e o elenco teria que morar em Greenwood, Mississippi, por três meses. Além disso, o amor e a confiança que eu tinha pelos atores e pelo diretor, Tate Taylor, foram suficientes para que eu seguisse em frente. Todo trabalho acaba sendo mais a respeito dos colaboradores envolvidos nele.

Pegamos um voo para Greenwood e, chegando lá, tivemos a melhor experiência de conexão da minha vida. Foi bastante parecida com as experiências que tive nos filmes de August Wilson, *Um limite entre nós* e *A voz suprema do blues*.

Histórias cruzadas foi espetacular, porque todos tínhamos uma casa ou apartamento em Greenwood e visitávamos uns aos outros. Não conhecíamos mais ninguém na cidade; só tínhamos a nós mesmos. Era como viver em uma cidadezinha com nossos parentes. Íamos às casas um do outro para jantar e beber. Tate Taylor queria que parecêssemos mulheres fortes e saudáveis, como se estivéssemos em missões de paz, então tínhamos permissão para comer o quanto quiséssemos. Ele não queria aquela aparência hollywoodiana. Ele só precisou dizer isso. Comemos pra caramba. Naquele primeiro dia em Greenwood, Mississippi, Emma Stone, Octavia Spencer e eu almoçamos por umas quatro ou cinco horas antes de sequer começarmos a filmar.

Não sei nem dizer quantos pratos pedimos. Sei que foram pelo menos quatro ou cinco sobremesas diferentes. Perdi a conta de quantas entradas comemos. Nunca rimos tanto na vida.

Octavia é engraçada demais. Nossa barriga doía de tanto rir. Nós relaxamos, rimos, comemos, rimos, pedimos mais comida e, quando dissemos "Tudo bem, é hora de ir embora", pedimos mais comida. Engordei bastante. Tenho lembranças fantásticas de sair para o Crystal Grill para comer torta de limão e bolo de caramelo. Eu falava: "Eu não como desse jeito. Sou rata de academia." E antes que me desse conta, estava comendo outra fatia. Octavia me ligava dizendo: "Estou no Crystal pedindo um hambúrguer." Todos nós comíamos frango frito com pimenta jalapeño no set, macarrão com queijo, e tomávamos *moonshine*, que bebíamos porque estávamos no Mississippi. Não havia muito para fazer além de ir ao Walmart ou visitar os colegas de elenco.

Tate é provavelmente a melhor pessoa desse mercado para criar um ambiente familiar no set. A casa dele está sempre aberta, pois ele mantém as portas assim. Ele cozinha para você. Todo mundo se sente parte do todo. Então você vai à casa de outro colega e ele também cozinha para você. E depois você vai cozinhar para ele. Foi o que aconteceu naturalmente. Você se sente parte de uma família, não apenas de um grupo de atores.

Novas amizades foram feitas e antigas reacendidas, amizades tão fortes que, até hoje, quando vejo Emma, Bryce, Jessica, Octavia, Alisson e Sissy, o encontro é de completo amor e apoio. Éramos um grupo de mulheres, todas unidas, sem egos inflados, sem inveja. Fazer parte daquele grupo de mulheres, que tão facilmente abriu mão da vaidade e seguiu com tudo, foi um momento de enorme aprendizado para mim Todo mundo se apoiava, sobretudo porque estávamos em um lugar gravando um filme que evocava parte da história que já não era nossa realidade. Exatamente quando havia separação e dor, a filmagem de *Histórias cruzadas* contribuía com um enorme nível de alegria. Era um trabalho que exigia que confiássemos umas nas outras. Não poderia ter estado com artistas melhores. Todos ali eram fantásticos. Como disse, nada de egos inflados. Eu me senti abençoada por fazer parte de outra produção com um clima como aquele.

Esse lindo período foi sobreposto com estar em Greenwood, um dos berços da Ku Klux Klan, e seguindo a estrada por 11 quilômetros ficava Indianola, o local onde surgiu o White Citizens' Council.* Greenwood foi onde encontraram o corpo de Emmett Till, o adolescente negro que foi assassinado depois de, supostamente, ofender uma mulher branca. Meu apartamento ficava bem ali no Tallahatchie River, o rio mais turvo que já vi. Os fantasmas do passado ainda eram muito palpáveis. Eles também eram personagens no filme, não apenas a paisagem do Mississippi, mas a história que ainda sentíamos e víamos.

---

* Os White Citizens' Council (WCC), ou Conselhos de Cidadãos Brancos, eram organizações segregacionistas de supremacistas brancos que se formaram e se espalharam pelo Sul dos Estados Unidos. Eles se organizaram em reação ao Caso "Brown v. Board of Education of Topeka", ação marcante julgada na Suprema Corte norte-americana na qual foi decidida a inconstitucionalidade da segregação racial entre negros e brancos em escolas públicas pelo país, em 1954. [*N. da E.*]

Havia muita pobreza no bairro ao lado, Baptist Town, em comparação ao resto de Greenwood. Baptist Town era a mais antiga comunidade negra do Mississippi, mas, na época em que filmamos *Histórias cruzadas*, não havia ali uma pessoa sequer que tivesse concluído o ensino médio nos últimos cinco anos, e a taxa de desemprego era algo em torno de 86%, enquanto no resto de Greenwood era de 16%. A situação daquele lugar ia além de qualquer coisa que eu possa descrever, mesmo tendo crescido na pobreza. Espíritos me chamaram durante toda a gravação, exigindo que eu os honrasse, da mesma forma que aquela jovem Viola exigia que eu a honrasse.

Estávamos hospedados em um apartamento fabuloso em Greenwood, mas Julius estava muito apreensivo achando que algo poderia acontecer conosco no Mississippi enquanto filmávamos. Talvez fossem os fantasmas da história, ou o calor, mas ele estava tão preocupado com a nossa segurança que colocou uma armadilha na porta da frente. Apoiava cadeiras sob a maçaneta. Deixava um taco de beisebol e um grande pedaço de madeira no quarto. Caso alguém arrombasse a porta, daria para ouvir por causa da cadeira debaixo da maçaneta, e teríamos tempo de nos levantar e bater na cabeça de quem fosse com o taco e com o pedaço de madeira — ou pelo menos esse era o plano.

Tate também era ótimo porque estava receptivo a mudanças no roteiro, totalmente aberto ao monólogo que sugeri no filme, no qual minha personagem fala sobre o filho dela. Tate se mostrou disposto a ouvir sugestões. Ele disse: "Vamos fazer, Viola." Eu me sentei com ele. Tate é um daqueles colaboradores excelentes, então escrevemos juntos.

Infelizmente, *Histórias cruzadas* é um filme para o qual nossa cultura e nosso país não estavam preparados. A fala de Jack Nicholson em *Questão de honra* é a melhor descrição: "Você não consegue lidar com a verdade."

Outra narrativa surgiu em *Histórias cruzadas* e não foi explorada. Isso não tinha nada a ver com os artistas envolvidos, mas sim com a história, acusações e o fato de Aibileen ser uma empregada. Eu não via problema em interpretar uma empregada; não ligo para a profissão de alguém. Meu receio era interpretar uma personagem que ficasse inexplorada.

Queria saber como Aibileen se sentia a respeito de trabalhar para mulheres brancas racistas e ter uma pessoa que fazia as perguntas — uma jovem branca que fazia visitas à noite. A vida de Aibileen está em risco. Aibileen está literalmente quase sacrificando a própria vida para contar a essa jovem branca como é ser negra em 1963, trabalhando na casa de uma pessoa branca onde sequer pode usar o banheiro.

Minha outra questão foi quando ofereceram dinheiro a Aibileen e aos outros e eles recusaram porque eram muito honrados; sentiram que era mais importante contar a história do que aceitar o dinheiro. Eu discordo. Nós teríamos aceitado o dinheiro. A honra é uma fantasia. O instinto de sobrevivência e como ele revela nossa natureza é humano.

Kathryn Stockett fez um trabalho incrível no livro em muitos aspectos. Aibileen vivia em situação de insegurança alimentar. A única comida que tinha em casa eram as conservas que a vizinha lhe dava. Por isso, se Skeeter oferecesse a ela 38 dólares e dissesse "Sei que você está colocando sua vida em risco, mas preciso saber como você realmente se sente", Aibileen aceitaria o dinheiro. Ela estava com fome. O fato de que não aceitaram o dinheiro, o fato de que em momento algum do filme ou a sós eles chamaram qualquer uma daquelas pessoas de "branco filho da puta" ou algo assim... Bem, seria essa a forma como falaríamos entre nós em uma situação extrema como aquela.

Senti que nossas vozes estavam sendo silenciadas ao falar com a imprensa. Duas visões diferentes e opostas podem ser difundidas ao mesmo tempo. Posso falar a minha verdade, e o outro lado também. Uma das minhas melhores performances foi em *Histórias cruzadas*; até mesmo os atores locais que estavam na cena em que todas as empregadas dão seu testemunho eram fantásticos. Não poderia ter trabalhado com melhores produtores, atores ou diretor.

Amei trabalhar com Tate outra vez em *Get On Up — A história de James Brown*. Ele é fantástico. As críticas a *Histórias cruzadas* nada têm a ver com as pessoas envolvidas no filme. Têm a ver com tudo que aconteceu, mesmo agora, com vieses conscientes e inconscientes e microagressões. São coisas sobre as quais não falamos, mas que estão presentes na história. Não sabia que aqueles pensamentos, sentimentos e confusão não eram vendáveis.

Fui indicada ao Oscar novamente em 2012, desta vez como Melhor Atriz por *Histórias cruzadas*. Em *Dúvida*, havia sido indicada como Melhor Atriz Coadjuvante. A indicação por *Histórias cruzadas* ficou marcada na minha mente porque houve muita polêmica em relação a mim por interpretar uma empregada e por estar em um filme em que a perspectiva branca é tão prevalente. Com a indicação, senti que estava sendo colocada contra uma das minhas atrizes favoritas, Meryl Streep, pelo papel dela em *A Dama de Ferro*, e todos diziam: "Vamos ver quem ganha." O que era muito animador para o público, mas nem tanto para mim.

Até chegar o momento do tapete vermelho para a cerimônia do Oscar, eu já tinha tido herpes-zóster duas vezes. Me sentia muito estressada, não conseguia dormir. Não estressada porque queria ganhar, não nutria quaisquer sentimentos a esse respeito — era o estresse da pressão que sentia para ganhar.

Depois da indicação ao Oscar de Melhor Atriz por *Histórias cruzadas*, não recebi convites para papéis de protagonista. Me ofereceram cinco dias de trabalho em *Ender's Game: O jogo do exterminador*. Tive dez dias de trabalho como amiga/empregada em *Dezesseis luas* e oito dias de trabalho em *Os suspeitos*. Ninguém me oferecia papéis principais. Não estou reclamando. De jeito nenhum. Conseguia manter um padrão de vida incrível. Sou grata pelo meu trabalho. Reforço o que já falei: 95% dos atores não conseguem trabalho e menos de 1% recebe 50 mil dólares ou mais por ano. Então, sou muito grata. Mas, mesmo depois de duas indicações ao Oscar, sendo uma como Melhor Atriz, eu não estava recebendo convites para os mesmos papéis que meus colegas brancos e até alguns negros.

Minha carreira refletia minha infância. Minha negritude era tanto uma questão no palco e na tela quanto tinha sido na minha infância. Ficou óbvio para mim que todas aquelas coisas dentro de mim ainda precisavam de cura, e também ficou assustadoramente óbvio que Deus estava me usando para liderar em uma área na qual me sentia uma vítima.

Em 2011, Julius e eu criamos a JuVee Productions, uma produtora para desenvolver filmes, programas de TV e mídias digitais. No ano seguinte, a revista *Time* me selecionou como uma das 100 Pessoas Mais Influentes do Mundo, e a *Glamour* me escolheu como Atriz de Cinema do Ano. Mesmo assim, ninguém estava me oferecendo papéis de destaque. Exceto a Shondaland.

Ganhei um prêmio Emmy de Melhor Atriz em Série de Drama por *How to Get Away with Murder*, em 2014, a primeira atriz negra a recebê-lo, blá-blá-blá. É mais que isso. Bem mais. Eu tinha 47 anos quando comecei a fazer a série.

Sou uma mulher negra retinta. Culturalmente, há uma narrativa explícita e implícita enraizada nas leis de Jim Crow. Ela diz que nós, mulheres negras retintas, simplesmente não somos atraentes. Todos os atributos convencionados como femininos — atraente, vulnerável, desamparada — não se aplicam a nós. No passado, fomos transformadas em posse, matéria-prima para experimentos desumanos, e isso evoluiu para a invisibilidade. Na indústria do entretenimento, somos relegadas aos papéis de melhores amigas, de advogadas e médicas fortes, desbocadas e atrevidas.

Estamos lá como ajudantes ambíguas e debochadas. Isso envia uma mensagem óbvia de que nós, enquanto sociedade, acreditamos na mentira que nos foi contada. Várias atrizes negras contratadas para certos papéis parecem "intercambiáveis", como disse um dos meus agentes. Então, se você colocasse as características delas em uma atriz branca, não haveria indicação de que são negras. Elas precisam ter o tom perfeito de negro; nem escura demais para ser considerada feia, nem clara demais para que você não consiga perceber que são negras. Ouvi esses comentários ao longo de toda a minha carreira.

Por mais que deteste admitir, apesar dos prêmios eu me sentia amaldiçoada. Invisível. Minha cura veio quando Pete Nowalk e Shonda Rhimes me ofereceram o papel de Annalise Keating em *How to Get Away with Murder.* Tudo mudou ali.

Senti muito medo. Era uma protagonista na televisão aberta. Ela era descrita como uma advogada criminalista sensual, inteligente, vulnerável, possivelmente sociopata e extremamente astuta. E tinha um marido e um amante. Nunca vi ninguém na TV que se parecesse comigo interpretando um papel como esse. Era um daqueles momentos pelos quais sempre pedi, mas de repente estava me forçando a confrontar minhas próprias falhas. É como diz o ditado: "É preciso ver para crer." E eu não via.

Na TV e no mundo em geral, a feminilidade é definida por quanto da beleza "clássica" e delicadeza você tem, ou quão branca você é. Kerry Washington era Olivia Pope, a primeira atriz negra num papel de protagonista desde Diahann Carroll em *Julia,* em 1967. Eu não era Kerry Washington. Sei que é apenas um efeito colateral do que absorvemos do racismo institucional, mas a questão é que eu certamente não era a definição de protagonista feminina de TV, sobretudo para uma personagem descrita por todos esses adjetivos: sexualizada, sociopata, inteligente.

Uma amiga minha estava atuando em uma peça em Nova York. Ela é negra, e havia no elenco muitos atores e atrizes negros, além de brancos. Era um elenco multiétnico. Quando a notícia de que eu ia interpretar Annalise Keating se espalhou, ela me ligou. Estava feliz por mim, mas compartilhou a conversa de bastidores a respeito da notícia. Muitos dos atores e atrizes negros do elenco estavam dizendo: "De jeito nenhum essa série vai dar certo com Viola Davis como protagonista. Mas não vai dar certo mesmo. Ela não é bonita o bastante. Ela não é feminina o bastante. Ela não me excita."

É uma crença amplamente difundida que mulheres retintas não são atraentes para muitos homens negros. Há uma mentalidade enraizada no racismo e na misoginia de que não temos valor enquanto mulheres se não os excitamos, ou se não somos atraentes para eles. É um pensamento entranhado, ditado pela opressão.

Aquela garotinha de 8 anos dentro de mim sofreu quando minha amiga ligou. Eu já sabia que para interpretar o papel principal na televisão você ou tem que ser uma versão negra da mulher branca ideal, ou tem que ser branca. Certamente ajudou o fato de que em toda cena a personagem ficcional chamada Annalise Keating se via lutando contra a opressão sem pedir licença. Mesmo assim, eu sabia que a mídia diria que fui uma má escolha. Aquele lindo momento de descobrir que conseguira o papel principal em *How to Get Away with Murder*... se misturou a um momento desolador de sentir que não o merecia. Até que me lembrei dos ensinamentos de Sanford Meisner, que disse que a pergunta mais importante que um ator pode fazer é: "Por quê?" Eu me perguntei: *Por que não posso ser sensual? Por que não posso ser vulnerável? Por que não posso ter um marido e um amante? Por que não posso ser a protagonista?* Continuei me fazendo essa pergunta: *Por quê?* Cheguei a um beco sem saída em que me perguntava: *Por que não?*

O trabalho de um ator é ser um observador da vida. Meu trabalho não é estudar outros atores, porque isso não é estudar a vida. Estudo pessoas o máximo que posso. Se você me assiste, não é meu trabalho oferecer a você uma fantasia. É meu trabalho oferecer você mesmo a você. Nas pessoas há uma caixa infinita de tipos, situações, comportamentos diferentes. Esses tipos contradizem percepções. Combatem noções preconcebidas. São tão complexos e vastos quanto a galáxia. Na minha vida, eu existo. Nós, mulheres negras retintas, existimos. Minha mãe me teve. Minha mãe é uma mulher negra retinta. Minha mãe teve namorados. Minha mãe se casou com meu pai. Minha mãe teve seis filhos, então obviamente ela transou. Alguém a desejou. Existem

327 milhões de pessoas nos Estados Unidos, e apenas as garotas loiras, brancas e magras são seres sexuais?

Assim que me abri para a possibilidade de interpretar Annalise Keating, e me usando como paleta, criei uma personagem diferente para a televisão e extingui os demônios dentro de mim. Em Shondaland e em *How to Get Away with Murder*, encontrei meus iguais. Eu me permiti sentir medo, encarar a dor da minha eu garotinha-feia-de-8-anos, mas não deixei que me dominasse. Eu a usei como combustível porque, afinal de contas, levamos tudo o que somos para um personagem. Levamos memórias, triunfos, dores, inseguranças. Tudo o que torna um personagem mais humano.

Então cheguei na televisão em um papel de protagonista. Preste atenção na palavra que usei para descrever Annalise: *sexualizada*. Não *sexy*. Há uma diferença. Odeio a palavra "sexy", porque "sexy" é uma máscara que vestimos. Tem a ver com mulheres se tornando objeto de desejo masculino. Não é autêntico. É intencional. Sexualizada é apenas outra faceta sua. É parte da sua autorrealização, talvez até parte do DNA. Mulheres negras que se parecem comigo geralmente não têm permissão para serem sexualizadas porque "nós não achamos que você seja atraente". E se não achamos que você seja atraente, então você não é um ser sexual, você não tem quaisquer órgãos sexuais anatômicos. Queremos vê-la forte. Queremos ver você xingando alguém. Queremos vê-la segurando um bebê. Talvez você possa cometer um crime. Podemos ver outros valores em você, mas não vemos sua vulnerabilidade e certamente não a vemos como uma mulher. Essa visão é perpetuada em nossa cultura, e, portanto, é reproduzida em nossa arte. É uma mentira, que contei ao longo da minha vida quando constantemente me desculpei por minha aparência, por andar diferente (tenho pés muito chatos e joanetes), por tentar mudar minha aparência usando perucas e cílios postiços.

A menina de 8 anos que nunca ouviu de ninguém "Você tem valor; você é linda" de repente se viu como protagonista e dando voz a todas as mulheres que se pareciam com ela. Não tinha armas para acabar com a oposição, para mudar a cultura em si. O obstáculo em meu caminho era um sistema de opressão racista de quatrocentos anos e meu sentimento de profunda solidão. Minha arte, nesse sentido, era a melhor ferramenta de cura para resolver meu passado, a melhor arma que eu tinha para conquistar meu presente, e minha dádiva para o futuro.

Annalise Keating me colocou em contato com os obstáculos que me impediam de perceber meu valor e poder enquanto mulher. Antes disso, criei uma história. Às vezes, histórias são mentiras que inventamos porque queremos que aquilo de que nos lembramos seja diferente. Às vezes uma história é simplesmente como VOCÊ viu um acontecimento, como você o internalizou. E, às vezes, a verdade simplesmente é o que é. É apenas um fato. Eu estava apagando aquela história inventada. Decidi que era hora de contar minha história, do jeito que eu me lembrava dela, a minha verdade.

Aceitei o papel. Respondi ao chamado à aventura e entrei na jornada — e de muitas formas estava na jornada do herói de Joseph Campbell, redefinindo a visão de mundo da mulher negra nos Estados Unidos. Disse um sim muito caloroso a essa aventura. Antes de Annalise, nunca tinha interpretado uma pessoa complexa em filmes ou na TV. Sempre tentei ser mais dimensional, mas não havia o suficiente nos textos para impulsionar isso.

Na primeira temporada de *How to Get Away with Murder*, Annalise confronta Ophelia (personagem de Cicely Tyson), acusando-a de não ter evitado que ela fosse molestada pelo tio. Foi emocionante gravar essa cena com Cicely Tyson, que estava fazendo 90 anos no dia da gravação. Eu estava trabalhando para transmitir toda essa história de abuso sexual, a dor. Nunca esquecerei a expressão da Srta. Tyson quando respondeu: "Aconteceu com todas as mulheres, essa é a nossa maldição", disse calmamente. "Aconteceu com a minha mãe. Aconteceu com a mãe dela."

O olhar dela revelou todo o abuso sexual que testemunhara. Estava nos olhos dela, em seu comportamento. A Srta. Tyson mostrou uma história específica e profunda que não se aprende na escola. Era exatamente o motivo de eu querer me tornar atriz. A profundidade da vida emocional que ela era capaz de demonstrar é no que eu preciso trabalhar.

Se fosse estabelecer um marco da primeira vez em que usei totalmente minha voz, foi em *How to Get Away with Murder.* Shonda Rhimes; Betsy Beers; minha agente, Estelle; e Pete Nowalk estavam todos no telefone fazendo essa oferta. Eu os ouvi falar dessa personagem que era complexa: casada, mas tinha um amante, podia ou não ser sociopata. O nome dela era Annalise DeWitt. Pensei: *Não soa como o nome de uma mulher negra.* Sabia que não tinha sido escrita para uma etnia ou raça em particular. Foi a única vez que a grandiosidade do trabalho não restringiu minha voz ou minhas necessidades.

Eu tinha experimentado tudo isso ao considerar o papel. Fortaleceu meu caráter, me deu o ímpeto de falar por mim mesma. E o que eu defendi? "Vocês terão que me deixar tirar a peruca na primeira temporada." Eu sabia que se pedisse a eles que escrevessem um ser humano, podia dar certo ou não. A indústria da TV e do cinema está saturada de pessoas que acham que estão escrevendo algo humano, quando, na verdade, não passa de um truque. Mas se eu tirasse a peruca em um momento privado e intenso junto com a maquiagem, isso os forçaria a escrever para AQUELA mulher. Tirar a peruca em *How to Get Away with Murder* era meu dever para honrar mulheres negras ao não mostrar uma imagem palatável para o opressor, para pessoas que mancharam e puniram a imagem da feminilidade negra por tanto tempo. Dizia que tudo o que somos é lindo. Mesmo nossas imperfeições. Com *How to Get Away with Murder*, eu me tornei artista no verdadeiro sentido da palavra.

Começamos a filmar o episódio piloto na congelante Filadélfia, em 2014. Depois de anos interpretando policiais autoritárias, agentes do FBI, advogadas ambíguas, mulheres com alguma dependência química, é difícil interpretar apenas uma mulher. Não recebera permissão. Meu

Deus, eu mal recebera essa permissão na minha vida, que dirá na tela. Cada imagem era gritante e enfatizava o quanto não me parecia em nada nem ao menos soava como uma mulher. Fico impressionada por aqueles que se irritam por achar que eu não deveria me importar com isso. É óbvio que me importo. Nosso grau de sonhos, de amor-próprio e aceitação corresponde ao amor, apoio e permissão das imagens presentes ao nosso redor.

Agora eu era Annalise DeWitt e não me encaixava nesse papel. A segunda grande escolha ou pedido era a mudança do nome dela. Na Filadélfia, eles mudaram para Annalise Keating. Melhor, mas ainda não se encaixava bem. Pensei que qualquer mulher que houvesse tentado usar uma máscara por tanto tempo provavelmente sempre a usara, ainda mais vivendo em um mundo branco e conduzido por homens. Talvez ela tivesse mudado de nome? Minha mãe mudara o dela. De novo, a mulher que eu tanto evitei ser era a musa soprando em meu ouvido.

Minha escolha foi que Annalise provavelmente era Anna Mae. Aquela escolha de Anna Mae mudando o nome para Annalise começou a moldá-la para mim como uma mulher sempre se transformando para "se encaixar". O quanto ela se transformava para se encaixar era o que a personagem revelaria para mim. Por que tentar tanto? Uma mulher negra retinta transitando em um mundo branco vive suas batalhas diárias, mas sabia por experiência própria que isso sempre começa em casa. De que memórias ela fugia?

Annalise tinha um marido *e* um amante. Sempre fico fascinada com sexo e a impunidade do sexo na tela. Em especial quando perpetrado por uma mulher. Mulheres gostam de sexo e são seres sexuais e, mesmo assim, ainda é um dos temas menos explorados na indústria em que trabalho. A máquina por trás da nossa sexualidade é extremamente diferente da dos homens. Infelizmente, da forma como é mostrada na TV e no cinema, a sexualidade feminina costuma ser usada para provocar. A mentira que contam às atrizes é que isso é libertador, mas a verdade é que raramente é específica ou revela algo em relação à personagem.

Lá estava eu, como Annalise, com meu amante, Nate Lahey, também conhecido como Billy Brown, com quem eu sempre brincava dizendo ser geneticamente modificado. Ele era um personagem com quem eu supostamente transara em um bar. Eu tinha que torná-la humana. Tinha que, de alguma forma, fazer essa personagem fictícia ter alguma semelhança com a realidade. Lamentavelmente, a maioria das mulheres que conheço sofreu abuso sexual. O transtorno dissociativo podia surgir dali porque é prevalente na maioria das sobreviventes.

Cada personagem que interpretamos nos força a entrar em contato com nossas feridas. Na minha juventude, experimentei um nível assustador de diferentes formas de abuso sexual. Era um conhecimento básico que nosso objetivo na vida era lutar contra predadores sexuais — incluindo babás e vizinhos —, mesmo antes de sabermos da existência desse termo. Era um efeito colateral da pobreza, de pais ocupados demais com a nossa sobrevivência para nos proteger integralmente. O rótulo de "preta feia" permitia que esses predadores não me vissem como humana, como uma criança. Eu era um fetiche sexual, uma mancha vergonhosa que eles não podiam admitir para si mesmos nem para o mundo. Usei isso para Annalise. As feridas, misturadas à inteligência, à força e ao sucesso dela pareciam certas. O fato de ela ser casada com um homem branco, estar tendo um caso com um homem negro e ser bissexual a tornava, para mim, complexa.

Alguns papéis expõem sua vulnerabilidade. Annalise Keating era um deles. Precisei fazer as pazes com quem eu era. Eu era uma mulher negra retinta de quase 50 anos num papel de protagonista na TV. E o burburinho sobre a minha escolha para interpretar o papel já estava começando. *Quem vai levá-la a sério nesse papel? Quem levaria a sério não apenas ela nesse papel, mas qualquer uma que se pareça com ela?* Foi o que ouvi.

Senti que tinha duas opções: me desculpar por ser quem eu era, tentar mudar minha aparência para satisfazer os padrões deles e tentar me encaixar no que as massas estavam dizendo; ou podia ser fiel a mim mesma e me apropriar de Annalise, com minha aparência, com minha voz. Havia chegado a um ponto na vida no qual podia escolher a mim mesma. Aquele foi um enorme momento de ruptura. Uma conquista em um nível diferente dos prêmios. Eu estava em busca de mim.

Sei o que minha imagem pública significa para mulheres negras. E como é importante falar minha verdade. Porque aqui está o que você não pode tomar nem substituir: você não pode substituir minha história autêntica por uma história racista. Então quem eu sou, no fim das contas, é o completo oposto do que a sociedade ditou que eu era. No começo da minha carreira, eu não tinha tanto poder, mas agora eu tenho. Se eu, por exemplo, apresentasse Annalise Keating como apenas uma mulher forte, sem reservas, não sexual e implacável, que arrasa no tribunal, isso não seria autêntico para mim. Porque isso não é quem somos enquanto mulheres negras. Como mulheres negras, somos complexas. Somos femininas. Somos seres sexuais. Somos lindas. Somos legais. Há pessoas que nos desejam. Somos merecedoras. É por isso que sei muito bem o que minha imagem significa. E é por isso que também sei do motivo de precisar estar emocionalmente saudável. Porque é muita responsabilidade. Porque estou lutando contra uma narrativa que prevalece há quatrocentos anos.

Durante *How to Get Away with Murder*, Julius e eu renovamos nossos votos. Todos compareceram: minha mãe, minhas irmãs, Gayle King, Phylicia Rashād, Debbie Allen e tantas outras pessoas que eu amo estavam lá, 130 pessoas, talvez mais. Foi um casamento muito diferente dos dois primeiros. Planejei tudo sozinha. A festa foi em Casa Del Mar, um hotel em Santa Mônica, de frente para o mar. Uma estilista, Carmen Marc Valvo, criou lindos vestidos para mim, minha mãe, minhas irmãs e Genesis.

How to Get Away with Murder foi onde minha transformação radical aconteceu. Enquanto interpretava Annalise, entendi que não era mais aquela preta feia. O papel me libertou. Disse para mim mesma: *Tudo o que tenho sou eu. E isso é suficiente.*

Como eu havia começado a me encontrar em *How to Get Away with Murder*, filmar *Um limite entre nós* foi perfeito. Um material perfeito para o cinema, baseado na peça de August Wilson, que exumava e exaltava pessoas comuns. Para mim, o Troy original era meu pai, Dan Davis, nascido em 1936, tratador de cavalos, estudara até o quinto ano, não sabia ler até os 15 anos. Os personagens de *Um limite entre nós* eram reais para mim, eles eram a minha vida. O material de August é ótimo porque nos permite sangrar e nos permite falar. Rose era uma personagem completa. Como atriz negra, não se consegue personagens assim. Atrizes negras geralmente não conseguem papéis em que sua patologia e feminilidade são exploradas em sua totalidade. Somos a quarta, quinta, sexta personagem coadjuvante. Entramos e dizemos poucas palavras poderosas e atrevidas, para então sairmos de cena, e essa é nossa única contribuição. Mas *Um limite entre nós* é uma narrativa bem construída, com o diretor certo para organizar tudo.

Denzel é o diretor dos atores. Ele sabe como usar uma palavra ou fazer você adicionar um gesto que pode destravar sua performance. Se você estiver confuso, ele saberá ajudar. Ele percebe quando você não está presente ali. Sabe quando um momento não parece real e ele vai intervir se não estiver confiante. Ele me forçou a ir mais fundo como Rose no filme ao dizer algo muito poderoso: "Lembre-se do amor... não interprete a dor e a traição, interprete a mulher lutando muito para restaurar o amor."

Em dez ciclos de peças que August Wilson escreveu (por vezes referido como seu *Century Cycle*), ele representou a vida dos negros norte-americanos em cada década do século XXI. Então você recebe uma aula de história, mas também tem a oportunidade de se sentar conosco como seres humanos e ver como aquele período nos afetou. Em *Um limite entre nós*, Rose é uma dona de casa que apenas quer manter a família unida. Ela é um produto absoluto dos anos 1950, passando por cima dos próprios sonhos, até mesmo sendo traída depois de dar a vida inteira pela família.

Na peça *Um limite entre nós*, nunca consegui acertar aquela última cena. No palco, senti que nunca funcionava. É um risco ocupacional: às vezes, temos bloqueios emocionais que afetam nossa habilidade de interpretar verdadeiramente uma cena. Na cena, Cory chega em casa depois de estar longe do pai por dez anos ou mais. Eles nunca tiveram um bom relacionamento, e Cory sempre foi assombrado por sentimentos de não ser amado ou querido pelo pai. Então, a cena final o mostra voltando para o enterro do genitor. E começa com ele dizendo: "Mãe, não vou ao funeral do papai."

Nunca soube como fazer uma escolha adequada para essa cena e como responder à afirmação de Cory em sua dor. Quando a interpretei no palco, ainda não era mãe, mas, quando filmamos *Um limite entre nós*, aí sim. Ali estava minha chance de acertar aquela cena final. A complexidade de curar e perdoar de repente se materializou para mim. E percebi que a profundidade de autoconhecimento que você tem é igual à profundidade do autoconhecimento de um personagem. Afinal de contas, somos observadores da vida. Afinal de contas, somos um canal, um condutor de pessoas. O que não foi resolvido na vida pode, com certeza, se tornar um obstáculo para o trabalho que fazemos. O conselho dado a mim por Denzel para desbloquear a cena era começá-la dando um tapa em Cory. Eu congelei.

Eu disse:

— Não posso fazer isso. De jeito nenhum!

Denzel me pressionou.

— Ele é um cara grande. Ele aguenta. Vá em frente e dê um tapa nele.

— De jeito nenhum!

— Faça e veja como a cena se desenrola.

Congelei. E então bati em Cory.

Denzel me incentivou:

— Bata nele de novo!

Então bati de novo. E de novo. De repente, a raiva de Rose com o anúncio de Cory, afirmando que não iria ao funeral do pai, misturada à dor dos dois e a ter que lidar com o ressentimento e relacionamentos conflituosos na família... tudo aquilo culminou no perdão. Foi liberado assim de repente. Começou com um tapa. E a cada tapa, por acaso, pensei na minha mãe. Pensei na dificuldade da maternidade. Em fazer as pazes com a dor. Em satisfazer as necessidades e ao mesmo tempo fazer sacrifícios, fazendo malabarismos com a imensa tarefa de manter a família unida. Engavetar esperanças e sonhos. Eu a senti. Inteiramente... E foi lindo.

Denzel nos guia rumo à verdade. Às vezes, de forma amavelmente cruel, ele o forçará a ser mais simples. Talvez essa seja a razão de essa cena funcionar perfeitamente no filme. Em termos de conjunto, exceto por Jovan Adepo e Saniyya Sidney, filmei *Um limite entre nós* com o mesmo elenco com o qual me apresentei na peça da Broadway: Mykelti Williamson, Russell Hornsby e Stephen McKinley Henderson — os mais incríveis artistas com quem já trabalhei. Gravar no distrito de Pittsburgh, o local de nascimento de August Wilson e cenário de todas as peças dele, com a proteção da comunidade, me fez sentir segura.

Não tive muitos momentos de princesa na vida. Nunca estive confortável com momentos de princesa porque nunca me senti uma. Pela primeira vez, experimentei como é saber que mereço algo. Não o sentimento de ser a melhor, de jeito nenhum. Mas, como se o trabalho duro ao longo dos anos tivesse um peso e se fundisse neste momento "perfeito".

Eu tinha um objetivo. Eu o visualizei. Trabalhei por ele. Eu o alcancei. Não tem tanto a ver com o Oscar que ganhei por *Um limite entre nós*, mas sim por gravar um filme que me trouxe muita alegria. Foi quase como uma queima de fogos. Mesmo que nunca tivesse ganhado o Oscar, ainda seria um momento de transformação. Foi um transbordar de bênçãos que não poderia ter imaginado viver.

O que percebi desde então é que aqueles momentos que me fazem sentir viva são parte de um contínuo. Você encontra o momento e o aproveita. Então, assim que passa, a vida se torna uma busca por outro momento como aquele. Agora entendo que a vida — e vivê-la — tem mais a ver com estar presente. Agora sei que as memórias não tão felizes ficam à espreita, mas a esperança e a alegria também.

As filmagens de *Um limite entre nós* levaram seis semanas. A campanha do Oscar na temporada de prêmios durou cinco meses. Foram quase seis meses de uma jornada maravilhosa, nem sequer um ano da minha vida, e mesmo assim foi um marco incrível. Não apenas por ter recebido o prêmio, mas por ter me proporcionado a consciência de que eu merecia aquele momento de alegria e me sentir digna de uma experiência real que existia apenas nos meus sonhos. "Um momento perfeito em minha história imperfeita", um momento da minha vida em que me lembro de me sentir viva.

Tudo — a história e o ativismo, assim como o texto, o elenco e o diretor perfeitos — culminou para criar aquele momento de Cinderela que me conduziu ao pódio para receber o Oscar. Foi perfeito. A noite inteira é uma lembrança perfeita.

A memória é poderosa. Grandes dificuldades e grandes sucessos são o que compõe uma vida vivida em sua totalidade... a minha vida. Minha maior alegria são os momentos felizes e as lembranças de amar e estar presente no crescimento e no desenvolvimento da minha filha, o relacionamento especial e as memórias de pura alegria que me são proporcionadas só por amar meu marido, valorizando a vida que seguimos construindo, e momentos e memórias da minha vida como atriz.

Há a parte factual da memória que tem a ver com detalhes, cronologia, mas a outra parte é abstrata. Como me senti quando isso estava acontecendo? O que eu queria naquela época? Se a lembrança é ruim, você tenta esquecer. Ou a modifica para conseguir sobreviver. Fico surpresa por uma das minhas lembranças mais poderosas envolver a mim mesma me pondo de joelhos. É o que acontece quando não há respostas neste mundo e jeito algum de consegui-las.

Minha amiga Edwina perguntou como cheguei onde estou hoje, como usei minhas garras para sair da pobreza. Essa pergunta sempre me impressiona. Sobretudo porque não sei a resposta. Em geral, para ser sincera, sinto que dei sorte. Mas... naquele dia, sem hesitar, contei a história de quando eu tinha 9 anos. Fluiu de mim como se uma força poderosa a puxasse para fora.

No meio da noite, testemunhei meu pai tentando quebrar as pernas da minha mãe. Ela correu para fora de casa e se escondeu entre as árvores na nossa rua sem saída, esperando que meu pai se acalmasse. Ela, enfim, tentou voltar, mas ele estava escondido no nosso quintal, com um pedaço de madeira na mão, e começou a bater nela brutalmente. Ela gritava como um animal. Ele continuou batendo. Minhas irmãs e eu corremos para fora, em pânico. Ninguém mais foi ajudar. Ninguém olhou pela janela, apesar da proximidade das casas. Eu gritei. Gritei de um jeito primitivo, de estilhaçar a terra, como se ordenasse que ele parasse. Mas não consegui impedir o espancamento. Minha irmã Dianne me sacudiu e esbravejou: "Para de gritar!" Mas eu não conseguia. Minhas outras irmãs tentaram me acalmar, mas eu não conseguia parar. Por fim, Dianne gritou: "Entra em casa!" Corri para dentro, ainda gritando.

Corri para o banheiro, para onde por vezes eu fugia, e bati a porta com força. Caí de joelhos diante do vaso sanitário e gritei: "Deus! Se você me ama, vai me tirar deste lugar! Eu não quero mais estar aqui! Vou fechar os olhos e contar até dez. Quando eu abrir, é melhor eu ter sumido ou saberei que você não existe! Um. Dois. Três..." Fiquei com os olhos fechados, realmente acreditando que Deus me levaria. "... Oito... Nove... DEZ!" Silêncio. Abri os olhos. Eu ainda estava lá. Sozinha. Consciente da minha solidão. Falei baixinho: "Eu sabia que você não existia."

Edwina ficou me encarando. Sem respirar. Eu não sabia por que estava sendo guiada por uma força invisível para contar *aquela* história a ela.

— Deus me levou, sim — falei.

Estávamos ali. Ela, crente em Deus e em seu poder. E quanto a mim? Crente, mas... não crente no meu valor. Aquela alquimia mágica entre a presença dela e o poder daquela pergunta estava me fazendo reconhecer essa grande verdade.

— Ele me levou do jeito dele, Edwina — continuei, como se estivesse percebendo isso pela primeira vez.

Supliquei como as mulheres na Gâmbia, gritando, rindo, cantando para Deus para que as ouvisse. Gritando para fazer meu coração ser conhecido... para ser salva. Tudo o que aconteceu na minha vida depois foi uma mistura de magia, esperança, mentores, amantes, amizades, presentes que eram como saltos que me transportaram.

Depois daquele incidente no banheiro, não houve mais fugas. Não houve mais rotas de escape. Meu espírito foi arrancado, mas meu corpo foi mantido no mesmo lugar porque era o único jeito de, quando ganhei visão, poder e perdão, conseguir lembrar o que significa viver o trauma. Eu conseguia lembrar o que significa ser uma criança que tem fome. Conseguia lembrar da pobreza, do alcoolismo, do abuso. Conseguia lembrar como é ser uma criança que sonha e não vê a manifestação física de seus sonhos. Conseguia ver tudo isso e me impressionar com o meu poder de sobrevivência. Eu vivi aquilo! Estava lá! E esse tem sido meu maior presente ao entender o ato de servir e meu maior presente ao representar outros seres humanos.

A pergunta ainda ecoa: como usei minhas garras para sair? Não há saída. Cada memória dolorosa, cada mentor, cada amigo e inimigo serviu como cinzel, como um salto que lapidou a "MIM"! A escultura imperfeita mas abençoada que é Viola ainda está se desenvolvendo e sendo lapidada. Meu elixir? Não tenho mais vergonha de mim mesma. Sou dona de tudo o que me aconteceu. As partes que eram fonte de vergonha são, na verdade, meu combustível como guerreira. Vejo pessoas — a maneira como andam, falam, riem e sofrem, e o silêncio delas — de uma forma hiperfocada graças ao meu passado. Sou artista porque não há como separar quem sou de todo ser humano que já passou pelo mundo, incluindo minha mãe. Tenho muita compaixão por outras pessoas, mas sobretudo por mim mesma. Não seria assim se eu não tivesse feito as pazes com aquela garotinha de 8 anos e ME ENCONTRADO.

Eu a abraço agora. Minha eu de 8 anos. Eu a abraço bem apertado. Ela está dando um gritinho e me lembrando:

— Não se preocupe! Estou aqui para acabar com qualquer um que ouse mexer com a nossa alegria! Deixa comigo, Viola.

Este livro foi composto na tipologia Minion Pro,
em corpo 11,5/16, e impresso em papel off-white,
no Sistema Cameron da Divisão Gráfica
da Distribuidora Record.